AGNÈS GRIMAUD

Papillons de l'ombre

Illustrations : Camille Lavoie

ado et compagnie

À Jean-Pierre, le compagnon
de mes plus beaux voyages.
Des plus ardus aussi.

« Between every two pines
is a doorway to a new world. »

JOHN MUIR (1838-1914),
naturaliste américain,
qui a notamment contribué
à la création du parc national Yosemite

Principaux clans des papillons

Clan de Belk

Belk (fils de Lestig)
Bruknir
Eïsa
Datzu
Djune
Niox

Clan de Tanaïs

Tanaïs
Rulf
Krig

Clan de Ferkyos

Ferkyos
Awi
Svreid
Nadrige

Papillons solitaires

Lotz
Stej

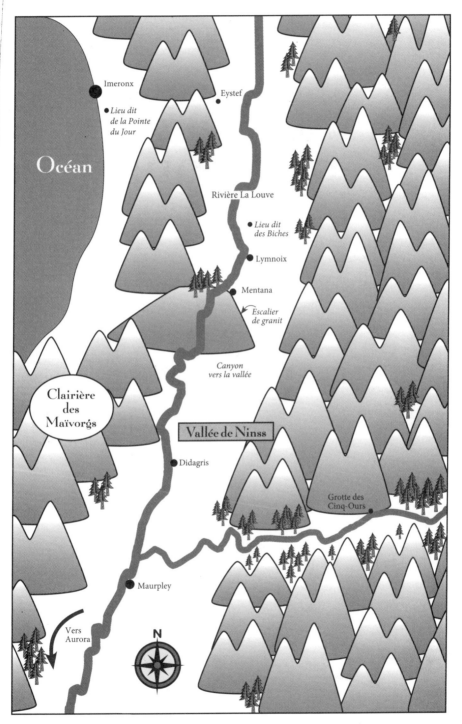

Imeronx
Eystef
Lieu dit
de la Pointe
du Jour

Océan

Rivière La Louve

Lieu dit
des Biches

Lymnoix

Mentana

Escalier
de granit

Canyon
vers la vallée

Clairière
des
Maïvorgs

Vallée de Ninss

Didagris

Grotte des
Cinq-Ours

Maurpley

Vers
Aurora

N

Prélude

D ans sa prime jeunesse, il se tortillait de plaisir lorsque sa mère lui racontait cette légende. Il en aimait chaque passage.

— Encore ! criait-il. Encore !

***

À l'origine, les papillons avaient une si petite taille et si peu d'éclat qu'ils étaient comme des fétus de paille dans le vaste ciel. À quoi leur servait-il de voler s'ils étaient à la merci du moindre courant d'air ou d'un oiseau affamé ? Voilà pourquoi un papillon décida, un beau matin, que les choses devaient changer.

Il alla trouver le Vent du Printemps, alors que ce dernier était allongé par terre, morose et soucieux.

— *Que se passe-t-il? lui demanda ingénument le papillon.*

— *Je suis à bout de souffle, se désola le Vent.*

— *Et pourquoi donc?*

— *Ffff! En ce moment, la terre porte trop de graines qu'il faut éparpiller çà et là.*

— *Je pourrais t'aider.*

— *Toi, chétif insecte?! se moqua le Vent, ce qui fit bruisser les feuilles des arbres alentour. Comment t'y prendrais-tu?*

— *Je butine déjà les fleurs à longueur de jour, répliqua fièrement le papillon. Si j'étais plus grand, je pourrais m'occuper d'une clairière à moi seul.*

Le Vent du Printemps accepta la proposition de l'insecte, et il souffla doucement dans ses ailes de manière à ce qu'elles atteignent la taille souhaitée. Le papillon, content d'avoir soumis si facilement le Vent à son désir, voulut savoir s'il pouvait en faire autant avec le Soleil. Il vola jusqu'à l'Astre d'or, qui suait à grosses gouttes pour réchauffer la terre après les rudes mois d'hiver.

— *Vois comme mes ailes sont devenues grandes, lui fit remarquer le papillon. Je pourrais t'éventer pour te soulager. À condition que tu acceptes de me donner un petit rien en échange…*

Le Soleil consentit volontiers à répandre quelques-unes de ses somptueuses paillettes dorées sur les ailes de son bienfaiteur. Le papillon, ayant obtenu ce qu'il cherchait, retourna vite auprès des siens. Il leur déclara alors en leur dévoilant sa majestueuse livrée:

— *Désormais, les oiseaux s'écarteront sur notre passage tel qu'il se doit devant les maîtres du ciel.*

***

— Encore ! Encore ! suppliait-il.

Souvent, au lieu de recommencer cette célèbre histoire, sa mère l'attrapait et le faisait tournoyer. Puis elle le serrait contre elle avec tendresse. Qu'il aimait se blottir tout entier dans la douceur de sa robe de taffetas bleu azur ! Le frou-frou de la soie l'emplissait d'un profond bien-être.

Ce précieux souvenir, toujours intact après des décennies, alla s'entasser avec ceux qui s'étaient rassemblés dans son esprit au cours de la journée. Il contempla l'océan à perte de vue, cet autre taffetas d'une indicible beauté qu'il avait si souvent survolé, lui, le fier nomade. Il se gorgea de l'air salin, écouta le fracas musical des vagues contre la falaise. Ses sens demeuraient aiguisés, malgré son grand âge. Combien avait-il chéri sa liberté ! Et combien l'avait-on chéri aussi, lui, le respectant partout où il passait.

Aujourd'hui, la force lui avait néanmoins manqué devant ceux qui s'étaient plu à l'humilier. Aujourd'hui, pour la première fois de sa vie, on avait fait de lui un être soumis. Or cela, jamais il ne pourrait le supporter.

Il ferma les yeux, se drapa dans sa cape, comme dans un linceul, et se laissa sombrer dans les flots, coulant à pic sous le poids de ses souvenirs.

CHAPITRE 1

Le don

« Bienvenue à Mentana, 163 habitants », signalait le panneau d'accueil planté à l'entrée de ce village isolé.

On avait pris la précaution d'y clouer des chiffres en fonte de manière à tenir un recensement précis des habitants. Cependant, plusieurs Mentanois prétendaient que cet écriteau était ensorcelé, car la queue du 6 avait la fâcheuse manie de se décrocher régulièrement, faisant bondir d'un coup, et ce, en dépit du bon sens, la population à 193 âmes.

Le vieux Will Felgardi clamait, de son côté, qu'une ombre agile, vêtue d'une cape sombre, était à l'origine de ces méfaits. Il jurait l'avoir aperçue, plus d'une fois, s'activant en pleine nuit sous une lune discrète. On hésitait à le croire pour la simple raison que le bonhomme, surnommé Will le Bigleux, ne dessoûlait plus depuis la mort de sa fille unique Nina.

Une véritable tragédie… Nina avait perdu son premier enfant à peine né, ce qui la fit plonger dans un profond désarroi. Un matin, son mari découvrit une lettre d'adieu qu'il lut en tremblant. Or, malgré d'innombrables recherches, le corps de la malheureuse demeura introuvable. Dès lors, Will commença à boire. Pour oublier ou bien pour se souvenir, personne ne le savait. Le vieil homme brisé marmonnait, d'une voix pâteuse et le regard vitreux, que sa fille adorée n'était pas morte, qu'elle lui chuchotait, la nuit, au creux de l'oreille :

— Je suis là, papa, dans le bercement du vent…

Mis à part ces chiffres dotés d'une vie propre et ce cadavre évanoui dans la nature, Mentana était un patelin sans histoire, juché sur un des plateaux de la vallée de Ninss. Le paysage qui s'offrait au regard à perte de vue, à pareille hauteur, était grandiose, la vallée verdoyante s'enchâssant, pile au sud, entre de majestueuses parois de granit violacé.

Quelques maisons de pierres grises ainsi qu'une auberge, servant également d'écurie publique, bordaient l'unique place de Mentana sur laquelle trônaient un large puits et, depuis peu, une rutilante pompe à eau manuelle. Cette innovation, signée Robert Miller, avait provoqué une véritable révolution dans le quotidien des Mentanois puisqu'il suffisait désormais d'actionner le bras de cet appareil, dans un mouvement continu, pour obtenir de l'eau. Plus besoin de plonger un seau dans les entrailles de la terre pour en extraire l'inestimable liquide. À Mentana, l'or bleu jaillissait maintenant sans difficulté d'une bouche en fonte rouge !

— La couleur exacte est «sang-de-bœuf», prit soin de préciser monsieur Miller dans le discours qu'il prononça lors de la cérémonie d'inauguration de sa pompe.

Ce génie créatif éprouvait un véritable plaisir à débusquer le mot juste, comme d'autres aiment à taquiner la truite. Les gens lui pardonnaient volontiers cet esprit tatillon, car Robert Miller était un être affable et généreux. D'ailleurs, il avait promis d'installer sa fameuse pompe dans le village voisin de Lymnoix, situé au nord, sur le bord de la rivière de la Louve, à deux heures de cheval, dès qu'il aurait le temps d'en fabriquer une nouvelle.

Miller habitait une cabane en bois en retrait du village. Il l'avait construite avec l'aide de sa femme, Margot. Ce foyer était confortable bien que peu spacieux. Les parents couchaient au rez-de-chaussée, afin de pouvoir entretenir le feu durant les froides nuits d'hiver alors qu'un moelleux duvet de neige recouvrait la terre. Leurs trois enfants se partageaient la mezzanine aménagée sous les combles. Chaque soir, ils y suspendaient leur hamac et s'emmitouflaient dans les couvertures colorées crochetées par leur mère. Zachary et Sev étaient respectivement âgés de quatorze et onze ans tandis que Gaelle en avait treize. L'aîné de la fratrie possédait la tignasse brune de son père, le nez droit et fin de sa mère et des yeux bleus hérités d'un aïeul. Grand et robuste, il disposait d'un tempérament calme. À l'inverse, le frêle Sev était bouillonnant, animé d'une énergie débordante. Des marques de l'enfance s'attardaient encore sur sa face ronde aux joues pleines. Ses yeux, deux noisettes enfoncées sous des sourcils arqués, lui donnaient un air espiègle. Il partageait plusieurs traits particuliers avec sa sœur : sa vivacité, son imagination et sa propension à être toujours en mouvement.

Par conséquent, une incroyable complicité unissait Sev et Gaelle. Ils n'étaient pas jumeaux de corps, mais d'esprit. Les fils de leurs pensées, de leurs joies et de leurs soucis s'entrelaçaient naturellement, ce qui émerveillait leur entourage à l'exception de Zachary qui en éprouvait assez souvent des pointes de jalousie.

Gaelle passait ses journées dehors en compagnie de Sev. La forêt était leur terrain de jeu. Les branches basses des arbres géants leur servaient de perchoirs, les lianes, de balançoires. Certaines plantes atteignaient des dimensions si extravagantes qu'il suffisait de courber leurs magnifiques feuilles lustrées pour construire le toit d'une hutte. À côté de cette nature aux proportions gigantesques vivait l'infiniment petit où figuraient la plupart des insectes. Cependant, nul ne s'étonnait de voir apparaître de temps à autre une fourmi de la taille d'un œuf de caille comme si certaines espèces, aux mutations plus rapides que celles de l'homme, s'adaptaient plus promptement à l'immensité de la végétation.

***

Gaelle était d'un naturel rêveur. Son esprit ondulait sans relâche à la manière des boucles châtain clair qui encadraient son visage radieux. Cela explique en partie pourquoi elle ne prit conscience de son don que peu à peu, au fil des événements, comme un dessin chiffré dont elle aurait découvert la forme en reliant les points. Elle finit par comprendre qu'elle n'était pas censée voir ce qu'elle voyait. Elle avait hérité des magnifiques yeux noirs de sa mère. Néanmoins, ce qu'ils contemplaient appartenait à un autre monde...

La première fois que Gaelle aperçut un insecte camouflé, elle s'en moqua bien du haut de ses neuf ans. Ce jour-là, elle remarqua, en pleine partie de cache-cache, une bestiole parfaitement immobile sur le tronc d'un pin majestueux, à trente-cinq pieds du sol. La fillette distingua le contour de ses ailes repliées sur un long thorax quoique la créature fût exactement de la même couleur que l'écorce de l'arbre. Si elle avait été à sa hauteur, Gaelle aurait constaté que cet insecte était en fait plus grand qu'elle. Mais, dans l'immédiat, il y avait plus pressant que l'observation de la faune: elle devait disparaître illico avant que Sev ne la débusque.

Au cours des années suivantes, elle observa à plusieurs occasions ces insectes qui, chaque fois, réussissaient à se fondre dans le décor, en dépit de leur taille.

Sur du bois ? Ils étaient brun-roux.

Sur des galets ? Mouchetés.

Parmi les feuilles mortes ? Orangés, les ailes légèrement froissées.

Jamais ils ne bougeaient. On aurait presque pu les prendre pour des fossiles.

Aussi, ces animaux statufiés ne l'attiraient guère. Gaelle leur préféra longtemps les plus formidables contorsionnistes de la création : les vers de terre. Les jours de pluie, Sev et elle réunissaient une colonie de lombrics. Les jeunes Miller étaient devenus experts dans la construction de tranchées et de galeries d'une incroyable complexité.

***

En l'espace de six mois, Gaelle avait grandi d'un coup. La puberté faisant son œuvre, ses épaules autrefois voûtées s'étaient dégagées sous la poussée de sa poitrine. Ses joues s'étaient un peu creusées, ce qui mettait en valeur ses yeux noirs en forme d'amande. L'adolescente commençait à être plus soignée. Depuis qu'elle avait franchi le cap des treize ans, mademoiselle hésitait davantage à se lancer dans des chantiers de boue. Sev n'avait cependant aucune difficulté à la convaincre de grimper aux arbres jusqu'à en avoir le vertige ou encore de jouer à la balle. C'est d'ailleurs en s'adonnant à cette activité que Gaelle eut une révélation bouleversante.

L'automne était avancé. Les cornouillers, couverts de fruits rouges, avaient perdu leur panache feuillu tandis que de rares chênes s'entêtaient à garder leur frondaison vert foncé. Toutefois, le fond de l'air restait doux. Gaelle et Sev s'amusaient dehors depuis une bonne heure.

— Eh! Tu joues ou tu rêvasses? s'écria ce dernier alors qu'elle avait, encore une fois, omis de rattraper la balle qu'il venait de lui lancer.

— Quoi?! répondit-elle.

— Laisse tomber... Le premier qui la retrouve gagne, le perdant cède son dessert!

Le frère et la sœur se ruèrent à la recherche du jouet perdu. Ils retournaient les feuilles mortes avec frénésie, en faisaient de gros tas qu'ils s'envoyaient sur la tête en riant aux éclats. Sev l'emporta, sans grande surprise, vu son exceptionnel sens de l'observation:

— La voilà! s'exclama-t-il en pointant du doigt une minuscule tache beige au beau milieu d'une jonchée de végétaux ambrés et rabougris.

Il attrapa sa précieuse trouvaille après avoir balayé le sol de ses mains et la plaça sous le nez de Gaelle, avec une expression triomphante. Celle-ci, stupéfaite, ne réagit pas. Sev, bon joueur, eut pitié d'elle. Il faut dire que leur mère avait promis de leur préparer sa délectable tarte aux pommes caramélisées pour le goûter.

— Ça va! Je suis le meilleur. Mais, comme j'ai un grand cœur, je ne te réclamerai pas ta part.

Gaelle se moquait éperdument de conserver ou non sa portion de tarte. Son frère venait de ramasser la balle, qui avait roulé tout contre un insecte-statue dissimulé parmi les feuilles friables. Or, Sev aux yeux de lynx n'avait pas paru, un seul instant, conscient de la présence de la créature qui avait pourtant frémi lorsque les doigts du garçon effleurèrent son aile.

Il n'a rien vu! Comment est-ce possible?

Gaelle se tut, sentant confusément qu'elle ne devait pas révéler l'existence de l'animal. Elle se laissa entraîner docilement par Sev qui, inquiet de la mine déconfite de son éternelle complice, la guida par les épaules jusqu'à la maison. Il lui offrit même de lui céder son propre morceau de tarte…

***

À partir de ce moment, Gaelle voulut se renseigner sur ces bêtes étonnantes qui, en plus d'être immobiles, demeuraient invisibles pour ses frères aussi bien que pour ses parents. Une paire d'antennes, des ailes et six pattes: elle n'avait jamais douté de leur appartenance au règne des insectes. Elle chercha donc ce mot dans l'encyclopédie paternelle. Il y avait une planche en couleurs sur laquelle une cinquantaine de spécimens étaient dessinés. Gaelle fut embêtée, car ils étaient tous représentés les ailes déployées. Or, les créatures qu'elle avait observées dans la nature avaient toujours les leurs repliées. Pour le reste, leur thorax était velu à la manière des abeilles et leurs antennes filiformes comme celles des criquets ou des grillons quoiqu'elles aient davantage l'apparence de plumes que de brindilles. Quant à leurs pattes, elles paraissaient trop courtes pour appartenir à une mante religieuse ou à une sauterelle. Gaelle questionna son père :

— Existe-t-il des insectes plus grands que ceux de cette planche ?

— Absolument, répondit-il sans hésiter, ils appartiennent à l'ordre des lépidoptères.

— Des lépidoptères ? répéta l'adolescente, qui entendait ce mot pour la première fois.

— Il s'agit des papillons. Certains te dépassent de deux ou trois pieds, bien qu'il en existe aussi de la dimension d'une marguerite. Ces derniers pourraient tenir dans ta paume.

— Comment leur taille peut-elle varier autant ? s'étonna Gaelle.

— Tu sais que le chat, le lynx et le puma font partie de la même famille, n'est-ce pas ?

— Bien sûr ! Ce sont des félins. Mais le lynx et le puma ne sont pas si gigantesques comparés à un chat !

— Ne crois-tu pas, ma jolie, qu'il pourrait exister des félins plus gros encore qu'on n'a tout simplement pas identifiés parce qu'ils habitent des régions inexplorées par les hommes ? suggéra Robert Miller, les yeux rêveurs.

— Peut-être bien...

Robert se pencha sur le livre et tourna soigneusement les grandes pages noircies de minuscules caractères. Arrivé à la lettre P, un sourire se dessina à travers sa barbe taillée avec soin :

— Quel panache, hein Gaelle ? siffla-t-il en plaçant son index sur une illustration.

Celle-ci représentait un papillon et un homme debout, côte à côte. L'insecte dépassait d'ailleurs l'être humain grâce à ses antennes. Émerveillée, la jeune Miller contempla l'intérieur de ses deux paires d'ailes ouvertes, constellées de paillettes turquoise et frangées d'une large bande écrue. Un deuxième dessin, qui présentait ce même spécimen de dos, permettait d'admirer une mosaïque dans les tons bleutés. Gaelle songea que ces magnifiques créatures étaient beaucoup trop voyantes pour être des maîtres du camouflage. Néanmoins, elles en avaient la taille et la carrure.

— Tu en as déjà aperçu, toi, des papillons ? s'enquit-elle.

— Oui, ma fille ! s'exclama Robert. Enfant, j'en ai vu des petits à plusieurs reprises dans les jardins de la vallée où j'habitais alors. Ils se nourrissaient en plongeant leur trompe dans la corolle des fleurs pour en puiser le nectar. Tiens, comme ceux-ci, dit-il en passant à la page suivante.

Gaelle y découvrit un délicat papillon en équilibre sur un plant de thym fleuri. Constatant qu'il possédait une trompe effilée (une autre image montrait que cet appendice s'enroulait sur lui-même au repos), la fine observatrice retourna à l'illustration où homme et papillon géant posaient ensemble. Dans leur forme la plus développée, les papillons semblaient avoir perdu leur trompe au profit d'une bouche semblable à celle des humains ! La jeune fille se promit de vérifier s'il en allait ainsi pour le groupe de la forêt de Mentana. Emporté par ses souvenirs, monsieur Miller poursuivit :

— J'avais ton âge quand j'ai commencé à m'intéresser aux papillons géants. Je m'apprêtais à construire mon quatrième cerf-volant, celui qui m'a enfin permis de remporter le concours de Maurpley. À l'époque, on pouvait trouver ces insectes hors norme loin d'ici, sur la côte, dans la région d'Imeronx. Dans l'impossibilité de les étudier en chair et en os, j'ai lu tous les documents que j'ai pu me procurer à leur sujet. Les informations étaient peu instructives, mais je suis tombé sur quelques dessins. C'est en m'inspirant de la morphologie de leurs ailes et des articulations de leur corps que j'ai créé un cerf-volant capable de dépasser n'importe quel concurrent dans le ciel.

Robert étendit ses bras et étira le cou vers le plafond de la cabane, mimant l'envol de son fabuleux papillon de toile. Gaelle sourit en songeant que son père avait conservé son cœur d'enfant. Puis elle posa une dernière question qui la turlupinait :

— À ton avis, certains insectes peuvent-ils demeurer constamment immobiles ?

Son père réfléchit avant de répondre :

— Te souviens-tu lorsque nous avons voulu attraper une libellule, cet été ?

— Ah oui ! s'exclama Gaelle. On n'y est jamais arrivés ! Elle avait des yeux tout autour de la tête.

— Comme la plupart des insectes, j'imagine. Pourquoi resteraient-ils figés alors qu'ils possèdent des ailes et qu'ils maîtrisent si bien l'art de la fuite ?

Pourquoi en effet ? Gaelle n'en avait pas la moindre idée. Mais elle sentait qu'elle tenait là une des clefs du mystère des insectes-statues. Par la suite, elle continua à les observer de plus en plus fréquemment. Se multipliaient-ils ? Allaient-ils finir par bouger et former une nuée compacte qui serait enfin visible aux yeux d'autres personnes qu'elle, Gaelle Miller ?

***

Une fois, la jeune fille voulut en montrer un à l'aîné de ses frères :

— Regarde, là-bas ! s'était-elle exclamée en tendant le bras vers un séquoia.

La créature, dissimulée sur un renflement de racine à la base du tronc, avait tourné la tête et plongé ses yeux sombres dans ceux de Gaelle. Ce regard pénétrant lui intimait clairement de se taire.

— Qu'est-ce qu'il y a ? s'enquit Zachary avec intérêt.

— Euh…, fit sa sœur, la gorge nouée. C'était juste… euh… un colibri.

— Il en faut plus pour m'impressionner, Miss Colibri, lui répondit-il, railleur, en l'affublant de ce nouveau surnom.

Cet incident perturba Gaelle. Observer ce que les autres ne voient pas est amusant. Par contre, craindre ce que personne ne voit est angoissant. Elle essaya de se raisonner en se répétant qu'un chien qui aboie ne mord pas nécessairement. N'empêche, elle n'allait pas se jeter dans la gueule du loup! Elle s'éloignait désormais le moins possible de la maison si elle se trouvait seule. Et elle changeait de direction dès qu'elle repérait un de ces as du camouflage.

***

Pourtant, sa curiosité l'emporta lorsqu'elle tomba sur un insecte-statue mal caché. Elle n'en avait jamais vu d'aussi petit. Il avait la taille d'un violon. Son thorax et ses ailes se confondaient avec les feuilles mortes. Toutefois, une de ses antennes plumeuses, d'un beau gris-beige, reposait sur une pierre couverte de mousse. On aurait dit un bijou précieux, une broche ciselée avec grand soin exposée sur un coussin de velours vert. En fait, si Gaelle n'avait pas distingué le reste du corps de l'animal, elle se serait emparée de cette superbe plume.

— On voit ton antenne gauche, lâcha-t-elle sans réfléchir, comme si la bestiole pouvait saisir ses paroles.

L'appendice de l'insecte s'éclipsa aussitôt sous les feuilles.

— Hein? Tu me comprends! s'écria la promeneuse, surexcitée.

— Pas la peine d'alerter toute la forêt pour ça! lui répondit l'insecte d'une voix un peu fluette.

— Quoi?! En plus, tu parles ma langue!

— *Djô!* On va me tuer si on apprend que j'ai discuté avec une humaine, gémit-il.

Gaelle n'en revenait pas. Elle communiquait avec un animal-statue! Elle s'accroupit pour l'examiner de près, cherchant à découvrir s'il possédait une trompe. Eh bien non! Il avait plutôt une petite bouche encadrée par deux mandibules. Une explication surgit dans l'esprit de la scientifique en herbe. Elle voulut la vérifier:

— Si tu es un papillon géant, tu dois ingurgiter d'énormes quantités de fleurs pour grandir. Les sucer serait beaucoup trop long. C'est pourquoi la nature t'a doté d'organes broyeurs.

— …

— Sérieusement, tu ne veux plus parler?! enchaîna-t-elle.

— …

— Même pas pour me dire ton nom?

— …

— Moi, c'est Gaelle.

— …

— En passant, as-tu du venin?

— …

— Comme les guêpes ?

— …

— Ou les scorpions !

— …

— Réponds, s'il te plaît ! Je promets de garder ça secret.

— …

Gaelle se résigna devant le mutisme de l'insecte-statue. Il s'agissait certainement d'un bébé en raison de sa taille, mais surtout de son inexpérience. Comment expliquer sinon qu'il ait laissé traîner son antenne à la vue de tous ? Elle constata que son thorax était peu poilu contrairement aux spécimens plus grands, et sans doute plus vieux, qu'elle avait déjà examinés. Elle s'avisa même qu'avec ses ailes, parcourues de fines nervures et repliées en triangle de chaque côté de son tronc presque imberbe, la créature se tenant à ses pieds n'était peut-être pas du tout un papillon. Il n'en avait guère l'éclat si elle se fiait aux superbes illustrations de l'encyclopédie de son père. Au final, elle lui trouvait plutôt l'allure d'une…

Pourquoi pas après tout ?

Devant cet étrange animal, une hypothèse en valait une autre…

— Es-tu une sorte de mouche ? s'enquit-elle, curieuse.

— *Trrrrch… chhh-chi !* crachota son interlocuteur.

L'animal déploya des efforts extraordinaires pour demeurer le plus immobile possible, mais il eut un mal fou à retenir le tremblement de ses ailes. La soi-disant mouche se tordait de rire !

— *Trrrch... chhh ! Chhh-chi !*

Gaelle s'en amusa. Elle finit par se relever et saluer la bestiole. Même une fois le dos tourné, elle entendit encore quelques « trrrrch... chi ! » et des froissements de feuilles mortes. Elle sautilla de joie.

Mine de rien, elle venait d'apprendre deux ou trois trucs essentiels au sujet de ces bêtes mystérieuses.

Ce n'étaient pas des mouches.

Elles étaient douées de parole.

Et dotées d'un indéniable sens de l'humour.

CHAPITRE 2

Créatures de l'ombre

Chez les Miller, les soirées fraîches d'automne se déroulaient à l'intérieur autour d'un bon feu. Il y avait souvent une partie de jeu de société en cours. Parfois Margot préférait lire ses romans et Robert, son encyclopédie. Elle s'assoyait en retrait, étirait ses longues jambes galbées avant de plonger dans son livre. Son mari l'admirait à la dérobée. Ce profil noble et harmonieux, la blancheur de sa nuque, la masse de ses cheveux clairs retenus par un chignon… Après toutes ces années, il la désirait encore. Si rien ne parvenait à distraire madame Miller de sa lecture, monsieur Miller, lui, s'interrompait à tout moment pour partager ses découvertes avec les autres membres de la famille. Sev et Gaelle pouvaient s'occuper des heures entières à créer des personnages et des animaux avec des pommes de pin et des glands. De son côté, Zac aimait sculpter du bois avec un canif ou jouer aux fléchettes. Vu qu'il était imbattable à ce jeu, il lui arrivait parfois d'organiser des tournois contre lui-même. Zachary luttait alors chaudement contre l'habile Zacharius ou l'extravagant Zachiollo.

La lecture de *L'Écho du val de Ninss* constituait un des moments forts de la vie familiale. Cette gazette, publiée mensuellement à Maurpley, servait de lien entre les habitants de la vallée et ceux des plateaux alentour. Robert adorait l'éplucher et la commenter à voix haute, chaque membre de la famille y ajoutant alors son grain de sel. Dans la dernière édition du journal, celle d'octobre, un article mentionnait que la cavalerie d'Imeronx souhaitait créer un service postal express entre les cités d'Imeronx et d'Aurora. La première ville était un port, situé au nord, la seconde, un site au sud en pleine expansion depuis qu'on y avait trouvé de grandes quantités d'or. Il fallait traverser une chaîne de montagnes, puis la vallée de Ninss pour se rendre de l'une à l'autre. Le voyage durait dix jours, une éternité lorsqu'il était question d'envoyer des dépêches, de transférer de l'argent ou des pépites d'or, voire d'échanger de simples nouvelles.

— Oh! s'exclama Robert. Il est écrit que la cavalerie s'engage à faire le trajet en quatre jours ou moins, peu importe la température.

— Comment compte-t-elle s'y prendre? s'enquit Zachary avec un vif intérêt.

— Voyons voir… « Chaque cavalier portera le courrier le long d'une section de route balisée, changeant de monture toutes les cinq lieues afin de conserver sa vitesse. Après une course d'environ trente lieues, le cavalier passera son sac de courrier à un confrère. »

— Wow !

— « Au cours des prochains mois, la garnison d'Imeronx enverra des éclaireurs pour repérer les chemins les plus courts et décider des endroits qui deviendront des relais. »

— Wow ! répéta Zachary. Pourvu qu'ils choisissent Mentana…

— « Grâce à ce service postal amélioré, la cavalerie continuera de livrer les missives officielles, comme elle l'a toujours fait, et elle acceptera désormais de transporter des lettres personnelles. » C'est formidable, non ? Tiens ! Il y a même une annonce pour recruter les cavaliers. Lis-la donc, dit monsieur Miller à son fils aîné en lui tendant le journal.

— « Recherchés : jeunes hommes, minces et robustes, âgés de moins de dix-huit ans. Doivent être des cavaliers experts, prêts à risquer leur vie quotidiennement. Orphelins de préférence. »

— Sillonnez les cimes enneigées et les canyons infestés de serpents. Affrontez le blizzard, les hordes de loups et de hors-sentiers, petits orphelins ! Vos funérailles ne coûteront rien. On jettera vos corps dans la fosse commune, ironisa madame Miller.

— Franchement, maman ! s'indigna Zac.

***

Le premier samedi de novembre, il y eut un joyeux branle-bas dans la cabane des Miller. D'abord, c'est à cette date fixe que le libraire ambulant passait au marché de Mentana. Pour rien au monde, Margot n'aurait manqué ce rendez-vous ayant lieu seulement deux fois l'an. De leur côté, Robert et Zachary avaient chargé le chariot familial d'un précieux butin : les deux pompes à eau flambant neuves commandées par les comités de citoyens de Didagris et de Maurpley. Monsieur Miller et son aîné prendraient la route pour la vallée de Ninss, où étaient situés ces deux bourgs.

À la mi-octobre, Robert et Zachary avaient installé une pompe à Lymnoix, le village le plus proche de Mentana. Depuis qu'ils avaient étrenné leur fameuse machine à puiser l'or bleu, les Lymnoyens ne tarissaient pas d'éloges à propos de cette invention. Aussi la rumeur avait-elle circulé... Cette fois, Zac et son père s'absenteraient plus longtemps. Avec leur chariot, il leur faudrait trois jours de route pour effectuer l'aller-retour entre Mentana et la vallée. Le déplacement en valait toutefois la chandelle puisque Robert savait qu'en plus d'y obtenir une rondelette somme d'argent pour ses services, son garçon et lui y seraient traités avec égards en raison de leur patronyme.

En effet, leur aïeul, Joachim Miller, avait été parmi les premiers pionniers à s'établir dans le val, cent quinze ans auparavant. Ces hommes avaient défriché la terre, façonnant dans la poussière, la boue et la pierre ce qui allait devenir Maurpley. Quelques décennies plus tard, des colons avaient élu domicile sur les hauts plateaux qui ceinturent la vallée, créant à leur tour de petites agglomérations, dont celles de Mentana et de Lymnoix. L'usage voulait que les villages ou les lieux-dits unis à un bourg central adoptent la même mesure du temps que ce dernier.

Cela donnait parfois des inscriptions curieuses sur les pierres tombales de certains défunts qui, au gré des hasards de la vie, avaient vu le jour dans un endroit beaucoup plus ancien que celui où ils étaient morts. Voici ce que l'on pouvait lire sur l'épitaphe de l'arrière-grand-père de Robert Miller :

« Né sur les rives d'Imeronx en 194, Joachim Miller a donné son âme en repos à la vallée et son dernier souffle à Maurpley en 48. »

***

Avant de s'engager sur les chemins cahoteux menant à Maurpley, Robert déposa sa femme, Gaelle et Sev sur la place du village déjà fort animée. Un samedi sur deux s'y tenait un marché où les habitants de Mentana et des alentours s'approvisionnaient auprès des fermiers de la région.

— Margot, dit monsieur Miller à sa femme, cette année, on a amplement de quoi t'offrir quatre livres et des rouleaux pour les jeunes.

— Tu en es sûr?

— Absolument, affirma-t-il en souriant. D'ailleurs, Zac a une demande à te faire…

Madame Miller, interloquée, regarda son fils dont le visage s'empourpra aussitôt. Cela lui donna un air de petit garçon coupable, alors que l'adolescent avait à présent la carrure d'un homme.

— Tu veux que je t'achète un… un… un roman?

— Sûrement pas! Je… j'aimerais avoir *L'Art de l'épée*.

Elle fronça les sourcils et considéra son mari d'un air réprobateur. Celui-ci prit la défense de son aîné:

— Il a quatorze ans, Margot. Laisse-le tenter ses expériences.

— Il n'a guère besoin de savoir comment manier les armes! Pour combattre contre qui? Et contre quoi? protesta-t-elle.

— Chérie, Zachary veut s'engager comme cavalier express à la garnison d'Imeronx.

— Quoi?! s'étrangla Margot.

— Dans son édition de novembre, *L'Écho du val* a de nouveau publié une annonce de recrutement. Zachary ferait un candidat parfait. Il est vigoureux, courageux, disci…

— Tu n'y penses pas Robert, c'est un métier beaucoup trop dangereux! Tu te ferais décapiter, toi, pour livrer une lettre d'amour?

— Holà! Ces coursiers remettront aussi des ordres d'évacuation. Des dépêches. Des médicaments. Je suis fier que notre fils choisisse ce métier.

— Pas moi!

— Écoute Margot, reprit son mari en l'enlaçant tendrement, grâce à ce manuel, Zachary pourra au moins apprendre les rudiments de l'escrime.

— Ah, oui! Et avec qui s'exercera-t-il? répliqua-t-elle sans se dégager pour autant des bras de son compagnon.

— Avec moi! s'écrièrent Gaelle et Sev en chœur, enchantés à la perspective de s'improviser chevaliers et de se mesurer à leur grand frère.

Leur mère éclata de rire en imaginant les mêlées qui s'ensuivraient. Soit! Du moment que les guerriers en herbe utilisent des épées de bois. Chacun aurait donc le livre ou le jeu qu'il désirait. Après les embrassades et de tendres adieux de la main, Margot se faufila dans la foule des acheteurs, talonnée par sa fille et son benjamin.

Ils se procurèrent d'abord leurs victuailles et terminèrent par le libraire ambulant. Ce dernier possédait une roulotte munie d'un ingénieux système de tablettes fixées le long des parois extérieures de son véhicule. Lorsque le marchand de livres voyageait, des rabats en bois protégeaient ses fragiles ouvrages de la poussière des grands chemins. Dès qu'il arrivait dans un lieu public, il les abaissait. Ces panneaux, maintenus par des chaînettes, se transformaient alors en tables. Les clients pouvaient y feuilleter les volumes ou encore y dérouler les affiches qui constituaient des planches de jeux de société.

— Ah! Margot Miller! s'exclama le libraire en l'apercevant. Je pensais justement à vous. J'ai deux romans à vous suggérer.

— Je vais en acheter quatre, lui annonça-t-elle, le regard pétillant. Je veux aussi deux rouleaux et, si vous l'avez, *L'Art de l'épée*.

— Eh ben, dites donc! Vous avez reçu un héritage?

— Non! C'est mon mari... Enfin ses pompes à eau.

— Ah! Oui! J'en ai entendu parler. Une sacrée invention, à ce qu'il paraît...

Tandis que leur mère prenait le temps de choisir des romans épais à la reliure de cuir, Gaelle et Sev se consultèrent à propos de leurs affiches. Ils allaient devoir s'amuser avec durant tout l'hiver: aussi bien s'assurer qu'ils y trouvent un plaisir mutuel. Gaelle opta pour un jeu d'arbres et de branches qui consistait à mener un pion de la case 1 à la case 100. Tomber sur un séquoia géant donnait une énorme longueur d'avance au joueur. Par contre, une branche morte le faisait dégringoler raide de sa position. Sev se procura un magnifique jeu de l'oie peint à la main et foisonnant de détails.

— On se revoit au printemps, leur lança gaiement le commerçant en empochant l'argent de sa vente.

Margot et ses enfants n'eurent pas besoin de rentrer à pied. La chance leur sourit sous les traits du vieux Quat, un voisin bienveillant qui les embarqua dans sa charrette, ce qui leur évita de parcourir une lieue chargés de vivres et de livres.

✳✳✳

L'automne tirait résolument à sa fin. Chaque matin, Gaelle se promenait seule dans l'espoir de revoir le petit insecte-statue qui lui avait parlé. Hélas! Il ne donnait plus signe de vie. Toutefois, la jeune fille continuait à scruter le sol ainsi que l'écorce des séquoias et des pins à la recherche d'une jolie plume gris-beige.

À vrai dire, elle rencontrait moins souvent de ces mystérieuses bestioles. Au fil du temps, elle avait observé que celles-ci se perchaient de plus en plus haut dans les arbres lorsque la température chutait. Elles devenaient alors invisibles à l'œil nu. La cime des géants de la forêt était en effet le meilleur endroit pour bénéficier des derniers rayons du soleil. Gaelle croyait également que les poils drus recouvrant le corps de ces animaux leur servaient de manteau de fourrure durant la saison froide.

✳✳✳

Robert et Zachary Miller rentrèrent enchantés de leur périple dans la vallée. Le lendemain de leur arrivée, le premier givre de l'hiver déposa un voile opalin sur les feuilles mortes. À la mi-décembre, de la cendre blanche plein les cheveux, les joues rosies par le froid et l'excitation, Gaelle et Sev firent leur première bataille de boules de neige. Janvier et février furent des mois plus rigoureux, mais pas assez pour empêcher les deux mousquetaires, munis d'épées en bois, de lutter contre leur frère aîné.

Zac s'avéra rapidement un redoutable adversaire. Il avait étudié tous les coups et toutes les feintes dans le manuel d'escrime que ses parents lui avaient offert. Pourtant, Gaelle et Sev ne lâchaient pas prise facilement. Ils se ruaient sur leur rival sans reprendre leur souffle. Clac! Clac! Et clac encore! Zac faisait sauter la lame de leurs mains en un temps record. Faute de moyens de défense efficaces, les deux complices finissaient par bondir sur leur assaillant et le plaquaient dans la neige jusqu'à ce qu'il demande grâce. À la guerre comme à la guerre! Souvent, au cours de leurs escarmouches, les garçons apostrophaient leur sœur:

— Eh! Tu rêvasses encore! lui criait Sev.

— Cesse de fixer la cime des arbres, Miss Colibri! renchérissait Zachary.

C'était devenu plus fort qu'elle, Gaelle levait sans arrêt la tête. Non pas pour contempler les insectes-statues, car ils se réfugiaient à de telles hauteurs que, si l'un d'entre eux avait décidé de voler, elle l'aurait de toute façon confondu avec un flocon. Pourtant, étrangement, elle sentait leur présence comme jamais. Elle levait donc la tête pour les saluer. Dans un esprit de communion.

***

Au cours de l'hiver, Robert se déplaça à plusieurs reprises à la forge de Mentana où l'on fabriquait les différentes pièces de ses pompes à partir de ses dessins. L'inventeur put ainsi en assembler six. Les installations qu'il avait effectuées au cours de l'automne avaient d'ores et déjà assuré sa renommée. Monsieur Miller reçut plusieurs demandes de communautés éloignées, qui réclamaient ses services en lui promettant une rondelette somme d'argent.

Un soir, après le repas, Robert sortit son tabac ainsi qu'un papier soigneusement plié d'un des tiroirs du buffet.

— Viens voir, Margot, demanda-t-il à sa tendre moitié en s'assoyant à table.

Après avoir bourré sa pipe, il déplia la feuille et la lissa. Curieuse, madame Miller se plaça par-dessus les épaules de son mari qu'elle lui massa au passage. Un fin nuage auréola la tête du fumeur et pénétra dans les narines de sa femme. Margot appréciait cette odeur sucrée qu'elle associait à celle du miel.

— J'aimerais partir quelque temps, lui dit-il. Pour installer des pompes… J'ai fait un itinéraire, tu vois.

Robert posa son index sur la carte à l'endroit où se trouvait leur maison et le fit glisser le long du trajet qu'il prévoyait suivre. Son doigt traversait des forêts entières de séquoias et de chênes, minutieusement dessinées à l'encre de Chine.

— Oh! Tu pousses loin…, souffla sa femme en lisant des noms de villages où elle n'avait jamais mis les pieds.

— Oui, j'en ai pour un moment, répondit-il. Un mois, au minimum.

Il attrapa la main de sa douce pour l'embrasser.

— Tu comptes partir avec notre vieux chariot? s'avisa-t-elle, incrédule en apercevant le véhicule que son mari avait reproduit dans un virage.

— Ce chariot est solide et puis Topaze est une bête fringante, déclara-t-il entre deux bouffées. Regarde, sa superbe crinière qui ondule de plaisir.

Margot plissa les yeux pour observer ce détail. Elle remarqua aussi que Robert s'était représenté en train de tenir les rênes du cheval et qu'il y avait un bonhomme à ses côtés.

— Qui est-ce? demanda-t-elle, intriguée.

— Lui? Euh… C'est Zachary!

— Il n'est pas très ressemblant, le taquina-t-elle. Est-ce au cas où je dirais «non» ?

Elle accepta volontiers l'idée de son mari, d'autant plus que leur fils aîné, qui venait de célébrer ses quinze ans, n'était plus un petit garçon… Zachary fut emballé à la perspective d'accompagner son père dans son périple. Il allait enfin voir du pays ! Margot et Robert décidèrent que le voyage aurait lieu en mai. D'une part, les routes seraient plus praticables. D'autre part, le grand ménage du printemps – cette opération sacrée et annuelle où l'on répare tout ce qui est de guingois, à l'intérieur comme à l'extérieur – serait terminé.

***

Dès la mi-mars, Gaelle put observer de nouveau des insectes-statues qui étaient redescendus à hauteur d'homme, la température s'étant réchauffée. Un après-midi, elle alla jusqu'à la rivière de la Louve. Il y avait en-core des plaques de neige çà et là, mais le cours d'eau n'était plus gelé. Gaelle aperçut un lièvre affairé à ronger des racines. Elle s'avança à pas feutrés sur les blocs de granit inondés de soleil qui longeaient la rive, sans quitter des yeux le petit mammifère. Celui-ci la repéra assez vite et détala. Dépitée, Gaelle voulut se reposer sur un roc et sursauta lorsqu'elle baissa les yeux à terre pour s'asseoir. Elle avait le pied posé sur l'aile repliée d'un as du camou-flage. Elle le retira aussitôt en s'excusant :

— Je ne vous avais pas vu, désolée !

L'animal secoua prestement son membre endolori, à la manière d'un éventail qu'on ouvre et qu'on referme, avant de reprendre sa position immobile. Puis, à la stupéfaction de Gaelle, il lui adressa la parole en maugréant :

— C'est bien la première fois que tu ne remarques pas un Vorgombre. Et il faut que ça tombe sur moi !

— Un Vorgombre ?!

— *Djmm…* J'aime mieux te donner le nom de mon espèce avant que tu ne me traites de mouche.

— Vous… vous êtes au courant de ma conversation… avec… euh…

— Ne me parle pas de ce petit écervelé ! *Pfff !* Toute la communauté a été avertie de cet incident. Quelle idée de parler avec une humaine ! siffla-t-il, les antennes relevées.

Piquée au vif, Gaelle riposta :

— Et vous ! Que faites-vous en ce moment ?

L'insecte se radoucit :

— Tu as raison… Mais, moi, je suis très âgé. Cela me donne certaines libertés.

Il avait deux globes noirs étincelants en guise d'yeux ainsi que des antennes marron et effilées. Il examina la jeune fille d'un air solennel avant de poursuivre.

— Tu es un mystère pour nous… Sache que ta discrétion t'honore. Nous devons en effet demeurer invisibles.

— Pourquoi ? Que craignez-vous ?

— Bah ! Tout le monde a ses ennemis…

Son interlocuteur se tut et Gaelle comprit qu'il n'en dirait pas plus. Deux minutes plus tard, Sev déboula la pente qui menait à la rivière.

— Je te cherchais partout ! s'écria-t-il, essoufflé. Tu viens ?
Zac est prêt pour un nouveau combat.

— Au revoir, chuchota-t-elle à regret au vieux Vorgombre
avant de rejoindre son frère.

***

Dès qu'elle le put, Gaelle s'empressa de consulter l'encyclopédie de son père. Elle eut beau imaginer toutes les
graphies possibles du nom « Vorgombre », feuilleter encore et encore le volumineux ouvrage, elle ne trouva pas la
moindre référence à de tels animaux. À quoi cela rimait-
il ? Ces êtres étranges se rencontraient pourtant bel et bien
dans la nature… Ils avaient même des ennemis. À la
pensée que les Vorgombres n'étaient pas seuls, Gaelle
sentit son cœur s'affoler comme l'aiguille d'une boussole
démagnétisée.

*Combien existe-t-il de créatures de l'ombre, capables de
se dérober au regard des hommes ? Et pourquoi suis-je la
seule à les voir ?*

***

Début avril, la neige céda peu à peu la place à
d'innombrables pousses jaillies de la terre. Avec leur sans-
gêne habituel, les violettes couvrirent bientôt le sous-bois
d'éclaboussures jaunes et bleues. Un matin, au petit

déjeuner, Robert Miller réprimanda Zachary parce qu'il n'avait pas encore réparé l'enclos de leur cheval Topaze, nommé ainsi en raison de sa belle robe alezan doré :

— Bon sang ! Tu m'avais promis de le faire hier ! Je pars acheter des pièces de bois et j'aurais eu besoin de ton aide pour les charger dans le chariot.

— Je m'en occuperai en revenant, p'pa, répliqua Zac.

— Pas question que tu te défiles encore ! Hé, Sev !

— Humpf ? grogna ce dernier, la bouche empâtée par sa galette de sarrasin.

— Veux-tu m'accompagner à la scierie de Lymnoix ?

— Mmfoui !

— En même temps, tu pourras me conseiller pour le cadeau de ta sœur, dit monsieur Miller en chuchotant assez fort afin que sa fille l'entende.

Gaelle dressa la tête. Des tisons de plaisir étincelèrent au fond de ses yeux sombres. Elle allait effectivement célébrer ses quatorze ans dans six jours. Robert et son fils cadet se mirent en route peu avant neuf heures. Monsieur Miller embrassa sa femme et sa cadette. Puis, assenant un viril coup de poing sur l'épaule de son aîné, il lui lança :

— Je compte sur toi !

Zachary s'activa au début de l'après-midi. L'enclos de Topaze se trouvait juste à côté de la maison. Il s'agissait d'un espace circulaire formé d'une barrière sommaire construite de planches fixées tantôt à des poteaux, tantôt à des arbres. Les gros clous rouillés avaient travaillé sous l'action successive du gel et du dégel. Le jeune homme en renfonça certains et en posa des nouveaux. Il s'attaqua ensuite aux lattes pourries, qu'il arracha une à une et qu'il remplaça.

Peu avant la tombée de la nuit, alors que Zac et sa mère jouaient aux cartes, Gaelle sortit prendre l'air. Elle passa devant l'enclos du cheval et fut saisie à la vue d'un horrible spectacle.

— Oh non ! Oh non ! Oh non ! gémit-elle en se précipitant vers un grand pin.

Zachary y avait épinglé un Vorgombre au moment de réparer la clôture.

Tac ! Un énorme clou en fonte dans l'aile gauche.

Tac-tac ! Un autre dans l'aile droite.

— Je vais vous sortir de là, déclara Gaelle, qui peinait à retenir ses larmes devant le pauvre animal blessé dont le poil et les antennes plumeuses s'étaient raidis sous l'effet de la douleur.

— Je t'en saurai gré, répondit-il d'une voix hachée. Tu… tu dois dégager mes ailes… doucement. Je ne pourrais plus… voler… si tu les… déchires.

— D'accord. Laissez-moi regarder.

C'était affreux ! L'extrémité de chaque aile du Vorgombre était écrasée par une planche fixée sur le pin. Un liquide jaunâtre et visqueux avait dégouliné le long de l'écorce.

— Il y a deux clous par latte, constata-t-elle. Je ne crois pas que ceux du haut vous aient transpercé.

— Tu as raison. J'ai essayé de… replier mes membres… le plus près… du corps.

— Vous avez vu venir le coup ?

— *Djhum*…

— Pourquoi ne vous êtes-vous pas enfui ? Vous auriez pu vous envoler !

— Le garçon…

— C'est mon frère ! Il… il ne l'a pas fait exprès !

— Je sais. Il ne fallait… pas… qu'il m'aperçoive.

— Mais il aurait pu vous tuer !

— Mieux vaut périr qu'être… repéré. Pour… protéger le clan.

— Chut ! Vous ne mourrez pas, je vous le promets.

Fidèle à lui-même, Zac avait laissé traîner ses outils par terre au lieu de les ranger. Gaelle s'empara d'une masse. Elle se glissa de l'autre côté de la barrière et commença à donner de faibles coups sur l'envers de la planche afin d'exercer une pression inverse sur les clous. Chaque plainte du Vorgombre lui faisait l'effet d'une pointe enfoncée dans sa propre poitrine. Enfin, avec beaucoup de doigté, elle réussit à dégager les clous inférieurs. Une fois les tiges suffisamment dégagées, l'habile secouriste envoya valser un de ses souliers, enleva son épaisse chaussette, l'enroula autour d'une des têtes de clou et tira de toutes ses forces.

— *Hhan!* souffla l'insecte en sentant la première pointe se retirer de sa chair meurtrie.

— Encore un clou et vous serez libre, l'encouragea Gaelle.

Aussitôt dit, aussitôt fait. Elle réussit à soulever le coin de chaque planche de manière à délivrer les ailes de l'animal. Elles étaient trouées certes, mais pas déchirées. Aussi pouvait-il encore s'en servir. Il remercia chaleureusement sa bienfaitrice avant de s'envoler. Gaelle assista alors à un spectacle grandiose.

Non pas deux, mais bien quatre voiles soyeuses caressèrent le ciel en train de s'assombrir. Les ailes supérieures du Vorgombre étaient dorées et striées de rayures noires tandis que ses membres inférieurs, plus petits et dentelés, semblaient taillés dans du velours grenat. Gaelle contemplait avec émerveillement un magnifique papillon.

***

Une fois la surprise passée, Gaelle se dépêcha de reclouer les planches. Elle allait rentrer à la maison quand elle entendit un trot familier. Elle se rua à la rencontre de Topaze.

— Papa! Sev! s'écria-t-elle pleine de joie.

Qu'était-il arrivé? Le cheval ne tirait plus d'attelage! Ses jambes étaient couvertes de boue. Il boitait et présentait de vilaines griffures au flanc… Gaelle appela sa mère et son frère tout en rassurant la pauvre bête.

CHAPITRE 3

Le gardien ailé

Au début, l'inquiétude fut tolérable pour Margot Miller. Son mari et son fils cadet avaient été aperçus, pour la dernière fois, à l'auberge de Lymnoix, vers midi. Ils y avaient avalé un copieux repas avant d'entreprendre le voyage de retour à Mentana. Que s'était-il passé ensuite ? Pourquoi leur cheval était-il rentré à la maison, livré à lui-même, avec de profondes écorchures au flanc ? Robert et Sev avaient-ils été attaqués par des bêtes sauvages ? En plein jour, alors qu'ils se déplaçaient en chariot, c'était peu plausible. Non. Ils avaient dû fuir des hors-sentiers.

Ces impitoyables bandits détroussaient les voyageurs, puis ils les faisaient s'agenouiller et les égorgeaient avant même que les malheureux aient eu le temps de crier grâce. Les victimes s'effondraient face contre terre, le dos voûté. Leurs cadavres recroquevillés étaient ensuite abandonnés, sur le bord de la voie, au vu et au su de tous. Ce cruel rituel représentait la signature des hors-sentiers. Il consistait, selon leurs propres termes, à «borner la route». En effet, ce marquage effroyable rappelait à chacun qu'il n'existe pas de chemin sûr.

Or, au grand soulagement de ceux qui les aimaient, Robert et Sev Miller n'avaient pas été transformés en bornes humaines. En fait, on n'avait retrouvé aucune trace d'eux, ni de leur chargement.

Était-ce vraiment une bonne nouvelle? Margot l'avait cru, au début. Elle se disait que ce qui disparaît sans explication peut tout aussi bien réapparaître d'un claquement de doigts. Hélas! Des jours, des semaines, un mois entier d'attente anxieuse s'écoula. L'espoir de Margot fondit goutte à goutte, au cours de longues nuits d'insomnie, aussi inexorablement que la cire d'une bougie. Et, parlant de bougie, l'anniversaire des quatorze ans de Gaelle fut le plus triste de sa vie.

Plus d'une fois, la jeune fille alla rejoindre sa mère pour se blottir contre elle, sous les couvertures, l'âme chiffonnée, le corps secoué de sanglots.

Zachary, au contraire, ne donna pas libre cours à sa peine. Il se répétait les ultimes paroles de son père en cette funeste matinée d'avril où celui-ci était parti pour la scierie de Lymnoix:

— Je compte sur toi! avait-il lancé à son aîné au sujet de la réparation de l'enclos du cheval.

Ces mots avaient acquis un nouveau sens à la suite des récents événements. Zac les avait désormais gravés sur la paroi de son cœur. Le fils Miller y voyait une injonction. Un ordre d'agir dans l'intérêt des siens. Un appel à prendre la relève, à se conduire dorénavant en homme.

***

Par un lumineux après-midi de juin, Gaelle s'enfonça dans la forêt. Les navours avaient commencé leur prolifique floraison. Ces lianes s'agrippaient avec grâce aux troncs des séquoias et des grands pins qu'elles escaladaient jusqu'à des hauteurs vertigineuses. À la tombée du jour, les grappes de fleurs orangées ou violet foncé dégageaient un doux parfum semblable à celui du chèvrefeuille. Gaelle suivait le cours de la Louve qui ondulait harmonieusement entre les blocs de granit.

Au bout d'une heure, la promeneuse solitaire se surprit à souhaiter la présence d'un Vorgombre avec qui elle pourrait discuter. Elle en avait aperçu plusieurs depuis deux mois. Mais, emmurée dans son chagrin, elle les avait ignorés. Pourtant, ce matin-là, sans doute inspirée par le gazouillis incessant des oiseaux, Gaelle ressentit, elle aussi, une irrésistible envie de babiller. Par malheur, ce jour-là, elle ne croisa pas un insecte-statue, comme elle l'avait espéré, mais une ourse noire, flanquée de ses deux petits.

La femelle se mit aussitôt à faire les cent pas devant ses oursons, qui braquèrent des petits yeux de jais apeurés sur cette étrange apparition. Quel était donc cet animal fourchu dont ils ignoraient l'existence ? Leur mère, hélas, n'était guère aussi impressionnable. Elle balançait son énorme tête d'un air mauvais en claquant ses puissantes mâchoires et en martelant le sol. Saisie, Gaelle ne songea même pas à reculer de manière à signifier qu'elle ne représentait aucune menace. Pire, elle verrouilla son regard sur celui de la bête en colère, la narguant ainsi sans le vouloir. L'ourse décida de charger cet inopportun bipède.

Gaelle fut projetée en l'air. Elle allait mourir. Inévitablement. Dès que son corps rejoindrait le sol. Aussitôt que les crocs et les griffes de la bête féroce lui laboureraient la chair. Oui ! Son horrible agonie commencerait à la minute où elle toucherait terre.

Or voilà :

Gaelle ne retomba pas.

En vérité, elle s'envola.

De plus en plus haut.

Quittant ce monde sans souffrir.

Si vite, si facilement…

Alors pourquoi sentait-elle avec tant d'acuité l'odeur familière et vivifiante des conifères ? Pourquoi zigzaguait-elle, à folle allure, entre les arbres de la forêt ? D'où venait cette étrange sensation d'être à l'abri dans les bras de quelqu'un ? Cette haleine dans son cou. La douceur de la fourrure sur ses épaules, les pattes robustes qui lui enserraient la poitrine. Comment était-ce possible ?

— Eh ! Je vole ! se réjouit-elle. Je vole ! Je suis viiivante !

— Tu devrais apprendre un ou deux trucs de camouflage, si tu veux le rester, riposta son sauveur en ralentissant la cadence.

— Hourraaa! Je vooole!

— Silence! lui intima le Vorgombre. Tu vas nous faire repérer.

— Je... Oh! Excusez-moi...

Il scruta les alentours en quête d'un endroit tranquille pour atterrir.

— Et si je te déposais là, au pied de ce séquoia... qu'en dis-tu?

En regardant le sol, Gaelle fut saisie d'un épouvantable tournis. Elle ferma les yeux très fort afin de pouvoir murmurer son accord.

L'instant d'après, elle était debout, indemne, quoique encore étourdie. Lorsqu'elle se retourna pour remercier son protecteur, il avait disparu. Elle examina le gigantesque conifère, histoire de voir si le papillon ne s'était pas d'ores et déjà fondu dans le décor.

Pendant que Gaelle le cherchait, le Vorgombre s'amusait ferme: il contournait le séquoia au même rythme que sa poursuivante en prenant soin de demeurer dans l'axe opposé. Le tronc de l'arbre était beaucoup trop large pour que la jeune fille découvre son manège.

— Où vous cachez-vous? finit-elle par demander tout en continuant de fureter.

— Mon antenne ne m'a pas trahi cette fois! s'exclama une voix enjouée.

Gaelle s'arrêta net, aussi ravie qu'étonnée:

— Serais-tu le petit Vorgombre que j'ai rencontré cet automne?

— Petit! Passe donc de l'autre côté du tronc, juste pour voir!

Le fringant papillon, plaqué sur l'écorce rougeâtre, se fit admirer un instant en déployant ses voiles. Des taches brun chocolat rehaussaient l'ivoire de ses membres inférieurs. Quant aux voiles supérieures, d'un roux lumineux, elles étaient bordées d'une large frange à peine plus foncée.

— Wow! Quelle allure! siffla Gaelle, impressionnée. Tu as drôlement grandi. Je ne t'aurais jamais reconnu.

— *Dji!* J'ai désormais ma livrée d'adulte, répondit-il en repliant ses ailes.

— En tout cas, tu voles comme un aigle. Tu m'as sauvé la vie!

— Je m'en étais rendu compte, figure-toi.

— Quelle chance que tu te sois trouvé là! D'ailleurs…

— Chut!

L'animal quitta son perchoir, se laissant glisser sur un renflement de racine à la base du tronc. Ses antennes duveteuses s'agitèrent, il bomba son thorax couvert d'un pelage lustré et fauve, aux aguets.

— «Miss Colibri», dit-il, amusé. C'est bien toi? Je croyais que tu te nommais Gaelle.

— Je hais ce surnom ! rétorqua l'adolescente avec fougue. Pourquoi m'appelles-tu ainsi ?

— Ton frère Zac te cherche, et je l'entends clairement crier « Misssss Coliiibriiii ». Dépêche-toi d'aller le rejoindre. Il semble inquiet !

— Moi, je n'entends rien, répliqua Gaelle sans faire mine de partir.

Au contraire, elle s'approcha du papillon et se planta devant lui, bras croisés, sourcils froncés :

— Dis-moi, cher sauveur, puisque tu connais mon prénom, mon surnom et le prénom de mon frère aîné, pourrais-je enfin savoir à qui ai-je l'honneur ?

— Je me nomme Bruknir, laissa tomber le jeune Vorgombre à contrecœur.

Gaelle crut lire de la gêne, peut-être même de l'inquiétude, dans les immenses yeux noirs du papillon composés d'une multitude de facettes. Il poursuivit pourtant d'un air autoritaire :

— Tu ne devrais pas t'éloigner autant de ta maison. Et pas seulement à cause des ours.

— Vrai ! J'aurais pu tomber sur une meute de loups.

— *Pffff !* Ces chiens des bois sont moins effrayants qu'on le croit !

— À quel danger songes-tu dans ce cas ? s'étonna-t-elle.

— À rien ! À rien, ni personne… Va-t'en ! On t'attend.

— Pas si vite ! Tu piques ma curiosité. Je veux savoir…
Ah, je l'ai ! Les hors-sentiers, évidemment. Ils sont pires
que des carnassiers.

— Soit ! répliqua l'insecte, apparemment pressé d'en finir.

— Quoi ? Tu ne les crains pas non plus ! Mais à qui penses-
tu à la fin ?

— Le sujet est clos, trancha Bruknir en secouant nerveu-
sement ses ailes.

La volte-face de son interlocuteur exaspéra Gaelle.
L'expérience traumatisante de la disparition de son père
et de Sev avait formé des fissures dans son cœur par
lesquelles la méfiance s'infiltrait de plus en plus sournoise-
ment, la noyant parfois de l'intérieur. Gaelle sentait désormais que la nature, le monde autour d'elle, grouillait de
pièges et d'adversaires. Les ignorer n'était pas une solution. Mieux valait savoir à quoi s'attendre.

— Je ne bougerai pas d'ici tant que tu ne m'auras pas
éclairée ! décréta-t-elle d'un air buté.

— Sois raisonnable. Je n'ai pas le droit d'en discuter. File
retrouver ton frère.

— Pourquoi toutes ces cachotteries ?

— …

— Qui sont ces êtres que toi et les tiens semblez redouter ?
De qui vous cachez-vous ?

— …

— Parle !

— …

— Fort bien ! s'acharna-t-elle. Explique-moi alors pourquoi tu m'as sauvée tout à l'heure… Comme par magie, hop ! Tu m'épiais, avoue-le !

À cause du rang qu'il occupait dans son clan, le jeune Vorgombre n'était pas autorisé à dévoiler quoi que ce soit. Les ordres avaient été formels. Aussi choisit-il la meilleure façon de mettre fin à cette discussion qui s'engageait sur un terrain glissant :

— Ça suffit maintenant, petite cervelle d'humain ! sifflat-il d'un ton cinglant. Fiche le camp, si tu veux me revoir un jour !

L'insulte eut le succès escompté. Gaelle, profondément vexée, lui tourna le dos en se jurant de ne plus jamais adresser la parole à ce malappris.

**

Sa maison ne se trouvait pas loin de l'endroit où le papillon l'avait déposée. D'un pas rageur, Gaelle envoya valser tous les cailloux sur son passage et parvint à destination en quelques minutes.

Son frère aîné s'affairait à seller Topaze. Elle se dirigea vers lui en rugissant :

— Ne m'appelle plus jaaamais Miss Colibri ! Compris ?

— …

— Compris ? répéta-t-elle en le regardant dans le blanc des yeux.

Offusqué, Zac la toisa à son tour. Il avait crié ce sobriquet depuis un bon moment déjà et seul l'écho de sa voix lui avait répondu. Voilà pourquoi il s'apprêtait à poursuivre ses recherches à cheval.

— Non, mais quelle mouche t'a piquée? lui rétorqua-t-il.

C'est un papillon, Zac, pas une mouche!

Gaelle préféra toutefois passer du coq à l'âne afin de couper court aux explications:

— Tu vas à Mentana?

— Plus maintenant… Je voulais suivre ta piste, imagine-toi donc! Mais, bon, je m'inquiétais manifestement pour rien.

Il retira la selle de la monture avec des gestes vifs et amples qui témoignaient de son irritation. Puis il se dirigea vers la maison sans se retourner quand sa sœur l'interpella pour s'excuser. Repoussée par Bruknir, boudée par Zachary, Gaelle colla sa tête sur l'encolure du paisible Topaze en quête de réconfort. De grosses larmes inondèrent ses joues. Elle aurait donné n'importe quoi pour revoir Sev.

Certes, elle aimait son frère aîné. Tous deux étaient unis par ce fil invisible qui relie les membres d'une même famille. Toutefois, avec Zac, ce fil avait tendance à former d'inextricables nœuds. Avec Sev, au contraire, les liens avaient toujours été serrés sans jamais être tendus, ni rompus. Du moins jusqu'à sa mystérieuse disparition.

Depuis, Gaelle avait prié, matin et soir, pour que son père et son frère soient sains et saufs. Elle refusait, au plus profond d'elle-même, de les imaginer morts. Non! Il y avait encore un filament d'espoir, elle en était sûre. Elle renifla bruyamment et s'essuya le nez sur sa manche. Aucunement dédaigneux, Bruknir, qui l'observait du haut d'un pin, continua à se délecter de navours sans la quitter des yeux.

L'heure du souper sonna. Leur mère avait préparé un plat de lentilles aux lardons et une crème à la vanille que Zachary et Gaelle lapèrent comme des chats. Margot sourit devant leur gloutonnerie. Elle les chérissait tant…

✳✳✳

Gaelle monta se coucher peu avant son frère. Sous les combles, la chaleur était étouffante. Elle ouvrit la lucarne pour laisser entrer la brise, puis elle installa son hamac de façon à profiter au maximum de cette fraîcheur. Le délicat mobile de plumes et de cailloux polis qu'elle avait fabriqué avec Sev, l'été précédent, oscilla doucement. Cet objet-souvenir était devenu une sorte de talisman. Comme une veilleuse, une lueur tenace qui demeure allumée en permanence et qui permet d'affronter les pires cauchemars.

Je jure de retrouver ta trace, frérot… Je le jure!

Perdue dans ses pensées, Gaelle ne dormait pas encore lorsque Zac monta à son tour.

— Bonne nuit, lui chuchota-t-elle.

— Bonne nuit.

— Je regrette pour tout à l'heure. J'étais énervée et…

— Ouais, Miss Colibri, c'est un surnom ridicule. J'aurais dû choisir une bête beaucoup plus féroce, maugréa-t-il, mi-figue, mi-raisin.

Gaelle pouffa de rire. Quelques minutes plus tard, elle entendit un bruit sec en provenance du toit. «C'est juste une poutre qui craque», songea-t-elle avant de sombrer dans le sommeil.

***

Comment aurait-elle pu imaginer un papillon de nuit en train d'atterrir sur la toiture pile au-dessus de sa tête ? Bruknir déploya ses ailes sous les rayons de la lune. Le soir venu, il n'était plus obligé de se camoufler même si la prudence demeurait nécessaire. Il allait rester étendu là jusqu'à l'aurore. Pour monter la garde, une fois de plus.

Par moments, le vigoureux mâle aurait préféré tournoyer dans la forêt obscure comme n'importe quel Vorgombre. D'autant qu'il occupait ce poste de garde depuis quelques semaines déjà. Mais il avait accepté cette tâche, il l'avait sollicitée en fait, et il n'était pas question de s'amuser au lieu de veiller sur Gaelle.

Sa décision était prise. Au prochain conseil des Vorgombres, Bruknir contesterait une résolution unanime de son clan qu'il avait lui-même approuvée. À force d'épier Gaelle et d'étudier son comportement, il voyait désormais les choses d'un autre angle. La fille des Miller avait découvert l'existence secrète des Vorgombres sans l'avoir cherché, ni même désiré. Or, un secret finit toujours, tôt ou tard, par peser trop lourd sur les épaules de la personne qui le porte. À moins qu'il y ait un contrepoids : une raison qui allège la conscience ou le cœur de celui qui doit garder le silence.

« Ce serait inhumain de lui cacher la vérité plus longtemps », pensa Bruknir en s'avisant aussitôt qu'il ne devrait pas utiliser ce genre d'argument auprès des anciens s'il voulait les convaincre du bien-fondé de sa demande. Il souhaitait en effet que sa protégée obtienne des réponses à ses questions. Du moins jusqu'à la limite du supportable, ce qui excluait, bien entendu, qu'on lui révèle le sort réservé à son père et à son frère.

Bruknir frémit en songeant que celui de Gaelle serait bien pire si elle tombait entre les mains des ennemis des Vorgombres. Si ces derniers apprenaient qu'une jeune humaine possédait le don unique de détecter la présence des papillons de nuit en plein jour, ils la traqueraient sans relâche et feraient de sa vie un hiver sans fin. Comme ils l'avaient déjà fait pour d'autres personnes...

La chute du géant

En juillet, la Louve atteignit son niveau le plus bas. L'onde limpide de la rivière serpentait paisiblement entre les blocs de granit. Gaelle gambadait pieds nus de l'un à l'autre. Elle s'arrêta sur une longue roche grise qui était, en quelque sorte, trouée. En effet, une cuvette remplie d'eau fraîche et de galets apparaissait en son centre. Gaelle y repéra un joli caillou rose et plongea sa main jusqu'au coude pour le ramasser. Elle revint ensuite sur la berge à l'endroit exact où elle avait délacé ses souliers. Ils avaient disparu !

Un bruit sec lui fit lever la tête. Bruknir, plaqué contre le tronc d'un grand conifère, la fixait. Sur une branche, hors de portée humaine, pendait autre chose que des pommes de pin…

— Bruknir, rends-moi mes chaussures immédiatement !
s'égosilla Gaelle, furieuse.

— Pas avant que tu acceptes de m'écouter.

— Jamais !

— Tu ne peux pas continuer à m'ignorer.

— Bien sûr que si !

— Soit. Cependant, il me semble que vous, les humains…

Le Vorgombre, soucieux de ménager ses effets, se tut un
instant.

— … vous avez les pattes particulièrement fragiles. Crois-
tu vraiment pouvoir te passer de tes couvre-pieds ?

— Tu n'as aucune manière ! fulmina Gaelle.

— Et, toi, tu es une vraie mule ! rétorqua-t-il.

La jeune Miller s'assit sur une pierre couverte de mousse
en prenant soin de tourner le dos à cet effronté de la pire
espèce. Elle jaugea la situation. Pas question de rentrer
chez elle les pieds en sang. Il lui était impossible, par ailleurs, de grimper si haut dans l'arbre, ni même d'atteindre
ses souliers à l'aide d'un quelconque projectile. Elle se résigna donc à pactiser avec l'ennemi et pivota sur ses fesses
de mauvaise grâce.

— Qu'as-tu de si important à me dire ? maugréa-t-elle.

Bruknir fit tomber les chaussures de la branche, puis il
glissa sans bruit le long du tronc. Une fois au sol, il s'adossa
contre l'arbre en se tenant en équilibre sur quatre de ses
six longues pattes fines et griffues. Elles paraissaient aussi
résistantes que du fer. Ses ailes repliées sur son torse lui

servaient de cape. Ce grand manteau roux délicatement frangé semblait tissé de fils de soie.

Gaelle remarqua, pour la première fois, que Bruknir utilisait ses pattes avant comme des mains humaines : il était incapable de les laisser au repos !

— J'ai refusé de répondre à tes questions l'autre jour parce que je ne voulais pas m'attirer les foudres de mon clan.

— Ton clan ?

— *Dji !* se plaignit Bruknir. Pour vous les humains, la moindre parole constitue une mine d'informations. Je ne m'en sors pas !

— Raconte-moi tout alors.

— Pas si vite, Gaelle ! Je dois solliciter la tenue d'un conseil pour obtenir la permission de t'en dire davantage.

— Les Vorgombres se réunissent en conseil !… Avez-vous un chef ?… À quoi ressemble-t-il ? ne put-elle s'empêcher de demander.

— …

— Excuse-moi. Je suis juste curieuse.

— Beaucoup trop ! s'exclama-t-il. Gardons nos distances pour l'instant, cela m'évitera d'être à nouveau traité d'écervelé.

Devant le regard désappointé de Gaelle, il eut envie de conclure sur une note plus positive :

— Mes proches m'appellent Bruk. Je t'autorise à en faire autant.

Avant de disparaître, le majestueux papillon la salua en imitant, à l'aide de ses antennes plumeuses, le coup de chapeau d'un mousquetaire. À partir de ce moment, Gaelle eut le sentiment qu'il veillait sur elle. Elle ignorait cependant qu'en réalité elle était sous haute protection.

***

La saison des récoltes commença à battre son plein dès la mi-juillet. Zachary se fit engager dans une ferme des environs. Il espérait y travailler quelques mois. Entre les économies que monsieur Miller avait amassées en installant ses fameuses pompes à eau et les gages de Zac, la maisonnée pourrait survivre jusqu'au printemps. Après quoi, il serait toujours temps d'aviser.

Le paysan en herbe eut beau faire, il n'entendait rien à cette constance et à cette lenteur essentielles à l'agriculture.

— Cesse donc de manier la fourche comme une épée! se moqua le fermier à plusieurs reprises. Tu ne cultiveras jamais rien ainsi, même pas un brin de patience.

La terre noire, lourde et humide n'était guère l'élément de Zachary Miller. L'air, qui souffle la liberté à l'oreille des hommes, l'inspirait davantage. Aussi, chaque jour passé aux champs, les pieds enlisés dans la glèbe, lui coûtait bien plus qu'il ne lui rapportait.

Heureusement qu'il chevauchait Topaze, matin et soir, pour se déplacer. Heureusement que le vent pénétrait chacun de ses pores quand la puissante bête se lançait au galop. Zac l'indépendant caressait toujours le rêve de se joindre à la cavalerie express quoique, dans l'immédiat, ses propres intérêts ne comptaient plus. Il fallait avant tout nourrir sa famille. Des circonstances exceptionnelles ravivèrent toutefois son besoin d'aventure.

***

Fin septembre, les Miller se rendirent au marché de Mentana, qui se tenait sur la place du village. Une fois sur les lieux, Margot enjoignit à son fils d'aller boire une chope de bière pendant que Gaelle et elle s'occuperaient du ravitaillement. Zac, sûr d'avoir mal compris, ne broncha pas.

— Ouste! La compagnie d'hommes te fera du bien, insista-t-elle en lui montrant l'auberge du doigt.

— Mais, maman…

— Tu passes tes semaines à récolter des choux. Amuse-toi un peu si tu ne veux pas finir avec l'esprit d'une courge !

Il éclata de rire et prit la pièce de monnaie qu'elle lui tendait. Des amis de son père lui firent une place d'honneur à leur table. Entendre leurs voix rauques s'élever et se perdre dans la fumée du tabac lui procura plus de bien que le goût du malt dans sa bouche.

Deux étrangers entrèrent dans l'auberge. Le silence tomba aussitôt dans la salle. Non pas que ces individus inspiraient la peur ; au contraire, on pouvait leur faire confiance les yeux bandés malgré les dagues qu'ils arboraient à leur ceinture. L'un d'eux, à en juger par la distinction de son uniforme, était un cavalier chevronné. Il portait des jambières de cuir parées d'une profusion de clous nickelés et munies de poches sur le devant. De plus, une rose des vents était gravée sur la boucle en argent de sa ceinture. Il s'agissait d'un insigne que la cavalerie remettait seulement à ses membres les plus méritants. Cet homme, nul doute possible, accumulait les actes de bravoure. Son compagnon d'armes, beaucoup plus jeune, était un apprenti, tel qu'en témoignaient ses jambières dépourvues d'ornements. Il possédait bien entendu l'inséparable parure des jeunes aventuriers nouée autour de son cou : un petit foulard rouge servant, selon les circonstances, de cache-col ou de cache-nez, de mouchoir ou de chiffon, de compresse ou de bandage, et même de protection pour manier les poêles sur un feu de camp.

— Je me nomme Muir. Lui, c'est Ewan du Tertre, lança le cavalier à la ronde.

Ils ôtèrent leur chapeau de feutre beige, qu'ils portaient, non pas de biais comme les prétentieux, ni négligemment comme les ivrognes, mais avec l'aisance de ceux qui peuvent laisser leur regard dans l'ombre, à l'abri du bord de leur couvre-chef penché vers l'avant.

— Qu'est-ce que je vous sers ? demanda Charles Lhoumey, le propriétaire des lieux.

— Rien de moins fort que du whisky, lui répondit Muir.

Son visage rectangulaire, son menton volontaire et ses sourcils épais laissaient supposer un caractère endurci, tempéré toutefois par la douceur de son regard bleu et la familiarité avec laquelle ses mèches blondes balayaient son front. Quant au reste du corps, on le devinait à la fois souple et musclé.

— Il paraît que cette auberge est aussi une écurie publique, dit Muir après avoir avalé une lampée d'alcool et savouré la douce brûlure que cela lui procurait.

— En effet! confirma Lhoumey, pas peu fier.

— Tes stalles sont-elles bien entretenues?

— Oui.

— Les chevaux convenablement pansés?

— Oui, m'sieur.

— Nourris avec un fourrage de première qualité?

— Le meilleur qui soit!

— Et la forge du village, on y ferre les bêtes?

— Ben oui, pardire! pesta Will Felgardi, agacé par toutes ces questions.

Ce drôle d'oiseau déplumé par les années nichait au comptoir du bar à longueur de journée. Sa chevelure de jais ainsi que sa démarche sautillante lui donnaient des allures de merle noir. L'aubergiste racla sa gorge, avec ostentation, de manière à lui signifier son impolitesse. Will le Bigleux se rattrapa au vol en ajoutant:

— On a même une pompe à eau en fonte flambant neuve sur la place !

— Une pompe mécanique ? s'enquit Muir, épaté.

Son intérêt pour les inventions technologiques était manifeste. Felgardi lui expliqua qu'effectivement il suffisait d'actionner un bras pour que la machine s'active et crache de l'eau. Le cavalier émérite s'en réjouit :

— T'entends ça, Ewan ! C'est une sacrée nouvelle ! Nous aussi, on a une nouvelle à vous annoncer. À toi l'honneur, mon gars.

Zachary observa l'individu aux traits anguleux qui s'apprêtait à prendre la parole. Le jeune homme avait des pommettes saillantes et une mâchoire marquée. Sa chevelure noire en broussaille, son teint cuivré et sa silhouette athlétique révélaient qu'il avait l'habitude d'une vie au grand air. Zac estima qu'il était à peine plus âgé que lui. Il devait avoir seize ans. Dix-sept tout au plus.

— Des équipes de la cavalerie d'Imeronx balisent la route pour le courrier express depuis quelques mois déjà. On nous a chargés de la section Mentana-Didagris, déclara Ewan d'une voix grave et posée.

— Vous n'êtes donc pas juste des cavaliers, mais des éclaireurs ! s'exclama un client. Le trajet d'ici à Didagris prend un jour et demi par la voie carrossable. Il n'y a pas grand-chose à jalonner de ce côté-là…

— C'est pourquoi nous nous engagerons à travers la barrière de granit qui relie, en ligne droite, le plateau à la vallée, rétorqua Muir en faisant signe qu'on lui remplisse de nouveau son verre qu'il leva au succès de cette entreprise.

— Pffû! bougonna le vieux grincheux, qui prenait décidément un malin plaisir à ramer à contre-courant. Tout ce fafouinage, c'est pas pour nos beaux yeux, quin! C'est juste pour aller puisailler plein sud dans le coffre au trésor d'Aurora.

— Certes, mais entre le port d'Imeronx et les mines d'or d'Aurora, vous êtes là, monsieur…

— Appelez-moi Will.

— Vous êtes là, Will. Vous et tous les autres ici présents… Mentana pourrait bien devenir un relais officiel de la cavalerie. Cette auberge et votre pompe, qu'il me tarde d'ailleurs d'essayer, constituent de fameux atouts, répondit l'habile Muir.

Des cris de joie accompagnés d'un tambourinage débridé sur les tables résonnèrent dans la salle à manger.

— La tournée du patron! La tournée du patron! scandèrent des voix à l'unisson.

Dès lors qu'il n'eut plus à suivre la conversation, l'esprit de Zachary partit au galop. De nombreux et fougueux jeunes hommes seraient bientôt recrutés pour assurer ce service de cavalerie express dont, lui, Zachary Miller, connu également sous les traits de l'habile Zacharius ou de l'extravagant Zachiollo! Il s'imagina chevauchant Topaze au lieu de s'échiner aux champs. Une vision saugrenue lui traversa l'esprit: il catapultait des choux pour les fendre ensuite d'un puissant coup d'épée avant qu'ils ne touchent terre. Quelle façon plaisante d'en finir avec ces gros légumes insignifiants!

— Hé, Zac! Trinque avec nous au lieu de rêvasser comme un nigaud, lui lancèrent ses compagnons de table.

**

L'annonce de cette nouvelle enthousiasma l'ensemble des Mentanois, à l'exception de Margot Miller qui connaissait trop bien le pouvoir d'attraction de la cavalerie sur son fils aîné. Elle avait déjà perdu son mari et un enfant. Elle ne voulait pas risquer de perdre Zachary. De son côté, le jeune homme trouva beaucoup mieux que des choux pour s'exercer. Il initia sa sœur aux rudiments du combat.

Passes avant et arrière, parades, attaques et ripostes, il lui révéla tout ce qu'il avait appris en lisant et relisant *L'Art de l'épée* jusqu'à en écorner chaque page. Ils s'entraînèrent ensemble d'abord quelques fois par semaine, puis quotidiennement. Gaelle n'avait pas la force de son frère, mais elle était d'une souplesse remarquable. Elle se découvrit aussi un don pour la simulation. Habile à feindre et à esquiver, elle gagna plus d'une joute. Par contre, dès que le combat était rapproché ou au corps à corps, Zachary l'emportait avec éclat.

Margot voyait trop bien ce que son fils avait en tête. Chaque coup d'épée tailladait un peu plus son cœur de mère. Jamais elle ne se résoudrait à laisser partir son garçon. Elle saurait utiliser son ascendant en temps opportun. Dans l'immédiat, elle tolérait que ses enfants s'exercent avec autant de sérieux, car ils devaient apprendre à se défendre. Au fil des six derniers mois, une pensée funeste avait envahi son esprit à la manière du liseron des champs, cette mauvaise herbe dont on ne parvient jamais à extirper complètement les maudites racines, qui s'entortillent sur elles-mêmes : Robert ne serait plus jamais là pour veiller sur eux.

L'opposition entre Margot et son fils aurait pu tourner au vinaigre tant leurs devoirs respectifs s'annonçaient inconciliables. Elle voulait tenir son aîné à l'abri, lui devait voler de ses propres ailes pour assumer son nouveau rôle de chef de famille. Cependant, le sort, dont on ne peut pas toujours prévoir les bourrasques, en décida autrement. Une catastrophe imposa une nouvelle donne aux Miller.

***

Ce terrible événement se produisit à la tombée du jour. Margot s'était assoupie dans la cuisine alors que la soupe aux poireaux, servie au repas du soir, continuait d'envelopper la pièce de son odeur réconfortante. Malgré le temps froid de cette fin d'octobre, Zac et Gaelle sortirent pour combattre dans l'enclos de Topaze. L'affable cheval acceptait volontiers que son espace soit transformé en arène.

Seul le choc des épées de bois résonnait dans le silence de la forêt. Clac! Clac! Et clac encore! Puis soudain, il y eut un vacarme indescriptible. Un mugissement venu du fond de la terre comme si une horde de taureaux enragés allait surgir de ses entrailles. Un véritable soulèvement de racines suivi d'une charge tombée du ciel. Des nuages de poussière saturant l'air, des craquements, des ruades. Le sol n'en finissant pas de gronder et de secouer son épaisse cuirasse. Toute cette fureur avait été provoquée par un séquoia en train de perdre son équilibre millénaire. En s'écroulant, le géant fracassa l'enclos et la maison des Miller. Et les marqua au fer rouge du malheur.

Une force d'une violence inouïe projeta Zachary et Gaelle hors du parc. Ils ne formaient plus qu'un seul corps ballotté par une puissante rafale, liés par une même douleur. Leur ventre se tordit sous la brutalité de la poussée qui s'exerçait sur eux, leur dos heurta et brisa la clôture de bois. De grosses échardes se clouèrent dans leur peau. Ils se retrouvèrent étendus par terre, écorchés par les pierres, sonnés, le souffle coupé. Zac reprit ses esprits le premier. Il bondit et lança un cri déchirant:

— Maman! Mamaaan!

Aucun son humain ne se fit entendre. Gaelle hurla à son tour:

— Maman ! Maman ! Nooon !

Le séquoia avait tout rasé dans sa chute funeste. Ce monstrueux gisant serait désormais le mausolée de Margot Miller. Des larmes déferlèrent sur les joues de Gaelle. Zachary la serra contre lui autant pour la consoler que pour la protéger de la pluie d'aiguilles rousses et vertes qui s'abattait sur eux.

— Et... et... et To... paze ? hoqueta-t-elle d'une voix brisée, entre deux sanglots.

Son frère l'étreignit plus fort, voûtant ses larges épaules sur elle.

— To... Topaze ? répéta-t-elle machinalement.

Une épaisse poussière chargée de particules végétales leur brûlait les yeux et rendait l'air irrespirable. Ils entendirent, épouvantés, de nouveaux craquements. D'autres arbres menaçaient de s'écraser sur eux à la manière de ce jeu où l'on fait tomber les dominos en cascade. Sauf qu'ici il n'était pas question de s'amuser !

— Fuyons ! s'écria Zac.

Ils se ruèrent vers la Louve. Quand ils eurent rejoint la rivière, Gaelle se laissa choir sur un bloc de granit glacial. Faisant corps avec la pierre, elle se statufia. À l'inverse, Zachary vit ses sens s'aiguiser et sa force se décupler. La lune devenait de plus en plus visible dans le ciel de plus en plus sombre. Il leur fallait trouver un abri.

— Allons chez Quat. Il nous hébergera.

— Maman... Topaze...

— Gaelle, on doit partir !

Elle ne broncha pas. Son frère l'obligea à se lever et il entreprit de la battre du plat de la main comme une vulgaire paillasse autant pour la faire réagir que pour la nettoyer.

— Arrête ! se rebiffa-t-elle rapidement.

— Droit devant ! lui répondit-il d'un ton autoritaire en la poussant vers la forêt.

Ils foncèrent chez leur voisin immédiat, guidés par les rayons intermittents de l'astre de la nuit dont les fines zébrures d'argent défiaient les ténèbres. Le vieil homme se tenait sur le seuil de sa porte, muni d'une torche. Lorsqu'il aperçut les deux ombres vacillantes qui s'avançaient vers lui, il cria d'une voix remplie de joie :

— Margot ! Tes petits sont vivants ! Ils sont vivants, tu m'entends !

***

Dans les jours qui suivirent, Édouard Quat raconta mille fois qu'il n'avait jamais rien vu d'aussi émouvant que les retrouvailles de Margot et de ses enfants. On qualifia les Miller de miraculés. Et pour cause !

Tirée de sa torpeur par la fraîcheur de son logis, madame Miller était sortie, peu avant la tragédie, chercher des bûches pour alimenter son feu. La réserve de bois attenante à la cuisine étant vide, elle dut se rendre, à quelques minutes de marche, jusqu'au chêne abattu et débité la veille par Zachary. Elle entendit un fracas épouvantable, qui lui fit une peur bleue. Pour comble d'horreur, l'immense nuage de débris qui enveloppait désormais sa maison l'empêcha d'y retourner. Elle n'y comprenait rien, mais sut d'instinct qu'elle devait prier pour la vie de ses enfants. Atterrée, elle se réfugia chez son voisin.

Quant à Zachary et à Gaelle, ils furent arrachés à une mort certaine par la force du vent. C'était l'explication la plus plausible que Zac pouvait fournir aux curieux qui le pressaient de questions. Le séquoia, dans sa chute, avait dû provoquer un courant d'air d'une telle puissance que sa sœur et lui avaient littéralement été projetés à une bonne distance de l'impact. Gaelle ne contredit pas son frère bien qu'elle ait une autre théorie en tête.

Les Miller étaient vivants, certes. Mais, ils n'avaient plus rien…

Leur maison, leurs biens, leur cheval.

Les romans de Margot, l'encyclopédie de Robert.

Le délicat mobile fabriqué par Sev et Gaelle.

Les rêves, les souvenirs, la confiance en l'avenir.

Pulvérisés.

***

Édouard hébergea les trois rescapés quelques jours. Au cours d'une promenade solitaire, Gaelle rencontra Bruknir.

— Tu vas bien ? s'enquit-il.

— Oui, sauf que j'ai des bleus et des écorchures partout.

— Je suis désolé.

— Voyons, Bruk ! Tu nous as sauvé la vie.

— Exact ! Si j'étais humain, on me décernerait une médaille, s'amusa-t-il.

— Mon frère est convaincu que tu es un courant d'air d'une force incroyable.

— Ça me plaît assez, fit le papillon en déployant une aile dont il se servit pour éventer la jeune fille.

Elle esquissa un pauvre sourire et poursuivit :

— Moi, si je pouvais parler aux gens, je leur confierais plutôt que tu es mon ange gardien.

— Ça me plaît aussi...

— Bruk, on part vivre à Mentana. Je... je ne te verrai plus.

Cette fois, l'aile infiniment douce du Vorgombre effleura la joue de Gaelle, essuyant quelques larmes au passage.

— Tu sais où me trouver, lui chuchota-t-il.

— Hum... hum...

Elle se tut, car les mots lestés par un trop grand chagrin coulent toujours à pic.

— File ! souffla le papillon au bout d'un moment.

— Maman va s'inquiéter, tu as raison. Merci, Bruknir... Merci pour tout !

Gaelle s'éloigna, le cœur aussi recroquevillé et friable que les feuilles mortes sur lesquelles elle marchait.

— Miss Colibri !

— Oui ?

— Les séquoias tombent quand ils n'arrivent plus à porter leur propre poids.

— Sérieusement ?

— Les branches qui reçoivent le plus de soleil se développent toutes sur le même côté du tronc. Tôt ou tard, l'arbre ne peut plus le supporter.

— Pourquoi me racontes-tu cela ?

— Pour que tu ne fasses pas la même erreur.

CHAPITRE 5

Une auberge animée

S i son auberge devenait une halte sur le parcours de la cavalerie express, Charles Lhoumey allait connaître des jours meilleurs. À vrai dire, tout le monde à Mentana le lui souhaitait. La mort tragique de son épouse, survenue un peu plus de deux ans auparavant, avait frappé les esprits. Nina venait de donner naissance à leur premier enfant, un rouquin comme elle. Pour le plus grand malheur de ses parents, le nourrisson ne vécut pas au-delà d'une semaine. En berçant le cadavre de son bébé, Nina, le visage baigné de larmes, avait soudain déclaré qu'il ne s'agissait pas de son fils. Il en avait la tignasse flamboyante, mais, pour le reste, ce n'était pas lui ! À l'enterrement, elle hurla que son petit ne reposait pas dans le cercueil mis en terre. Personne ne put la raisonner. Ni son mari ni son père, Will Felgardi, qu'on ne surnommait pas encore le Bigleux.

Ainsi s'enfonça-t-elle, au fil des mois, dans une douleur si vive qu'elle cloua elle-même le cercueil dans lequel son esprit s'enferma peu à peu.

Un matin, Charles découvrit, l'âme affolée, un mot de Nina, le dernier, dans lequel elle lui confiait son désir d'en finir. On ne retrouva jamais le corps de la jeune femme. Plusieurs pensèrent qu'elle s'était élancée du haut du majestueux plateau de Mentana, happée autant par la gravité de la vie que par celle de la Terre.

Depuis la mort de sa bien-aimée, Lhoumey s'occupait seul de son auberge. Felgardi l'aidait un peu en nettoyant son écurie, mais il ne fallait pas trop en demander au vieil hurluberlu qui, la plupart du temps, se cachait dans le foin pour cuver son whisky. Les deux hommes n'avaient jamais éprouvé de sympathie l'un envers l'autre. Cette mésentente paraissait naturelle, tout comme les tomates tolèrent mal d'être plantées à côté des pommes de terre. Cependant, ils avaient fini par s'accorder pour le bien de Nina, soudés par la chaleur de son rire. Et ils continuaient à pactiser cahin-caha en son souvenir.

La présence officielle de membres de la cavalerie d'Imeronx à l'auberge nécessitait l'embauche d'un garçon d'écurie. En effet, pour ces hommes des grands chemins, cheval valait plus que richesse. Connaissant l'attrait de Zachary Miller pour ces nobles animaux, l'aubergiste lui proposa entre autres choses de s'occuper des bêtes qui appartenaient au cavalier Muir et à son apprenti Ewan du

Tertre. Ces chevaux devraient être maintenus en parfaite condition que ce soit pour parcourir de longues distances ou pour s'aventurer sur des chemins escarpés. La propreté des stalles, la qualité du fourrage, l'attention portée au brossage des animaux ou encore au curage et au graissage de leurs sabots : tout serait minutieusement inspecté.

Charles offrit également un emploi de serveuse à Margot. C'était une femme avenante et respectée. De plus, elle avait assez d'aplomb pour rappeler à l'ordre les ivrognes ou les effrontés qui voudraient lui conter fleurette. Bref, Lhoumey savait qu'elle ferait merveille auprès de la clientèle. Il fut convenu que les Miller seraient nourris et logés au gîte même. Par contre, dans l'immédiat, l'hôtelier n'avait pas les moyens de leur offrir un salaire.

Zachary préférait mille fois manier le foin, si aérien, au bout de sa fourche que de lourdes mottes de terre. Il accepta donc cette offre avec joie même si le contact permanent des chevaux rendait l'absence du fidèle Topaze encore plus cruelle. Quant à Gaelle, elle donnait un coup de main à sa mère, sauf les mardis et mercredis matin où elle fréquentait la maison des demoiselles Wells. Ces deux sœurs, d'un âge vénérable, y tenaient une classe ouverte, comme c'était alors l'usage dans les villages qui ne comptaient pas d'école.

La jeune fille, bien que soulagée de se retrouver à l'abri, avec les siens, dans un endroit chaleureux et plein de vie, n'en souffrait pas moins d'avoir dû quitter sa forêt. Elle s'ennuyait de ces moments de solitude passés à rêvasser entre les conifères avec les Vorgombres comme uniques témoins. Bruk lui manquait terriblement : son absence avait creusé davantage encore le gouffre causé par la disparition de Sev. En fait, Gaelle se sentait de plus en plus vide à l'intérieur.

À quoi bon tisser des liens s'ils finissent toujours par se défaire malgré nous ?

***

Un frisquet matin à la mi-novembre, Margot entreprit de chasser les feuilles mortes amassées devant le gîte à grands coups de balai. Si l'on se fiait aux élégants érables de la place du village, la fête de l'automne était bel et bien terminée. Tous les arbres s'étaient en effet départis des jolis fanions végétaux jaunes et rouges qui les garnissaient encore quelques jours auparavant. Au moment où madame Miller allait refermer la porte sur elle, Will le Bigleux se faufila dans l'entrebâillement.

— Eh ! On n'est pas encore ouverts, protesta-t-elle.

— Salut, Margot ! siffla-t-il avec une insouciance feinte.

Il fila vers son perchoir favori. Il avançait en sautillant à travers la salle à manger avec la familiarité du merle noir sur son territoire. Parvenu au comptoir où l'on servait les consommations, Will se jucha sur son tabouret préféré pour jacasser.

— J'l'ai vue, c'te nuit! proclama-t-il de l'air satisfait de celui qui a accompli une importante mission.

— Qui donc? lui demanda la serveuse, bonne joueuse, en s'affairant déjà à lui préparer un café corsé.

— L'ombre, pardire! Faut bien que quelqu'un la guette!

— Celle qui s'attaque au panneau d'accueil de notre village?

— Eh! Darde un œil si tu ne me crois pas!

Margot n'avait point eu le loisir d'observer le fameux écriteau pendant sa corvée de balayage. Aussi s'approcha-t-elle d'une fenêtre dont elle tira le rideau pour constater qu'effectivement la queue du 6 avait de nouveau basculé. Au lieu de 163 habitants, le panneau indiquait une population de 193 personnes.

— Par la peste noire! Un chiffre cloué en fonte, ça ne se chavire pas en soufflant dessus! déclara Felgardi.

Margot ne releva pas cette remarque pourtant pleine de bon sens. Elle songeait, la gorge nouée, qu'en réalité le village de Mentana ne comptait plus que 161 âmes si on soustrayait celles de Robert et de Sev… Elle n'avait même pas pu les inhumer faute de corps à veiller et à mettre en terre. Hélas! On ne retrouverait plus leurs cadavres maintenant. La malheureuse ravala ses larmes et revint prendre sa place derrière le long comptoir en bois patiné.

— Elle ressemble à quoi, ton ombre? s'enquit-elle, préférant se concentrer sur les fantômes de Will plutôt que sur les siens.

— C't'une sorcière. Nippée d'une longue cape. Elle marche pas, elle glisse…

— Elle apparaît seulement la nuit ? Jamais en plein jour ?

— Qu'est-ce que tu m'insinues, Margot Miller ? s'offusqua le vieil homme.

— La pénombre est la mère de tant de chimères, Will…

— Je ne bigle pas d'une saprée miette, d'accord ! Combien de fois va-t-il falloir que je le répète ! C't'une sorcière, une vraie. En chair et en os. Plus en os qu'en chair. Elle est maigrichonne, et agile. Je l'ai vue se juquer comme ça, là, le long de…

— Soit ! l'interrompit son interlocutrice. À mon avis, on n'a pas grand-chose à craindre de ta… de cette… sorcière. Elle me semble d'un naturel espiègle, voilà tout.

— Pffû ! rétorqua Felgardi. Sers-moi un autre café, veux-tu, au lieu de dire des folleries. Et sucre-le avec du whisky, quin !

Entre-temps, les éclaireurs, Muir et Ewan du Tertre, étaient revenus de leur inspection matinale de l'écurie. Ils s'installèrent à une table pour ingurgiter un copieux petit déjeuner. Bacon, œufs, pain complet et pommes de terre, toutes les réserves allaient bientôt y passer. En regardant les cavaliers à la dérobée, assis en train de s'empiffrer, la dague pendue à leur ceinture, Margot s'amusa de leur ressemblance avec un personnage d'un livre de contes illustrés qui lui avait appartenu jadis : il s'agissait d'un vilain ogre dépeceur d'enfants ! Elle avait d'ailleurs plus d'une fois préparé aux deux hommes des vivres pour nourrir une armée alors qu'ils partaient en expédition. À leur retour, il n'en restait pas le moindre morceau. Au moins, Margot était convaincue qu'ils n'avaient croqué aucun gamin en chemin.

Elle se dirigea vers eux, histoire de les saluer.

— Bonjour ! lui lança Muir gaiement en sortant six œufs ornés de brin de paille et de plumes du fond de son chapeau, qui lui avait servi de panier pour l'occasion. Je n'ai pu résister au plaisir de ramasser ceci pour observer, encore une fois, Poule Rousse à l'œuvre. Fidèle à elle-même, elle a gloussé d'indignation devant son nid dégarni, cherchant à m'intimider à coups de bec. Quel caractère !

— Déposez-les ici ! s'esclaffa Margot en soulevant son tablier par les coins de manière à le transformer en filet.

— B'jour, madame Miller, marmonna Ewan.

Elle sourit au jeune du Tertre, un garçon énigmatique qui parlait peu, mais qui ne semblait jamais perdre un mot de ce qui se disait autour de lui.

— Votre fils Zachary est formidable, déclara Muir. Il s'occupe de nos bêtes comme si elles lui appartenaient.

— Il adore les chevaux. La mort de notre Topaze l'a beaucoup affecté.

— C'est dommage ! S'il possédait sa propre monture, je l'engagerais sur-le-champ.

Le visage de Margot se rembrunit.

— Dame ! Vous savez pourtant qu'il serait en bonnes mains avec moi.

— Peut-être…

— Je l'ai encore observé, hier, dans la cour arrière, en train de combattre à l'épée avec sa sœur. Ils sont, tous deux, extrêmement doués.

— Par chance, vous ne recrutez pas des cavalières ! ironisa Margot.

— Pourquoi pas ? la taquina-t-il.

Quand on parle des loups… Zachary et Gaelle surgirent en même temps dans la salle à manger. Lui revenant de l'écurie, elle descendant de sa chambre.

— Alors, jeune homme ! Es-tu prêt pour ta revanche ? l'agaça Muir.

— Fin prêt pour sept lancers ! répliqua Zac.

— Chaaarles, c'est l'heure ! crièrent de concert les deux joueurs.

Ce dernier émergea de sa cuisine tandis que Margot s'y engouffra. Une porte battante en chêne marquait la mesure de ces continuelles allées et venues. Lhoumey se dirigea vers la cible accrochée au mur, se plaçant de manière à bien la voir, car il avait la responsabilité de compter les points. Il ne se lassait pas d'assister à cette joute captivante du lancer de fléchettes. Zachary Miller avait enfin trouvé un adversaire digne de lui en la personne de Muir. Chaque matin, les observateurs retenaient leur souffle. Qui de ces deux maîtres allait l'emporter ?

Le seul à ne pas applaudir était Will le Bigleux. Il boudait depuis que son gendre lui avait formellement défendu d'approcher ce jeu d'adresse. Le vieux riait encore dans sa barbe de la fureur de ce client qui s'était retrouvé naguère avec une fléchette plantée dans la raie des fesses. Qu'on vienne dire ensuite qu'il ne savait pas viser! Lhoumey, lui, se souvenait avec amertume de la mêlée générale qui avait suivi sur un bruit de fond d'assiettes et de bouteilles fracassées.

***

Dès leur arrivée à Mentana, à la fin septembre, Muir et du Tertre avaient établi leur quartier général à l'auberge. Ils logeaient toujours là, hormis les nuits qu'ils passaient à la belle étoile lors d'une expédition. En effet, depuis un mois et demi, ils s'affairaient à établir le trajet le plus rapide entre Mentana et la partie nord de la vallée de Ninss. Le chemin carrossable reliant ces deux emplacements avait été exclu d'emblée puisqu'il nécessitait un long détour par l'ouest. Le passage par le canyon représentait un raccourci inespéré. Néanmoins, la seule façon d'y parvenir consistait à descendre une interminable échelle de corde. Accès interdit aux chevaux, donc! Or, point de monture, point de service postal express.

Muir et Ewan cherchaient le moyen de chevaucher en quelques heures jusqu'à la porte d'entrée de la vallée, soit le bourg de Didagris. Après plusieurs expéditions dans le massif rocheux qui servait littéralement de trait d'union entre les plateaux et le val de Ninss, les éclaireurs de la garnison d'Imeronx avaient bon espoir de découvrir la piste idéale pour leur cavalerie avant que l'hiver s'installe en maître des lieux. Ils la baliseraient ensuite, le printemps venu.

Muir collectait ses observations, sous forme de croquis et de notes, dans un carnet de dimension moyenne à la couverture de cuir. Celle-ci était garnie de clous décoratifs en laiton qui reproduisaient une étoile. Plantes, arbres, animaux, cours d'eau aussi bien que falaises et dômes de granit s'animaient sous sa plume. Au retour de chaque excursion, l'aventurier feuilletait ses calepins, après quoi il retranscrivait les trajets parcourus sur un large plan. Dès le début, son travail suscita un vif intérêt auprès des Mentanois.

— La précision du trait me fait penser aux œuvres du Coloriste, lui confia un jour Lhoumey.

— Le Coloriste, qui est-ce?

— Il s'appelait David… David… Margot, comment se nommait ce peintre reconnu qui habitait près de Lymnoix et qui a disparu, il y a environ six ans? David…

— Latreille, compléta Margot en se joignant à la conversation. Ses toiles représentaient la nature de manière si réaliste et si détaillée que même les insectes s'y trompaient. On raconte que des abeilles ont voulu butiner ses fleurs et qu'une libellule se prélassa un long moment sur une tige de jonc reproduite en gros plan.

***

En cette soirée de mi-novembre, la salle à manger de l'auberge affichait complet. Grâce à la présence de Margot, Charles passait plus de temps en cuisine, comme du vivant de sa femme. Le menu étant de nouveau varié, on n'allait plus seulement boire un coup au gîte de Mentana, mais aussi y casser la croûte. Une fois les repas servis et les panses repues, Lhoumey quittait ses fourneaux pour bavarder avec la clientèle. En bon aubergiste, il savait entretenir une discussion : d'abord et avant tout en écoutant ce que chacun lui racontait, que ce soit un habitué ou pas, qu'il vienne de la région ou non. Si bien qu'à lui seul, Charles aurait pu tenir la rubrique des nouvelles du jour et celle des commérages dans *L'Écho du val de Ninss*.

Gaelle venait de s'installer sur un banc en chêne adossé contre une fenêtre dont elle tira les rideaux puisqu'il faisait nuit. Elle se plongea dans un palpitant roman de cape et d'épée prêté par les demoiselles Wells. Dès cet instant précis, le monde réel n'exista plus. Muir étala donc sa carte sur la table voisine sans que Gaelle y porte attention, même lorsque les gens s'attroupèrent autour de lui.

— Quand vous en aurez terminé avec ça, on verra moins de gars partir à travers le massif et ne jamais revenir ! se réjouit Lhoumey.

— Le terrain est drôlement accidenté, les points de repère rares, remarqua le cavalier.

— Du granit et des conifères à l'infini. C'est tout ce qu'on aperçoit d'ici quand on regarde vers la vallée, acquiesça un habitué de l'auberge. Y a de quoi s'écarter.

— Ou tomber dans une crevasse, ajouta Zachary.

— Oui… On a dû enjamber de nombreuses carcasses. Des squelettes d'hommes mêlés à ceux d'animaux, mentionna Ewan d'un air impassible.

— Si je m'excursionnais, j'craindrais ni ours ni loups, fanfaronna Will le Bigleux en bombant le torse. Mais j'me méfierai, comme de la peste noire, des sorcières grimpeuses, parvoir ! Sont agiles. Rapides. Surgissent des précipices…

— Le voilà reparti ! marmotta Margot.

Elle fut entendue de Muir, qui lui fit un signe de connivence :

— Vous êtes tous bien gentils. Mais j'aimerais régler certains détails avec Ewan.

— Merci, lui murmura-t-elle en se dirigeant vers la cuisine.

Les autres comprirent également le message. Chacun se dispersa, même Will qui, n'ayant plus d'auditeurs pour écouter ses histoires abracadabrantes, retourna sur son perchoir, au bar. Gaelle demeura assise à sa place, songeuse. Elle venait à peine de terminer un long chapitre plein de rebondissements. Quand le cartographe se tourna vers son jeune compagnon de route, elle tendit une oreille vagabonde tout en faisant mine de poursuivre sa lecture.

— Que penses-tu de mes dernières transcriptions ? demanda Muir.

— Ce sentier, positionne-le un peu plus au sud, précisa Ewan après avoir survolé le plan.

— Ce n'est pas ce que ma boussole indique.

— Non, c'est ce que le soleil et le vent disent.

— Soit ! capitula Muir, qui, sûr du jugement de son apprenti, respectait toujours scrupuleusement ses indications.

— Ce pic-là, ajoute-lui cinquante pieds.

— Tant que ça ?

— Il est à hauteur d'aigle. Tu n'as pas vu le nid ?

— Pas vraiment ! Autre chose, œil de lynx ?

— Voyons... Sur cette portion de la rivière, je suggère qu'on aménage un passage à gué, juste ici, décréta Ewan en plantant son index sur la carte.

— J'en prends bonne note, l'expert !

Très vite fascinée par cette conversation, Gaelle n'en avait pas perdu un mot.

C'est incroyable ! Ewan sent les montagnes et les arbres. Il semble palper les mouvements de l'air. S'il connaît si bien les mystères de la nature, peut-être distingue-t-il les Vorgombres lui aussi ?

Cette perspective l'emplit de joie. Cela faisait longtemps qu'elle n'avait pas ressenti une telle excitation.

Je pourrais enfin partager mon secret avec quelqu'un !

Gaelle referma son récit d'aventures en souriant à Ewan. Quelle ne fut pas sa stupéfaction ! Deux iris verts la scrutaient froidement à travers des paupières mi-closes tandis que la bouche charnue du jeune homme ne formait plus qu'un pli.

Depuis combien de temps ce serpent à sonnette me dévisage-t-il ?

Gaelle sentit ses joues s'enflammer. Ce rouge feu n'aurait pas mieux coloré les fins pétales d'un coquelicot... Ewan détourna son regard. Sans prendre aucunement la peine de lui rendre son sourire.

✳✳✳

Confuse, mademoiselle Miller quitta sa place trop vite pour que cela paraisse naturel. Elle attrapa un bougeoir, baragouina un bonsoir à sa mère et à son frère et alla se réfugier dans la chambre qu'elle partageait avec eux sous les combles. Au moment de fermer les rideaux, elle crut apercevoir une silhouette familière en plein ciel.

Était-ce son ange gardien, Bruknir ? Ou bien un mirage créé par les nuages qui s'effilochaient entre les étoiles ? Ou simplement les larmes qui lui brouillaient la vue ?

Retrouver la forêt, la Louve, son ancienne vie. Sentir le délicat parfum des aiguilles de pin ou celui plus lourd de la terre humide. Goûter à nouveau le silence…

Cesser d'entendre le brouhaha incessant de la salle à manger, en bas : le raclement des pattes de chaises, le tintement des chopes de bière, les éclats de rire ponctués de jurons, le parquet qui grince, les charnières qui couinent.

Du tumulte, tout le temps… Gaelle n'avait pas l'impression d'habiter une auberge, mais une fosse d'orchestre où les bruits résonnaient à qui mieux mieux sans jamais parvenir à s'accorder ! Tiens, en ce moment même, les marches de l'escalier en chêne gémissaient. Quelqu'un montait.

Qui ? Un client… De quelle chambre ?

On frappa deux coups secs à sa porte.

— Tu as oublié ton livre. Je le dépose par terre.

Les pas s'éloignèrent aussitôt. Gaelle récupéra son roman à la sauvette. Elle pressa l'ouvrage sur sa poitrine. En dévorerait-elle plusieurs pages à la lueur de sa chandelle ? Se laisserait-elle bercer de nouveau par la vie fictive et exaltante de ces personnages de cape et de papier ? À quoi bon imaginer le timbre de voix d'un héros, quand celui d'Ewan emplissait son esprit ?

« Tu as oublié ton livre. Je le dépose par terre », avait-il dit simplement.

C'était loin d'être une réplique digne de figurer dans un roman. Pourtant, Gaelle la tourna encore et encore dans sa tête.

Ce soir-là, les paroles d'Ewan lui servirent de mot de passe pour ouvrir les lourdes portes du sommeil. Gaelle eut l'impression de pénétrer dans une pièce capitonnée qui absorbait tous les sons. Pour la première fois depuis longtemps, elle s'endormit à l'abri du tumulte de l'auberge et de sa propre vie.

CHAPITRE 6

Conseil
nocturne

A lors que Gaelle avait sombré dans le sommeil depuis un long moment, le clan de Bruknir se réunit pour tenir conseil. À une heure du matin, le bosquet de séquoias géants, où leur chef Belk les avait convoqués, baignait dans une obscurité silencieuse et engourdie.

Bon an mal an, le groupe de Belk comptait une trentaine de membres. Il partageait pacifiquement le vaste territoire de la forêt aux abords de Mentana avec deux autres bandes de papillons de nuit, celles de Tanaïs et d'Oji. Les plus anciens se connaissaient, pour avoir été élevés ensemble, et ils se respectaient, pour avoir défendu les mêmes principes. Jusqu'à présent, l'abondance des navours avait permis de nourrir tout le monde. Quand les lépidoptères s'étaient réfugiés dans ces bois, les fleurs au nectar sucré qui poussaient sur les lianes des gigantesques conifères avaient assuré leur survie. Sans elles, les morts auraient été beaucoup plus nombreux.

Si leurs origines et leur régime alimentaire s'avéraient semblables, les trois tribus avaient toutefois adopté des mœurs assez différentes au fil du temps. Ainsi, les parades nuptiales, l'élevage des cocons, la place accordée aux femelles ou encore les codes de vie variaient sensiblement d'un clan à l'autre.

Par contre, tous les individus de la forêt de Mentana souscrivaient à la loi du camouflage. Ils devaient se cacher du regard des hommes et, surtout, de celui de leurs frères ennemis. C'était un moyen de survivance autant que de résistance. Depuis vingt-cinq ans, ces Vorgombres, à qui on avait ravi le jour, vivaient en bannis dans les replis obscurs de la nuit. Or, ils devaient leur salut à leur incroyable faculté de mimétisme.

Aussi, ce fut une onde de choc lorsque, cinq ans auparavant, une fillette de neuf ans avait aperçu son premier Vorgombre sans, fort heureusement, manifester un quelconque intérêt. Les lépidoptères l'espionnèrent afin de s'assurer qu'il ne s'agissait pas d'un hasard, ni d'un incident isolé. Mais non, cette petite humaine avait le don de les voir et, en grandissant, elle allait devenir de plus en plus curieuse à leur sujet !

Lors d'un conseil exceptionnel rassemblant les trois clans, il fut convenu que la bande de Belk serait responsable de surveiller l'enfant puisque la maison des Miller se

situait sur leur partie du territoire. À l'immense soulagement des Vorgombres, Gaelle comprit d'instinct qu'elle
ne devait pas révéler leur présence. Une seule fois, elle
faillit divulguer le secret de leur existence. Ce jour-là, elle
pointa du doigt le vénérable Belk en personne à l'aîné de
ses frères. Le papillon lui lança une sérieuse mise en garde
en lui décochant un regard intimidateur. Il s'amusa néanmoins de la réaction de Zachary, qui trouva dès lors un
surnom à sa sœur.

« Miss Colibri ? C'est joli », avait pensé l'insecte blotti à
la base d'un séquoia.

✳✳✳

En cette froide nuit de la fin novembre, Belk devait pré-
sider une assemblée où il serait justement question de
Miss Colibri…

Les Vorgombres étaient regroupés dans l'enceinte
formée par les géants à l'écorce rougeâtre dont les cimes
atteignaient des hauteurs vertigineuses. Certains insectes
se tenaient debout, d'autres, assis. Ils avaient tous replié
leurs ailes lustrées autour de leur corps. Quelques femelles
avaient fléchi leurs membres supérieurs seulement, revê-
tant ainsi de somptueux châles. Cependant, la majorité
des papillons avaient rabattu leurs quatre ailes de manière
à se draper dans une cape.

Belk, qui faisait face aux siens, prit la parole :

— J'ouvre officiellement ce conseil. Nous y débattrons du cas de Gaelle Miller. Doit-on, comme le désire Bruknir, qui a réclamé la tenue de cette séance, lui révéler certains secrets nous concernant ?

Un murmure parcourut l'assistance. Bruk songea que la partie n'était pas gagnée. Imperturbable, Belk continua :

— Quelqu'un souhaite-t-il proposer un autre sujet de discussion qui s'adresse à l'ensemble du clan ?

— Moi ! fit un jeune mâle en s'avançant.

— Nous t'écoutons, Niox.

— J'aimerais parler du panneau d'accueil de Mentana, déclara ce dernier sur un ton un peu pompeux.

— *Djahhh ?* s'étonna Belk. Est-ce vraiment d'un intérêt général ?

— Absolument.

— Soit. Nous traiterons donc aussi de ce point. Dans un premier temps, j'invite Bruknir à nous présenter sa demande.

Toutes les têtes se tournèrent vers lui. Bruk ne chercha pas à masquer sa nervosité : ses semblables l'avaient sans doute déjà détectée… Ayant longuement réfléchi à la question, il parvint à s'exprimer avec éloquence.

— Vous savez que je guette Gaelle Miller, commença-t-il. J'ai donc passé beaucoup de temps à l'observer. Il m'est arrivé aussi de discuter avec elle. Pour un être humain, elle possède une intuition remarquable. Elle ressent les choses, les perçoit naturellement. En fait, elle est à l'affût du sens des événements. C'est pourquoi je crois qu'on devrait l'éclairer. Voilà… Il me semble qu'on lui doit des explications.

— On ne doit rien à personne! rétorqua Datzu, les antennes raidies.

— Laisse-le s'expliquer, intervint Eïsa en mettant une patte sur celle de son compagnon.

Cinq papillons avaient fondé la tribu dirigée par Belk. Il y avait Belk, bien entendu, ainsi que Datzu et Eïsa. Les autres étaient morts. Chacun au sein du clan vénérait ces trois anciens. Leurs paroles, leurs opinions étaient aussi précieuses que la pluie après une sécheresse. Par conséquent, c'était eux que Bruknir devait convaincre. Il poursuivit donc:

— Gaelle est la seule humaine capable de nous repérer en plein jour…

— Il y a aussi ce garçon… Ewan du Tertre, l'interrompit Belk.

— Son cas est différent, précisa Eïsa. Il a appris à nous voir, tandis que cette jeune fille a le don de nous voir. De plus, Ewan ne parvient pas toujours à nous distinguer.

— Exact, reconnut Belk.

Une idée venait de surgir dans l'esprit de Bruknir, soudaine comme le gland qui se détache du chêne à l'automne:

— Tu affirmes, Datzu, qu'on ne doit rien à personne. Pourtant, Gaelle Miller t'a sauvé la vie lorsque tu t'es retrouvé épinglé sur un pin par son frère.

— Merci de me rappeler ce glorieux souvenir, maugréa le respectable Vorgombre en secouant ses ailes dorées striées de noir sur lesquelles on distinguait toujours les trous formés par les clous.

— Là où je veux en venir, ajouta Bruk, c'est que le destin de Gaelle semble lié au nôtre. Elle nous côtoie par la force des choses. Elle nous protège par son silence.

— Nous la protégeons aussi, remarqua Datzu.

— Mais nous n'avons pas sauvé son père, ni son frère…

— Ça suffit, Bruknir ! s'emporta Belk, piqué au vif par ce reproche. Comment oses-tu nous accuser de cela alors qu'il en va de notre survie ?

— Je… Je ne critique pas les règles… J'estime simplement… que… *djhum*…

— Gaelle souffrirait moins si elle comprenait le sens des événements auxquels elle est confrontée malgré elle. Voilà pourquoi tu recommandes que nous lui dévoilions certains pans de notre histoire.

Bruknir considéra avec reconnaissance la jeune femelle qui venait de le sortir de l'embarras en traduisant si bien sa pensée. Il s'agissait de Djune, la petite-fille de Belk. Elle lui sourit.

— Ta requête ne manque pas de noblesse, Bruk, constata Eïsa après un bref silence. Elle est néanmoins irrecevable. Nous devons la vie au fait d'avoir tenu notre existence et nos origines secrètes après notre bannissement. Toi, tu ne te méfies pas assez des animaux sauvages, ni des hommes. Ton cœur ne connaît pas la peur. Moi, quand je suis arrivée dans cette forêt, nous étions cinq. Ma sœur est morte d'épuisement, recroquevillée entre mes ailes qui ne parvenaient plus à la réchauffer. Jusqu'à la fin, elle a tenu une minuscule chenille, née d'elle et de Belk, blottie contre son torse. Chaque fois que je te regarde, Djune, je pense à ta grand-mère, ma sœur chérie... Pour ma part, j'ai dû pondre des dizaines d'œufs avant qu'une chenille puisse se tortiller sous mes yeux fatigués. Oklan, mon partenaire d'alors, a péri en me défendant contre un puma... Nous nous sommes adaptés au prix d'immenses sacrifices. Le premier – et le plus cruel – a été de nous cacher le jour pour ne vivre que la nuit... Aujourd'hui, vous naissez avec de la fourrure sur le torse et des ailes charnues pour vous tenir au chaud, l'hiver. On vous enseigne les lois du camouflage avant l'art du butinage. Vos petits écloront en lieu sûr dans les niches creusées par nos soins dans les séquoias. Rien de cela n'existait, il y a vingt-cinq ans. Cet équilibre est fragile, hélas! Nous ne sommes pas à l'abri d'un coup du sort... En partageant nos secrets, nous risquons d'attirer le malheur.

On aurait entendu une luciole voler... Belk demanda si quelqu'un désirait ajouter quelque chose. Personne ne se manifesta.

— Dans ce cas, votons, proposa-t-il. Que ceux qui rejettent la requête de Bruknir dressent leurs appendices.

Vingt-huit paires d'antennes se levèrent à l'unisson.

— Luis, réveille-toi ! lança Belk en dirigeant sa voix vers un individu de petite taille.

— *Mmfff ?* baragouina l'interpellé en sursautant.

Son père Lesca lui fit signe d'étirer ses antennes. Les papillons qui n'avaient pas atteint leur pleine maturité devaient voter comme leur père. Or, Luis était sorti de son cocon au printemps.

— 'Scusez-moi ! bâilla-t-il.

Le Vorgombrin somnolent pointa avec effort deux fines tiges terminées par un renflement en forme de gourdin. Elles tinrent à peine une minute en l'air, puis s'affaissèrent à la manière de roses flétries.

Au bout du compte, vingt-neuf individus sur trente s'opposèrent au souhait de Bruknir. Tel que la coutume l'exigeait, ce dernier se courba afin de signifier qu'il acceptait le verdict de l'assemblée et qu'il le respecterait sur l'honneur.

— Nous apprécions ta déférence, Bruknir, déclara solennellement le chef des Vorgombres. Passons maintenant au sujet de l'écriteau de Mentana. Nous t'écoutons, Niox.

— Je me dois d'avertir le groupe que quelqu'un parmi nous se livre à un jeu dangereux en changeant les chiffres du panneau d'accueil de Mentana.

— Pourrais-tu être plus précis ? s'enquit Belk.

— Je survolais la place du village, l'autre nuit, quand j'ai entrevu un des nôtres en train de décrocher la queue du chiffre 6.

— Et pourquoi donc ? s'étonna Datzu.

— Peut-être pour indiquer le nombre 193 au lieu de 163. Ce qui fait un ajout de…

Soucieux de ménager ses effets, Niox se mit à compter sur ses pattes alors qu'il connaissait déjà le résultat :

— Trente personnes. À moins que ce ne soit trente Vorgombres ?

Des remarques incrédules, désapprobatrices, fusèrent de toutes parts. Niox guetta Bruknir du coin de l'œil. Les deux mâles, vigoureux et dominants, avaient eu plus d'un différend, la plupart du temps à cause de l'impétuosité de Bruk. Le dénonciateur fut satisfait de constater que son rival frémissait, imperceptiblement.

— Silence ! ordonna Belk. Niox, ce dont tu nous avises est grave. Les humains sont-ils au courant qu'un des nôtres est impliqué ?

— Non. Enfin si… Will Felgardi a été témoin des événements.

— L'espèce de merle noir qui voit son ombre en triple ? plaisanta Lesca. Il ne sera jamais pris au sérieux par ses semblables.

— Fort heureusement pour nous ! observa Belk. Mais qui est l'auteur de ce méfait ?

— Oui, nous voulons savoir qui agit ainsi au détriment de notre sécurité ! s'exclama Datzu, menaçant.

Niox hésita. Il avait tout à coup des scrupules à désigner le responsable de cet acte. En effet, Bruknir risquait de recevoir un flot de réprimandes, surtout après ce qu'il venait de demander au sujet de Gaelle Miller. Était-il souhaitable de se rendre jusque-là ?

— À vrai dire…, commença Niox en cherchant un mensonge à tisser en vitesse.

— C'est moi ! s'écria Djune.

— *Djiii !* Quelle étourderie ! gronda son grand-père, abasourdi. À quoi as-tu pensé ?

— Je… Nous… Oui, nous sommes aussi des Mentanois, souffla-t-elle. Je ne vois pas pourquoi… ils ne nous comptent pas parmi eux !

— C'est un acte insensé ! s'indigna Eïsa. Tu me déçois énormément.

Djune laissa tomber ses magnifiques ailes supérieures, deux voiles de taffetas gris sombre aux ocelles nacrés, le long de son torse en guise de soumission, tandis que ses ailes inférieures violacées battaient piteusement ses flancs.

— Je suis désolée, se défendit-elle. Je n'avais pas songé aux conséquences.

— Cela ne te ressemble guère ! gronda Belk.

Assailli par le doute, le vieux Vorgombre s'adressa au témoin de l'événement :

— Peux-tu confirmer qu'il s'agissait bel et bien de Djune ?

— Ou-oui, fit Niox en lançant un regard à la fois courroucé et ahuri à cette dernière.

De son côté, la jeune femelle planta ses yeux dans ceux de Bruknir avant de proclamer d'un ton aussi convaincu que convaincant :

— Je prie l'assemblée de me pardonner cette terrible erreur de jugement. Je ne recommencerai plus, vous avez ma parole.

Après un bref silence, Datzu déclara :

— Pour ma part, je te réitère ma confiance. Tu as, jusqu'à aujourd'hui, toujours agi dans l'intérêt du groupe. D'ailleurs, tu t'es démasquée toi-même afin que Niox n'ait pas à porter l'odieux de la chose.

Constatant que la plupart de ses pairs opinaient de la tête, il ajouta :

— Bon, si personne ne s'y oppose, je demanderai à Belk de clore ce conseil dans le respect de nos traditions.

Les papillons se dispersèrent quelques minutes plus tard. Le petit Luis, n'ayant plus à rester immobile ni à subir les discours ennuyants des adultes, débordait maintenant d'énergie. Ses parents acceptèrent de bon cœur de virevolter avec lui au-dessus de la Louve.

Djune se retira, marchant dans la forêt. Bruknir courut la rejoindre.

— Merci ! murmura-t-il dès qu'il fut à ses côtés.

— Tu m'en dois une, Bruk le rebelle ! lui répliqua-t-elle d'un ton bourru avant de s'envoler et de disparaître.

Bruknir parvint à la suivre du regard pendant quelques secondes grâce aux reflets irisés de ses ocelles qui se détachaient dans la nuit telles d'insaisissables étoiles filantes.

CHAPITRE 7

Un remarquable trompe-l'œil

L e mois de novembre tirait à sa fin. Les paysages empesés par le frimas au lever du jour, les feuillus dénudés, le soupir discret des oiseaux... L'hiver ne retenait plus son souffle.

Au cours de l'automne, Muir avait maintes fois examiné la hauteur des fourmilières. Leurs dômes, construits avec des débris végétaux, s'élevaient plus que de coutume audessus du sol, ce qui laissait présager une saison rude et longue. Il en discuta avec Ewan durant le repas du midi. Ce dernier lui confirma ses prédictions et lui annonça que, dans les faits, il leur restait moins d'une semaine pour explorer le massif.

— Comment peux-tu être aussi sûr que la température va se dégrader à ce point ? s'étonna Muir.

— À cause de l'araignée de notre chambre, répondit Ewan, laconique.

— Elle t'a dit quoi, celle-là ? Explique !

— Elle a changé sa toile de place et l'a tissée dans le coin le plus isolé de la pièce.

— C'est peut-être une solitaire, s'amusa Muir.

— Isolé du froid, précisa Ewan sans relever la plaisanterie. Sa toile est dense, les fils courts et tendus. Signe infaillible de mauvais temps.

— J'aimerais posséder ta science, du Tertre. En attendant, je vais avertir Lhoumey qu'on s'absente quelques jours.

Margot leur apprêta des vivres en quantité : jambon, fromage, œufs durs, pain noir, pommes, carottes et thé. Elle y ajouta de délicieuses galettes à l'avoine, cuisinées le matin même. Charles Lhoumey insista pour leur offrir une bouteille de whisky et deux couvertures de laine supplémentaires, qu'ils pourraient endosser par-dessus leurs vêtements si la température chutait trop.

Les cavaliers passèrent à l'écurie dans l'intention de seller leurs montures. Aidé de sa sœur, Zachary avait pansé et nourri leurs bêtes un peu plus tôt. Le coursier d'Ewan se nommait Akko. Celui de Muir, Rafale. Les chevaux, frais et dispos, attendaient leur maître dans leur stalle.

Une des larges portes du bâtiment donnait sur la cour arrière de l'auberge. Un combat au fer acharné s'y déroulait. Rompus au maniement de ces armes, Muir et du

Tertre le suivirent avec intérêt, admirant le savoir-faire des escrimeurs.

Clac! Clac! Et clac encore! Zachary et Gaelle avaient cassé plus d'une épée de bois au cours de leurs entraînements. En ce moment, leurs attaques étaient simultanées. Impossible de savoir qui allait l'emporter.

Soudain, Zac parvint à se dégager. Il porta un coup droit que sa sœur esquiva habilement. Elle revint aussitôt sur lui et entreprit une incroyable série de feintes. Par moments, Gaelle semblait prendre son envol, entraînée par le tourbillonnement de sa longue jupe à volants. Puis, sans crier gare, la lame de la jeune fille pointa son adversaire dans le creux du cou.

— Fer gagnant! cria-t-elle, euphorique.

— Woh! Tu m'as encore eu! gronda son frère, hors d'haleine.

Muir les applaudit.

— Superbe riposte composée, mademoiselle Miller!

— Merci!

Gaelle était échevelée et empourprée par l'effort qu'elle venait de livrer. En la considérant, Ewan se surprit à la trouver jolie. Un coquelicot… Cette fille ressemblait à un coquelicot. La plus froissée des fleurs. Une des plus gracieuses aussi.

— Allons seller et brider nos bêtes, lui dit Muir en le tirant de sa rêverie.

***

Les éclaireurs quittèrent l'auberge peu avant quatorze heures. Ils avaient revêtu la tenue typique du cavalier : veste et jambières de cuir, gilet de drap épais enfilé sur une chemise en coton, dague portée à la ceinture, bottes et chapeau. Ils chevauchèrent jusqu'au coucher du soleil sur des sentiers familiers. Leur campement fut établi dans une grotte déjà désignée comme halte sur la carte dessinée par Muir. Il fallait entretenir le feu à l'entrée de ce repaire et surveiller les chevaux durant la nuit. Muir prit le premier tour de garde, Ewan le relaya à minuit.

Le jeune homme appréciait ces soirées solitaires en plein air, loin du bavardage et des rires de ses semblables. « La parole pèse, le silence apaise », disait son proverbe préféré. Ewan admira l'œil arrondi de la lune veillant sur une multitude de graines argentées semées à la volée à travers le ciel bleu sombre. Quoi de plus beau que le spectacle des étoiles dans un firmament sans nuages ? Il se sentait chez lui dans cette immensité.

Sa contemplation prit fin brusquement quand il entendit un roulement de pierrailles. Il dégaina sa dague et se leva, les sens en alerte. Il y eut un autre bruit d'éboulis. Rafale et Akko s'agitèrent. Le guetteur claqua la langue pour les calmer tout en pivotant sur lui-même, les nerfs aussi tendus que la lame affûtée au bout de son bras. Il craignait la visite d'un loup ou d'un puma même si ces prédateurs se comportaient d'habitude avec beaucoup plus de discrétion.

Au moment où du Tertre songeait que les montures auraient manifesté plus de nervosité en présence d'un carnassier, un martèlement retentit sur le roc. Ewan se retourna en direction de cette inquiétante pétarade et entrevit une gigantesque créature qui fonçait sur lui! Les chevaux hennirent. Le monstre s'arrêta à deux doigts de sa cible. Ses naseaux humides frôlèrent la joue du cavalier effrayé.

— Salut, toi! s'esclaffa ce dernier, une fois revenu de sa stupeur. Tu m'as flanqué une de ces frousses!

— C'est quoi, ce chahut? marmonna une voix du fond de la grotte.

— Tout va bien! Rendors-toi, répondit Ewan.

Sage conseil puisque le reste de la nuit se déroula sans encombre.

***

— Ma tombe ne sera guère plus glaciale que ce foutu granit, maugréa Muir en émergeant de son abri, dès l'aube.

— Le thé est déjà prêt, ça va te réchauffer, déclara Ewan. Cependant, on n'a plus de carottes.

— Qu'est-ce que tu chantes là, du Tertre?

— Il en avait plus besoin que nous…

Le jeune homme pointa du menton un cheval efflanqué, qui se tenait en retrait. Muir, hirsute, écarquilla ses yeux d'étonnement.

— Il est ferré ? l'interrogea-t-il.

— Oui. Ce n'est pas un mustang.

Muir siffla doucement en s'approchant de l'animal. Celui-ci se laissa caresser avec docilité.

— Il a le regard plutôt vif. Qu'en penses-tu ?

— Il est amaigri, mais pas malade, nota Ewan. Il a dû s'enfuir ou se perdre.

— Hmm… Sous les croûtes de boue, on risque de découvrir un beau destrier, approuva Muir.

Il s'adressa au cheval :

— De quelle couleur es-tu, toi ? Alezan ou gris poussière ? Tiens, on va t'appeler Grison.

Du Tertre éclata de rire, ce qui lui arrivait rarement.

— Qu'est-ce qu'il y a de si drôle ?

— Tu lui as donné un nom de grand-père !

— De grand-père ? Tu y vas un peu fort, là, rétorqua Muir, amusé.

Une fois leur petit déjeuner avalé, les explorateurs se remirent en route, suivis par Grison qu'ils n'eurent même pas besoin d'attacher. Ce dernier, trop heureux d'être à nouveau en présence d'humains, les talonnait.

Trois heures plus tard, après avoir traversé un étroit défilé encaissé entre deux parois à pic, ils atteignirent un cul-de-sac, constitué d'une large plate-forme granitique, qui avait la dimension de la place publique de Mentana. Ils s'étaient déjà arrêtés sur cette terrasse lors d'un périple précédent, avant de faire demi-tour.

Les cavaliers attachèrent Akko et Rafale à un arbre. Ils laissèrent Grison en liberté afin de ne pas l'effaroucher. Muir sortit son carnet et ses crayons d'une des sacoches de sa selle. Il emporta aussi la couverture offerte la veille par Lhoumey.

La plate-forme qu'ils arpentaient formait un vaste palier à partir duquel se succédaient deux autres terrasses. Ce vertigineux escalier naturel, sculpté à même la roche, donnait sur un versant qui descendait jusqu'à la vallée de Ninss. À vol d'oiseau, le bourg de Didagris se situait donc à une petite lieue. Mais, à cheval, il était impossible d'atteindre la marche suivante à moins de s'élancer dans le vide.

— On devrait être des dragonniers, plutôt que des cavaliers. Ça réglerait tous nos problèmes, grommela Muir, en plongeant son regard vers la deuxième terrasse en contrebas, distante de cent vingt-cinq pieds.

— Les chevaux sont plus faciles à apprivoiser, remarqua Ewan.

— Et surtout plus réels !

— Toutes les histoires que j'ai entendues à propos des dragons parlaient de leur arrogance et de la braise qu'ils ont à la place du cœur. En eux couve le feu de la haine.

— Fascinant ! observa Muir. Qui t'a raconté cela ?

— Personne, répondit Ewan.

Muir avait plus d'une fois constaté le malaise de son apprenti dès qu'on le questionnait trop intimement. Le jeune homme taisait tout de ses antécédents. Il ne s'emmurait toutefois pas dans un de ces silences accusateurs chargés de rancune. Non… Le silence qu'il observait à propos des siens faisait davantage penser à un rempart. Ewan du Tertre défendait à quiconque l'accès au territoire de son passé. Et Muir respectait cet état de choses. Il n'était pas du genre à forcer les confidences.

— Je voulais revenir ici pour dessiner le paysage avec précision, déclara Muir afin de changer de sujet de conversation.

Il chercha un endroit confortable où s'asseoir et jeta son dévolu sur une roche parée d'un flamboyant lichen orangé. Ce siège de fortune lui offrait une vue spectaculaire sur la vallée.

— Je dois faire plusieurs esquisses et noter chaque détail. J'en ai pour un moment. Va donc chercher du bois pour le feu. Je crains que ma couverture ne suffise pas, dit-il en s'emmitouflant dedans.

***

Ewan retourna près du défilé donnant accès à la terrasse. Un groupe de conifères se dressait, sur la droite, à l'entrée de ce passage. Du Tertre espérait y ramasser suffisamment de sapinage pour alimenter un bon feu.

Sur la gauche, un arbuste solitaire tendait ses frêles branches dégarnies vers l'immense paroi grise aux reflets violacés qui s'élevait juste derrière lui. Un imperceptible mouvement dans les feuilles mortes, à la base du végétal, attira l'attention d'Ewan. Il aperçut un petit rongeur, qui disparut sous le roc sans demander son reste. Ce détail ne manqua pas de l'intriguer. Le monumental bloc minéral formant le pan gauche du défilé avait des airs de forteresse imprenable : aucune fissure ne le parcourait, aucun filet d'eau n'en suintait. Comment la bestiole avait-elle pu se faufiler sous une telle masse ?

Ewan contourna l'arbuste pour placer ses mains contre la pierre. Il fut stupéfait de la sensation qu'il éprouva alors. Il ne touchait pas une matière dure et froide comme il s'y attendait. Bizarrement, ses paumes frôlaient une sorte de peau tendue et rugueuse. Il cogna contre cette étrange surface afin de percer ce mystère. Toc-toc-toc ! Le son sec et sonore qui s'ensuivit ne lui laissa aucun doute. Il se tenait devant un panneau de bois. Un panneau recouvert d'une toile peinte !

Du Tertre admira ce remarquable trompe-l'œil. L'artiste avait reproduit à la perfection la texture, la couleur et jusqu'au relief du granit. L'illusion était parfaite ! En s'accroupissant, Ewan comprit que la souris s'était faufilée sous l'interstice de ce qui devait être une porte.

Il se releva, fort excité de cette découverte, et entreprit de tâter le panneau en quête d'une simple poignée. La porte était si bien dissimulée qu'elle pouvait se passer d'un mécanisme de verrouillage. Pourquoi pas? Le raisonnement d'Ewan s'avéra juste. Du bout des doigts, il discerna un délicat anneau qui se fondait dans la toile. Il le souleva avec fébrilité et le tira. La porte s'ouvrit, sans grincement ni résistance, sur un passage assez large. Ewan en franchit le seuil et s'engagea dans une galerie faiblement éclairée. Sur la paroi à sa droite, des ouvertures percées dans l'épaisseur de la roche laissaient pénétrer des rais de lumière. « On dirait des meurtrières », chuchota Ewan pour lui-même. La paroi opposée était encore plus étonnante: elle comprenait des cavités disposées comme les alvéoles d'une ruche, quoique beaucoup plus grandes.

Du Tertre, pourtant grand, marchait sans avoir besoin de se courber sous le plafond de la galerie, en descendant une pente abrupte. En quelques minutes, il atteignit une autre porte. Contrairement à la première, celle-ci n'était pas munie d'un anneau. Le jeune homme eut le réflexe de la pousser du pied. Le battant tourna sur ses gonds. Un pas encore et Ewan se retrouva dehors.

Un hennissement lui fit lever la tête. Il dut s'étirer le cou pour apercevoir Grison, qui le saluait… cent vingt-cinq pieds plus haut! Le cheval, peut-être pris de vertige, recula soudain. Incrédule, Ewan observa le paysage qui s'ouvrait devant lui. Il se tenait sur une large saillie d'où il distinguait la vallée de Ninss.

Grison perché dans les airs… Le fort dénivellement de la galerie… Était-ce possible ? « Je suis sur la deuxième terrasse ! » s'exclama-t-il.

Plissant les paupières, Ewan regarda à nouveau vers le haut, en s'attardant, cette fois, sur la paroi grise et dénudée. Il distinguait les ouvertures qu'il avait prises pour des meurtrières. On avait percé ces étroites fenêtres dans le roc afin de fournir de l'air et de la lumière à l'étrange couloir dont il venait d'émerger. Pensif, Ewan poussa la porte de la galerie, sans toutefois la refermer, pour en observer le panneau extérieur. Il était lui aussi tapissé d'une toile imitant à merveille le granit.

Il existait donc un passage couvert creusé à même le roc et dont les extrémités étaient habilement dissimulées. Mieux encore, cette formidable construction reliait la première plate-forme à la deuxième !

Ewan s'avança sur la saillie de manière à se placer sous l'endroit où Muir prenait ses aises. Ce dernier, penché sur son carnet, était absorbé par sa tâche. Le jeune cavalier mit ses mains en cornet et claironna :

— N'oublie pas de me dessiner. Je fais aussi partie du paysage.

Muir en lâcha couverture et crayon. Il se leva et se rapprocha avec précaution du vide.

— Comment es-tu arrivé là ? hurla-t-il, abasourdi.

— J'ai capturé et dressé un dragon.

— Trêve de plaisanterie, du Tertre !

— Dirige-toi vers le défilé. À gauche, derrière l'arbuste, il y a une ouverture qui mène à une galerie. Je t'attends en bas.

***

Muir se rua vers la galerie dans laquelle il s'engouffra. Il fut surpris par la raideur de la pente, ce qui le déséquilibra. Son épaule et son bras effleurèrent la paroi de pierre. Il se redressa, évitant la chute de peu. De son côté, Ewan avait laissé la porte inférieure du passage grande ouverte de manière à lui laisser le champ libre.

Muir surgit sur la terrasse en freinant si sec qu'un feu d'artifice de grenaille fusa de ses semelles.

— Voilà un sacré raccourci ! s'exclama-t-il.

— Tu utilises de l'or pour tes esquisses, maintenant ? lui demanda Ewan à brûle-pourpoint.

— Hein ? Bien sûr que non !

— Alors pourquoi ce bras-là en est-il plein ?

Le cavalier jeta un coup d'œil à la manche de sa veste de cuir. Elle était entièrement dorée ! Il glissa sa main dessus : une fine poudre scintillante lui recouvrit la paume et les doigts. L'index tendu, il y goûta du bout de la langue.

— Beurk ! grimaça-t-il en crachant à terre. C'est infect ! L'or n'est pas aussi amer.

— Où as-tu ramassé ça ? s'enquit Ewan.

Pour toute réponse, Muir fit demi-tour en criant :

— Suis-moi dans le passage !

Il frotta sa main propre contre la paroi de granit, imité sur-le-champ par du Tertre, qui avait compris où son camarade voulait en venir. Les cavaliers retournèrent dehors en vitesse, à la lumière du jour, pour vérifier s'ils avaient vu juste.

La paume de Muir était constellée d'admirables paillettes écarlates. Celle d'Ewan, de paillettes argentées. Muir en resta bouche bée pendant plusieurs minutes.

— J'ignore qui a construit cette ingénieuse galerie, murmura le cavalier en recouvrant ses esprits. Et je saurais encore moins dire qui l'utilise…

— As-tu remarqué les cavités ? dit Ewan.

— Oui. Je me demande à quoi elles servent.

— En tout cas, les peintures sont l'œuvre d'un humain.

Alors que son partenaire lui décochait un regard interrogateur, Ewan rabattit la porte permettant d'accéder au passage afin que son panneau extérieur devienne visible.

— Quel chef-d'œuvre ! siffla Muir en s'avançant pour l'examiner. Maîtriser le trompe-l'œil à ce point n'est pas donné au premier venu.

— La porte d'en haut possède une toile semblable, imitant le granit à la perfection.

— Je n'y ai pas prêté attention. Elle était ouverte quand je suis entré… Attends ! Si je comprends bien, ce chemin serait en réalité un passage dérobé.

— Oui, je suis tombé dessus par hasard.

— Quelle bizarrerie !

— Qui peut à la fois creuser le roc à flanc de montagne et peindre aussi admirablement ? s'interrogea Ewan.

— Surtout, qui a intérêt à passer par là ?

— Les hors-sentiers sans doute.

— Ce genre de constructions savantes ne leur ressemble guère, objecta Muir. Et puis pourquoi voyageraient-ils par ici pour se rendre du plateau à la vallée alors qu'ils empruntent déjà le raccourci du canyon ?

— Si au moins nous savions d'où proviennent ces paillettes...

— Essayons de le découvrir, jeune homme ! Elles seront faciles à recueillir grâce à mes pinceaux et aux fioles que je réserve d'habitude à la collecte d'insectes. Nous montrerons ensuite cet assortiment de poudres aux gens de Mentana. Qui sait, quelqu'un nous renseignera peut-être ?

— Voilà qui nous changera en tout cas des échantillons de coléoptères, observa Ewan, le sourire en coin.

— File en haut, esprit moqueur ! Et, pour ta peine, rapporte-moi le matériel dont j'ai besoin.

CHAPITRE 8

Tombeau
forestier

Après un patient travail, Muir avait récolté, dans ses fioles, des paillettes aux éclats d'or, d'améthyste et de rubis. Les cavaliers retournèrent sur la terrasse supérieure. Ils convinrent de l'arrangement suivant : Muir y resterait de manière à terminer ses esquisses. Par ailleurs, il n'était pas question de laisser les chevaux seuls à cause des bêtes sauvages qui risquaient, à cette période de l'année, de surgir même en plein jour. Pour sa part, Ewan continuerait son exploration dans le but de se rapprocher de la vallée. Il prit sa gourde et sa sacoche de cuir munie d'une bandoulière dans laquelle il glissa une pomme, un morceau de fromage ainsi qu'une galette à l'avoine. Il enveloppa sa dague dans son foulard et la coinça dans la poche intérieure de sa veste comme il lui arrivait parfois de le faire s'il estimait qu'il pouvait trébucher ou glisser en cours de route. Cela évitait les blessures.

— Deux heures, ça te va? demanda-t-il à Muir.

Ce dernier tira sur la chaîne de sa montre de poche. Il en souleva le couvercle argenté et constata qu'il était presque dix heures.

— Je t'attends sur les coups de midi.

Grison accompagna Ewan jusqu'à l'entrée du passage secret qui permettait de se rendre sans effort de la première à la deuxième terrasse. Saisi d'une curiosité bien naturelle, l'animal étira son encolure dans l'ouverture du roc et hennit.

— Pas maintenant, lui répondit du Tertre en le repoussant à l'aide de son chapeau pour pouvoir refermer la porte derrière lui.

Puisque de drôles de choses se tramaient autour de cette galerie, la discrétion et la prudence s'avéraient nécessaires. Or, l'imposant quadrupède n'était pas un compagnon discret…

***

La troisième et dernière terrasse qu'Ewan désirait inspecter était beaucoup plus large que celle qui la surplombait. Malgré la forte dénivellation entre ces deux plates-formes, l'éclaireur franchit l'éboulement de rochers qui les séparait avec une relative aisance.

Une fois parvenu à destination, Ewan balaya la plate-forme du regard. Elle était bordée à l'ouest par une forêt de majestueux conifères tandis que sa partie est donnait sur le vide. En bas de cette falaise, il distingua, à travers les branches dénudées des feuillus, le moulin à eau de Didagris ainsi que des habitations, groupées par grappes de trois ou quatre. Plusieurs rochers étaient éparpillés négligemment sur la terrasse, un peu comme si la montagne y avait joué aux dés à l'aide d'un gobelet. Elle avait dû aussi s'amuser avec quelques pions, si on se fiait aux frêles sapins qui se dressaient çà et là au beau milieu de ce plateau de granit. Des pions laissés en plan après une partie inachevée…

À l'évidence, la meilleure façon de poursuivre la descente vers la vallée était de longer l'orée de la forêt, qui se déroulait comme un moelleux tapis vert sur le monumental gradin sculpté à même le roc, dont la pente régulière menait au val. Franchir ce versant serait enfantin. Ewan songea que la cavalerie déciderait néanmoins de pénétrer davantage dans les bois. Simple stratégie… D'une part, les chevaux sont plus à l'aise sur les chemins forestiers, où les matières en décomposition mêlées à la terre humide forment un revêtement souple, que sur les rochers, où l'on glisse à la moindre pluie. D'autre part, par mesure de sécurité, les cavaliers préféraient voyager à couvert : il était alors difficile d'observer leurs allées et venues, ce qui limitait les risques d'embuscade.

Du Tertre se réjouissait d'avance du rapport qu'il ferait à Muir. Il lut l'heure à sa façon, grâce à un objet céleste aussi rond et brillant qu'une montre, mais sans couvercle ni chaîne. La position du soleil dans le ciel lui indiqua qu'il lui faudrait bientôt revenir sur ses pas. Préférant lui aussi l'épaisseur des bois au désert anthracite des plates-formes de granit, Ewan se dirigea vers la forêt où il s'enfonça. Il serpentait entre les grands fûts sépia des conifères et les bosquets de fougères fanées dont les feuilles aériennes, rousses ou châtain foncé, composaient une abondante chevelure qui couvrait le sol.

Après quelques minutes de marche, Ewan repéra un sentier. La terre compactée, l'absence de plantes et de pousses sur ce chemin, quelques pierres difformes roulées sur le côté… Aucun doute possible : il s'agissait d'une voie sommairement aménagée.

Comme pour le passage secret, Ewan songea de nouveau aux hors-sentiers. Ceci devait leur servir de piste. Il s'empressa d'examiner une quinzaine de pins sans y découvrir ce qu'il cherchait, à savoir des entailles permettant de s'orienter à la brunante ou une fois la neige tombée. Pourtant, en général, les hors-sentiers balisaient leurs trajets. Les gens avaient même donné le nom funeste de «ligne du mauvais sort» à cette suite de repères pour la bonne raison que croiser la route de ces sans-cœur menait presque toujours à la mort.

Décidément, quelque chose clochait…

À la vue d'une large souche, située un peu en retrait, Ewan songea qu'il s'assoirait bien un instant pour réfléchir. Il piqua donc à travers le sous-bois vers ce banc improvisé. Mais la souche était creuse. Elle abritait cinq énormes œufs ivoire marbrés de gris et de brun à moitié recouverts de feuilles mortes.

Une autre bizarrerie !

Quelle espèce d'oiseau pourrait pondre l'automne ?

Quelles créatures fantastiques arriveraient à percer ces épaisses coquilles ?

Des dragons ?

Ewan plongea sa main à l'intérieur du trou pour palper ces œufs étranges. Ils étaient extraordinairement durs et froids… Le jeune homme en agrippa un et le ramena à la hauteur de ses yeux. La stupeur bien plus que la frayeur lui fit lâcher sa prise. Le lugubre objet se planta dans la terre. Mâchoire de travers, sourire édenté.

Du Tertre inspira profondément. Puis il ramassa le crâne humain afin de le replacer avec ses compagnons d'infortune. Il ne voyait pas où pouvait se trouver le reste des squelettes. À vrai dire, il ne voulait pas le savoir. Par le passé, il était déjà tombé sur une carcasse dans une crevasse sans toutefois ressentir ce malaise qui l'envahissait à présent. Un homme ou son cheval perd pied, dégringole et meurt. C'est un accident. On finit par s'en faire une raison.

Or, ici, dans cette forêt, tout défiait la raison.

Le sentier, l'absence de balises.

Non pas une, mais cinq têtes de mort.

Cinq têtes reposant pêle-mêle dans une souche.

Comment étaient-elles arrivées là ?

Qui leur avait désigné ce sinistre tombeau ?

Et puis cette troisième interrogation.

Subite.

Sans aucun rapport avec les deux autres.

C'était *quoi*, cette bourrasque juste derrière lui ?

Son formidable instinct le prévint aussitôt du péril: «Cours si tu tiens à la vie!» Trop tard! L'ombre qui se projeta sur le sol ne lui en laissa pas le temps. Ewan reçut un coup cinglant dans le dos qui le propulsa violemment face contre terre.

Sa joue percuta une grosse pomme de pin qui lui entailla la chair tandis que les aiguilles sèches des conifères lui infligeaient quantité de piqûres. Impossible de crier, de bouger, encore moins de se relever. Des étaux s'étaient refermés sur ses poignets et ses chevilles, le clouant au sol. La panique d'Ewan était d'autant plus grande qu'il ignorait l'identité de son assaillant. Sa cage thoracique se comprima sous le poids de la créature allongée sur lui. Il sentit, avec horreur, son cœur rétrécir alors que ses poumons se vidaient de leur air. Sa dernière pensée avant de s'évanouir fut qu'il y aurait bientôt, dans la souche, une sixième tête arrachée à son squelette avec des vers lui sortant des orbites pour uniques larmes.

En s'apercevant que sa proie était inerte, l'agresseur émit un chuintement dédaigneux. Il agrippa le beau chapeau d'Ewan et l'envoya valser, d'un geste rageur, à travers bois. «Cela fera un nid tout prêt pour ces idiots d'écureuils», pesta-t-il. Il était vraiment déçu que la fête se soit terminée si vite. Une fois debout, il vit qu'il avait laissé des traces brillantes sur la veste de cuir du garçon. Il roula le corps d'Ewan dans la terre afin de les effacer, puis il abandonna sa victime gisant sur le dos. Ce redoutable ennemi s'en alla avec la ferme intention de revenir très bientôt. Il comptait en effet profiter de son divertissement jusqu'au bout.

***

Quand il reprit connaissance, du Tertre était en un seul morceau. La tête fixée au cou, les muscles raidis et les articulations douloureuses. S'il avait été en pièces détachées, il aurait eu certes moins mal… Malgré cela, Ewan se souleva, entraîné par le ressort de la vie qui lui intimait de s'extirper – là, maintenant! – de ce tombeau forestier. Il se rua sur la piste et la prit en sens inverse en priant pour qu'elle débouche sur la terrasse par laquelle il était arrivé. Son vœu fut exaucé. Il débroula sur le gradin rocheux après une course effrénée. Sur sa droite s'élevait une paroi granitique qu'il longea de manière à se tapir dans l'ombre protectrice de la montagne.

Le jeune homme repéra une échancrure dans le roc. Il s'y engouffra pour se rendre compte qu'elle s'ouvrait sur une petite grotte. Il s'adossa contre la pierre fraîche de ce refuge inespéré et se laissa glisser au sol. Il devait ré-flé-chir ! S'il tardait trop à retourner auprès de Muir, ce dernier viendrait le chercher et ils seraient alors tous deux en danger ! Ewan se débarrassa de sa sacoche de cuir qui pesait une tonne sur son épaule endolorie. Il récupéra sa dague dans sa poche intérieure, se gargarisa avec l'eau de sa gourde pour ôter le goût de sang qu'il avait dans la bouche et s'essuya le visage avec son foulard. Quand il ramena son sac contre lui en le tirant par la bandoulière, la pomme s'en échappa et roula par terre. Surgissant comme un oiseau de proie, une main l'intercepta aussitôt !

Ewan bondit et brandit sa dague dans un seul élan.

— Qui va là ? gronda-t-il.

— Ce couteau, c'est pour me couper moi ou la pomme ? demanda une voix de souris.

— Je… Euh… Qui êtes-vous ? s'enquit Ewan en distinguant une silhouette dans la pénombre de la grotte.

Un paquet d'os à l'allure humaine se tenait, non loin de lui, dans le fond de l'antre. La pomme fut croquée en un temps record.

— À manger encore ! supplia l'inconnue en tendant un bras décharné.

Du Tertre se rassit et lui lança sa sacoche ainsi que sa gourde.

— Servez-vous !

La femme engloutit le fromage et dévora la galette à l'avoine. Elle aurait avalé l'eau d'une traite, sans l'économiser, si Ewan l'avait laissée faire.

— Je n'ai rien goûté d'aussi bon depuis...

La voix de souris se tut. Quand elle reprit la parole, sa respiration était oppressée :

— En quelle année sommes-nous ?

— En 115.

— Misère ! se désola l'inconnue. J'ai... soixante-dix ans ! Soixante-dix ans ! répéta-t-elle, désespérée.

— Qui êtes-vous ?

— Soixante-dix ans... Ce n'est pas possible ! Elles ont volé douze années de ma vie.

— Qui ça ?

— Les fileuses.

— Les quoi ?

— Toi d'abord. Qui es-tu ?

— Je suis un cavalier d'Imeronx. Enfin, un apprenti.

— Quel âge as-tu ?

— Seize ans.

— Tu es si jeune ! Dis-moi, aimes-tu les roses ?

— Ou-oui, marmonna du Tertre. Pourquoi ?

— Au point où j'en suis, je pourrais te donner la recette de mon compost.

— Bah...

— Mon mélange n'améliore pas seulement la croissance des plantes, jeune homme. Il en éloigne aussi les insectes ravageurs.

— Comment est-ce possible? L'engrais n'est pas un répulsif, à ce que je sache.

— Le mien si, car j'y ajoute une grosse poignée de savon râpé et de la cendre de chêne.

— Je m'en souviendrai!

— Ces odieuses fileuses…

— Oui? l'encouragea Ewan.

— Elles m'ont retenue prisonnière pour ça, là-bas… Parce qu'elles n'ont jamais été capables d'identifier mes ingrédients secrets, encore moins de me délier la langue. J'ai réussi à me sauver, en pleine nuit, en courant à travers bois.

— Vous… vous arrivez… de la forêt comme moi?

— Malheureux! Fuis ce lieu sinistre! Sinon tu ne verras jamais la prochaine floraison.

La vieille eut ce gémissement typique qu'ont ceux qui cherchent à chasser les mauvais souvenirs. La jeunesse ne connaît pas encore les vertus de l'oubli. Aussi, Ewan, désireux d'en savoir plus, insista-t-il:

— On m'a attaqué dans ces bois. Qui était-ce?

— Ils t'ont laissé en vie? s'étonna l'inconnue.

— Comme vous, non?

— Personne ne t'attend? ajouta-t-elle.

— Vous ne répondez à aucune de mes questions!

Cette conversation à bâtons rompus frustrait du Tertre. Il n'en saisissait pas la cohérence. Était-il en présence d'une folle ?

— Il y a toujours quelqu'un qui nous attend quelque part, déclara la vieille, songeuse.

— Mouais…, acquiesça Ewan. Je dois en effet rejoindre Muir, mon partenaire. D'ailleurs, le temps presse. Venez avec moi !

— Pas maintenant ! Je ne sortirai qu'après le coucher du soleil. Tu devrais en faire autant.

— C'est trop risqué ! Muir ne tardera pas à se lancer à ma recherche, il descendra jusque dans cette horrible forêt…

— Dans ce cas, pars vite le retrouver. Dépêche-toi !

— Mais vous ne pouvez pas rester seule au fond de cette grotte ! protesta du Tertre.

— Reviens me chercher plus tard.

— Je n'ai guère envie de repasser par ici !

— Dans le noir, il n'y a aucun danger. Crois-moi ! rétorqua-t-elle.

— D'accord ! Je serai de retour après la tombée du jour, lui promit-il, convaincu que la petite voix aiguë disait vrai. Pourrais-je au moins connaître votre nom ?

— Je m'appelle Henriette.

« Henriette, c'est un joli nom de souris », songea Ewan en saisissant son sac. Il lui laissa sa gourde et se dépêcha de retourner auprès de Muir. Escalader l'éboulis de rochers, puis remonter la galerie au pas de course lui prit une demi-heure.

***

— Midi trente-cinq! fit Muir en l'apercevant.

L'éclaireur s'était installé près de l'entrée du passage secret. Il avait fait un feu et préparé du thé.

— Te voilà enfin, Ewan! J'hésitais entre casser la croûte ou partir à… Mais, bon sang! Que t'est-il arrivé? s'exclama-t-il.

Du Tertre était couvert de terre. Sa joue droite, tuméfiée et profondément striée. Sa lèvre inférieure, enflée. Ses poignets, marqués de sillons rouge vif comme si on l'avait ligoté.

Ewan s'assit lourdement. Son compagnon lui tendit une tasse de thé fumante et un morceau de jambon. Lorsque du Tertre eut terminé le récit de son épouvantable excursion, Muir conclut:

— Nous avons donc un chapeau de perdu et une femme à secourir.

— Tout ça me déplaît!

— Avec raison! Repose-toi… Je vais penser à un plan.

Il était hors de question qu'Ewan retourne seul auprès de la dénommée Henriette. Muir l'accompagnerait. Toutefois, la perspective de laisser leurs montures sans surveillance l'ennuyait. D'après du Tertre, la mission serait brève: une heure un quart tout au plus. Muir songea à déplacer les bêtes sur la terrasse accessible uniquement par le passage secret. Ainsi, les loups et les ours ne pourraient les atteindre. Les chevaux, habitués aux sentiers montagneux et escarpés, accepteraient de descendre par la galerie, à condition que cela se fasse en plein jour. En effet, le cavalier savait que son coursier, Rafale, regimberait à emprunter un chemin couvert et inconnu dans l'obscurité.

Pour le reste, il suffirait d'être agile, prudent et alerte. La routine, quoi! Muir sourit à l'idée de devoir agir le soir venu. La lune guiderait leurs pas. Par contre, la grotte serait plongée dans les ténèbres. Il pourrait donc étrenner sa plus récente acquisition: une lanterne à huile portative en verre et en fer-blanc, un bel objet qu'il aurait pu marchander davantage s'il avait été plus soucieux de faire des économies.

***

Les choses se passèrent comme prévu. Le déplacement des bêtes, Grison compris, eut lieu en fin d'après-midi. Les cavaliers se préparèrent ensuite un repas qu'ils étirèrent avec quelques gorgées de whisky en attendant que la nuit drape la montagne d'un voile de plus en plus opaque. Ils entamèrent alors leur progression rapide, silencieuse, franchissant avec agilité l'amas de rochers qui servait de pont entre la deuxième et la troisième terrasse sur laquelle se trouvait le refuge de la femme à la voix de souris.

Lorsqu'ils atteignirent l'entrée de la grotte, Ewan précéda Muir.

— Henriette, chuchota-t-il tout à sa joie d'être revenu secourir la vieille dame. Henriette, vous êtes là?

— Hé! Oh? dit-il, un peu plus fort.

Pas un écho, aucune réponse…

Muir fit pivoter sa boîte à lumière au bout de son bras, éclairant chaque recoin de cet espace exigu. Personne! Il n'y avait personne! Ewan récupéra sa gourde, abandonnée dans cette affreuse souricière. Quand il aperçut la traînée d'or sur une des parois de pierre, sa gorge se noua. Hélas! Jamais plus il ne reverrait l'énigmatique Henriette… Il n'eut guère besoin d'en souffler mot à Muir, sachant que celui-ci partagerait malheureusement son avis.

***

Pourquoi cette certitude? Parce qu'au cours de l'après-midi, du Tertre s'était mis torse nu afin que Muir puisse l'examiner. En enlevant sa veste, son gilet et sa chemise, Ewan constata qu'ils étaient déchirés dans le dos.

— Es-tu sûr que tu n'as pas eu affaire à un homme? s'enquit Muir. Regarde la coupure dans le cuir de ta veste: fine, longue et nette. Il faut manier une lame affûtée pour arriver à ce résultat.

— Non ! C'était un animal. L'attaque est venue des airs. J'ai senti une bourrasque juste avant d'entrevoir une ombre monstrueuse. Ensuite, j'ai eu l'impression qu'on me fouettait.

— De quelle bête peut-il bien s'agir ?

— Je l'ignore. Je n'ai rien vu, j'ai perdu mes repères, soupira du Tertre.

— Bon, laisse-moi observer tes blessures.

Après plusieurs manipulations ponctuées des gémissements rauques d'Ewan, Muir déclara, soulagé :

— Tu vas avoir de vilaines contusions, mais les os – clavicules, vertèbres, côtes – ont tenu le coup ! Quant à la griffure, elle est superficielle. À mon avis, il n'y a pas grand risque d'infection.

Pendant qu'Ewan enfilait sa chemise, Muir ajouta, l'air soucieux :

— Un détail me tracasse cependant.

— Quoi ?

— L'écorchure a laissé un sillon rouge sur ton dos, c'est normal. Par contre, j'aimerais savoir comment des paillettes dorées et vertes se sont incrustées jusque dans ta chair…

CHAPITRE 9

Habiles traqueurs

Un peu plus tôt, cet après-midi-là, l'agresseur d'Ewan revint dans la forêt avec la ferme intention de briser sa proie en lui cassant les os un à un. Ce divertissement, amusant en raison de sa cruauté, pouvait durer longtemps. Or, une fort mauvaise surprise attendait le joueur :

— Ce fils de sans-ailes a disparu ! s'indigna-t-il en survolant le lieu de la scène.

— Un animal a peut-être déplacé son cadavre, suggéra celui qui l'accompagnait.

— Il n'était pas mort, grosse limace !

— *Tchê !* Tu ne l'as pas tué avant de venir me chercher ! Traite-moi de limace, Svreid. Toi, t'es encore moins futé qu'un ver de terre…

Les créatures ailées atterrirent près de la souche.

— J'aime les tenailler alors qu'ils sont encore conscients, expliqua le dénommé Svreid. L'odeur qu'ils dégagent, la sueur, leur cœur lancé au grand galop qui palpite sous mes pattes. Tout ça m'excite. Ils te regardent les yeux écarquillés, suppliants. Un jour, il y en a un qui...

— Sssuffit! siffla son interlocuteur entre ses mandibules. Tu as laissé un humain s'échapper. S'il revient ici, il risque de découvrir notre repaire. Tu sais aussi bien que moi à quoi tu t'exposes. Si tu ne retrouves pas ce sans-ailes, attends-toi à écarquiller les yeux et à supplier à ton tour!

Svreid parut soudain inquiet:

— Mais... tu vas m'aider, Awi... Non?

— Comme toujours! bougonna ce dernier en agitant ses antennes afin de bien marquer son mécontentement.

***

Ces deux Maïvorgs s'étaient connus à l'état de larve. Ils provenaient d'œufs pondus par des femelles différentes sur une branche commune et ayant éclos le même jour. La chenille Awi avait eu de la difficulté à s'extirper de sa coquille. Elle risquait à tout moment de se faire happer par un rapace ou un écureuil. Svreid, après avoir dévoré son chorion – c'est-à-dire l'enveloppe de son propre œuf – s'était avisé de la position précaire de son vis-à-vis et l'avait secouru. Quelques semaines plus tard, alors que le dodu et hardi Svreid se désaltérait à une flaque d'eau, une martre s'approcha de lui à pas feutrés. Son museau pointu frémissait de plaisir à l'idée de se délecter d'un mets aussi juteux. Sans hésiter, Awi s'enduisit de salive, puis, avec ses nombreuses pattes, il arracha en vitesse des feuilles et des épines à un buisson afin de les coller sur lui. Il attira ensuite l'attention du carnassier en gonflant son corps et en lâchant des cris stridents. Cette bestiole non identifiable, longue d'un pied, hérissée de piquants et d'écailles vert sombre, fit une forte impression sur la martre, qui préféra battre en retraite.

— Tu es le roi de la feinte ! s'était exclamé Svreid en guise de remerciement.

En langage humain, on aurait dit qu'Awi était un bluffeur exceptionnel.

Les chenilles avaient donc passé leur enfance ensemble, unies envers et contre tous. Trois années fabuleuses à éviter ou à leurrer les prédateurs et, surtout, à s'empiffrer de bourgeons, de fleurs et de racines. Rien ne résistait aux puissantes mandibules de ces mâles. Au moment de se chrysalider, ils avaient tissé leur soyeux cocon côte à côte et en étaient sortis, dix mois plus tard, en somptueux papillons prêts à conquérir le monde. Svreid en particulier... Quant à Awi, il n'avait pas son pareil pour pister les animaux et les humains. Il laissait toutefois à son complice le soin de les attraper et, si nécessaire, de les tuer.

À plusieurs reprises, dans le passé, Svreid avait essayé de seconder Awi dans ses recherches. Cependant, l'habile traqueur finissait toujours par le chasser de la zone qu'il inspectait.

— Ne marche pas sur ces feuilles, Svreid… Non! Tu ne peux pas t'adosser à ce tronc! *Djô!* Tu as failli écraser un champignon! s'écriait-il, exaspéré.

— Mais qu'est-ce que ça peut te faire, Awi?

— Il y a des traces précieuses partout. Et, pour qu'elles me parlent, il faut les laisser intactes.

Au début, Svreid avait songé que son comparse dépisteur perdait son temps en prêtant une attention maniaque au moindre détail. Convaincu d'être aussi talentueux qu'Awi, il s'était vanté, un jour, lors de la poursuite d'un raton laveur:

— Tu vois, j'ai juste besoin de flairer son odeur pour savoir qu'il est parti vers le sud.

— Mais sens-tu aussi qu'il s'agit d'une femelle en gestation et qu'elle boite?

— Non… *Pfff!*

— Alors du vent, Svreid! Laisse travailler l'expert! avait décrété Awi en s'affairant autour des empreintes du mammifère en fuite.

***

Pour l'heure, Awi s'activait autour de la souche dans laquelle s'entassaient les crânes humains.

— S'agit-il d'une sorte de réserve? maugréa-t-il.

— Ce sont mes premières proies, fanfaronna Svreid, adossé en retrait contre un conifère. Ces rôdeurs menaçaient notre quiétude en s'enfonçant dans ces lieux. Je leur ai arraché la tête par en arrière sans qu'ils voient rien venir.

— Tu as changé de tactique depuis.

— Le sang giclait partout sur moi, *djerrk!* Maintenant, j'abandonne le mort désarticulé mais en un seul morceau aux charognards. Plus besoin de me salir les pattes, ni de disperser le reste du corps.

Svreid attendit que son camarade termine sa routine en savourant la gomme de sapin qu'il venait de récolter. De son côté, Awi goûta à une substance différente. Il ramassa une pomme de pin écrasée et la porta à sa bouche.

— Du sang humain! fit-il d'un air connaisseur. Ton sans-ailes doit avoir de jolies entailles sur la peau. Probablement au visage ou sur les mains.

Il prit encore un instant pour observer le reste du sous-bois ainsi que le sentier.

— On a affaire à un mâle, déclara-t-il enfin.

— Quelle découverte! plaisanta Svreid. Je ne m'en étais pas aperçu.

— *Djhum-hum…*

— Désolé!

— Un mâle, reprit Awi. Ses empreintes, espacées et profondes, indiquent qu'il a couru. Il ne souffre donc pas de blessures graves. C'est un très jeune adulte, si je me fie aux effluves de ses glandes. À l'odeur encore, je dirais qu'il fréquente davantage les chevaux que les femmes. Pour finir, ça, tu l'as déjà perçu, il exhalait la peur.

— « Il embaumait la peur » serait plus exact et voilà pourquoi, même moi, je pourrais le retrouver les yeux fermés.

— Et dans quelle direction irais-tu ainsi à l'aveuglette, Svreid ?

— Au nord !

— Effectivement. Ton sans-ailes est parti vers le nord, sauf qu'il est aussi arrivé de là. Or, les rares individus qui pénètrent dans cette forêt le font toujours par le sud, soit à partir de la vallée. Si celui-ci est venu d'en haut, c'est qu'il a découvert le passage secret, s'inquiéta Awi.

— J'ai une autre explication, le rassura Svreid. Un jour, j'ai coincé un gaillard à l'entrée nord de la piste justement. J'ai pris soin de le faire parler avant de le tuer. Il avait – quel exploit ! – parcouru le sous-bois sans être repéré. Parvenu sur le plateau, l'homme, considérant qu'il ne pouvait grimper plus haut, avait rebroussé chemin. Ce faisant, il était tombé sur ce sentier qu'il avait naturellement suivi.

— En somme, il ne déboulait pas du nord, mais retournait sur ses pas, résuma Awi plutôt rassuré par cette histoire.

— Tu réfléchis vite pour une limace ! le taquina son ami.

Ce problème résolu, les Maïvorgs se lancèrent sur les traces d'Ewan en empruntant la piste déblayée, quelques années auparavant, par des membres de leur clan afin d'y traîner leurs proies de force. On était en début d'après-midi : il leur restait du temps avant le coucher du soleil qui signalait, pour leur espèce, l'obligation de s'abriter jusqu'au lever du jour. Ils allaient prendre un bain de lumière en sortant de la forêt. La nuit venue, la chaleur emmagasinée par leur million d'écailles se diffuserait dans leurs ailes. En définitive, la balade s'annonçait agréable.

Repérer le passage du jeune homme le long de la paroi montagneuse fut presque aussi facile que de suivre la bave d'un escargot, car Ewan s'était appuyé à plusieurs reprises sur le granit avec sa main. Ils se rendirent ainsi directement au refuge de la femme à la voix de souris. Ils y pénétrèrent, persuadés d'y trouver leur compte. Leur espérance ne fut guère déçue…

— Vous ne pouvez pas vous fondre dans la pierre, observa Awi avec flegme en sentant la présence d'une tierce personne.

— À ce qu'il paraît, seul un Vorgombre sait faire ça, précisa Svreid.

— Montrez-vous ! ordonnèrent-t-ils d'un seul souffle.

— Pitié ! leur répondit la pauvre Henriette.

— Quelle ironie ! On piste un jeune coq et on tombe sur une vieille bique, se réjouit Svreid.

— Et pas n'importe laquelle…

— Une évadée notoire.

— Ayez pitié ! répéta-t-elle, à genoux.

— Henriette Longpré. Une ténacité à toute épreuve, remarqua Awi sans cacher son admiration.

— Toi, la célèbre jardinière qui a toujours refusé de nous livrer le secret de ton fabuleux compost, ton propre corps va bientôt nous servir d'engrais, lança méchamment Svreid.

— On cherche un jeune homme. Il était ici, il n'y a pas longtemps. Que sais-tu à son sujet ?

— Rien ! Rien du tout !

— Sale menteuse ! grogna Svreid en faisant claquer une de ses pattes à la manière d'un fouet près de la malheureuse.

— Je le jure !

— *Djiii !* Laisse tomber, trancha Awi. Cette tête de mule, fidèle à elle-même, ne parlera pas. Attrape-la. Je t'attends dehors.

Henriette résista courageusement à son assaillant. Dans cet espace clos et restreint, elle réussit, par deux fois, à se replier, hors de sa portée. Excédé, Svreid déploya ses amples voiles qui occupèrent presque toute la largeur de la grotte.

— Par ici la sortie ! ricana-t-il en progressant vers le fond de la tanière tout en se délectant de l'odeur âcre qui émanait de sa proie.

Dans son mouvement, le bout de son aile gauche effleura la paroi de la caverne et y laissa une traînée de somptueuses paillettes d'or et d'émeraude.

Quand il surgit à l'extérieur, Svreid tenait sa victime évanouie entre ses pattes. Il lui avait fait le «lacet du soupir», une prise consistant à exercer une pression suffisante autour du cou pour provoquer une perte de conscience. La frêle Henriette ressemblait à une poupée de chiffon dont on aurait effiloché le sourire. Awi remarqua la gourde qu'elle portait en bandoulière. Il la saisit pour l'observer et la sentir. Un cheval cabré était gravé dans le cuir épais ainsi que l'inscription suivante qu'il lut à voix haute :

— *Ewan du T.*

— Quel bel objet ! s'exclama Svreid avec envie.

— Bas les pattes ! On doit le remettre dans la grotte.

— Pourquoi ?

— Parce qu'il appartient à celui qu'on traque. S'il commet la folie de revenir ici et qu'il retrouve sa gourde, jamais il ne lui viendra à l'esprit qu'on connaît son nom.

— Tu as raison, comme toujours, rouspéta Svreid.

— Parviendras-tu à voler avec ton paquet ? s'enquit Awi.

— Tu parles ! Cette vieille peau ne pèse rien.

— Dans ce cas, ramène-la vite au repaire. Aux nôtres, tu raconteras avoir laissé la vie sauve au garçon, dans la forêt, parce qu'il t'avait promis de te montrer où se cachait la fugitive.

— Comment pouvait-il savoir qu'elle était recherchée ?

— Brode un peu, Svreid ! Tu t'es bien tissé un cocon, jadis.

— C'est vrai !

— Bon… Ensuite, tu es parti avec le sans-ailes. Tu ne l'as pas quitté des yeux. Il t'a mené à la grotte où Henriette Longpré se terrait… Elle s'est débattue, comme on pouvait s'y attendre, et, dans la précipitation, le jeune homme a fui.

— Personne n'y croira! Comment un humain aurait-il pu échapper à la vigilance de deux Maïvorgs?

Awi soupira:

— Tu étais seul, voilà pourquoi.

— Mais c'est un mensonge!

— Et alors?

— Alors, j'aurai les honneurs de la tribu pour avoir retrouvé la prisonnière et, toi, tu ne récolteras rien…

— Je m'en fiche si cela t'évite une giboulée d'ennuis, répliqua Awi.

Il s'envola en prenant soin de rester dans l'ombre de la montagne. Ce papillon était farouchement indépendant. Fait rarissime pour un Maïvorg, Awi ne tirait aucune satisfaction de la reconnaissance de son clan. Il rêvait de parcourir le vaste monde, ce qui impliquait de renoncer aux liens privilégiés avec sa tribu d'origine. Or, Svreid plaçait l'allégeance au groupe au-dessus de tout. Et jusqu'à présent, Awi n'avait pu se résigner à abandonner son éternel complice.

CHAPITRE 10

L'énigme d'Henriette

« Jamais plus, la malheureuse Henriette ne reverra fleurir les roses », pensa Ewan avec amertume tandis que Muir et lui rentraient bredouilles de la grotte dans le silence indifférent de la nuit. Ils s'installèrent à l'intérieur du passage secret, emmitouflés dans leurs couvertures, après avoir bu chacun une bonne rasade de whisky. Par précaution, du Tertre dormit en haut de la galerie et Muir, en bas. Ainsi, les deux accès seraient défendus en cas d'une attaque peu probable puisque, selon l'affirmation d'Henriette, la noirceur éloignait le danger.

La petite troupe repartit au lever du jour. Le premier arrêt eut lieu après vingt minutes seulement devant une cascade où Grison, Akko et Rafale s'abreuvèrent avec joie. Du coin de l'œil, Muir observa Ewan en train de s'asperger le visage et la nuque d'une eau limpide et glaciale. Il savait que son complice souffrait et que, pour lui, le trajet serait pénible. En fin de matinée, quelques flocons de neige virevoltèrent dans l'air et finirent leur voyage en perlant les crinières des chevaux ainsi que la toison sombre d'Ewan, qui allait désormais nu-tête. Le repas du midi fut pris sous un grand pan de ciel brouillé. Les voyageurs franchirent les limites de Mentana peu avant dix-huit heures. Muir arrêta sa monture en face de l'entrée principale de l'auberge.

— Tu comptes offrir un verre aux bêtes ou quoi?! maugréa Ewan en donnant un brusque coup de menton vers une des fenêtres de la salle à manger, ce qui lui arracha aussitôt une grimace.

Stoïque, il ne s'était pas plaint de la journée. Son humeur de plus en plus maussade témoignait toutefois de sa douleur de façon éloquente.

— Va te reposer. Je m'occupe de rentrer les chevaux, lui répondit simplement Muir.

✳✳✳

Zachary s'affairait à l'écurie. Il remplissait un râtelier de foin sous l'œil très intéressé d'une jument.

— Eh! Bonsoir! Vous êtes déjà de retour? fit-il en apercevant Muir, suivi de près par Akko et Rafale.

— Ce sont les aléas du métier.

— Rien de grave, j'espère?

— Je suis préoccupé à vrai dire... Dans l'immédiat, je t'amène de la compagnie.

Muir claqua de la langue et appela Grison.

— Grison ?! s'esclaffa Zac. Vous nous rapportez quoi, là ? Un pigeon ?

— Woh ! s'écria l'éclaireur en s'écartant alors que le cheval se ruait sur le jeune écuyer.

Fffrrrrrr ! La bête émit un ébrouement avant de donner un coup de tête à Zachary. Ce dernier, qui connaissait bien les mœurs chevalines, ne fut guère effrayé. Il se mit à lui parler d'un ton calme en lui caressant l'encolure :

— Tout doux, Grison... Ouache ! Tu es drôlement encroûté !

Le cheval poussa un hennissement puissant et aigu. Ses oreilles pointées vers l'avant indiquaient qu'il guettait une réaction.

— To... Topaze ? demanda alors Zachary, stupéfait.

— Hhhhiiiii ! Hhhiiiiiiii ! se contenta de répondre le poussiéreux animal.

— Topaze ! C'est toi ? Tu... tu as survécu ! se réjouit le jeune Miller en lui grattant le front.

— Dois-je comprendre que cette bête t'appartient ? l'interrogea Muir, à la fois surpris et amusé par la tournure des événements.

— Oui, il s'agit bel et bien de mon cheval. Je croyais qu'il avait été écrasé par le séquoia qui a détruit notre maison. Où l'avez-vous trouvé ?

— Oh! là! J'en ai pour un moment à raconter tout ça. Je le ferai volontiers devant un bon plat chaud et un pichet de bière... Que dirais-tu d'une partie de fléchettes ensuite?

Zachary acquiesça en souriant.

— Je soigne les montures et j'arrive, monsieur Muir.

— Parfait, mon garçon! Dépose notre équipement dans un coin. Je repasserai le chercher tantôt.

Avant de débrider et de desseller Akko et Rafale, Zac s'adressa tendrement au compagnon qu'il venait de retrouver:

— Demain, je te lave de la croupe aux naseaux! On videra la rivière de la Louve s'il le faut pour que tu retrouves ta belle robe lustrée.

***

Entre-temps, Ewan avait longé le bâtiment principal de l'auberge afin de rejoindre sa chambre sans avoir à traverser la salle à manger. Il était harassé et ne voulait surtout pas qu'on l'interroge sur sa mine de déterré, encore moins sur les dangers qu'il avait courus. Un escalier extérieur reliait la rue à l'étage des pensionnaires. Il le gravit lentement, les dents serrées, la main crispée sur la rampe. Lombaires et côtes en charpie, lèvre inférieure et joue tuméfiées, poignets douloureux, il ne supportait plus son propre corps. Parvenu au seuil de la porte, il souffla et pénétra dans le gîte. «Courage!» se dit-il devant le long couloir qui menait à sa chambre. Il eut la mauvaise surprise d'y découvrir Gaelle dont le visage était éclairé par le bougeoir qu'elle transportait. Dans un geste prévisible, la jeune Miller le brandit sous le nez de l'inconnu qui s'avançait vers elle afin de pouvoir l'identifier.

— Ah! Tu m'as fait peur! Je ne m'attendais pas à te rencontrer ce soir.

— B'soir, baragouina Ewan en souhaitant que cette conversation soit déjà terminée.

— Tu es rentré plus tôt que prévu?

— Mmm…

— Que t'est-il arrivé?

— Rien.

— Voyons! Tu as plein d'entailles sur la joue. Ça ressemble à…

Gaelle réfléchit un instant, se hissant sur les pieds pour l'examiner de plus près :

— À… la partition d'un orgue de Barbarie.

— …

— Mais oui, tu sais, il s'agit d'un carton perforé qu'on place sur le rouleau de l'orgue. Ensuite, on tourne la manivelle pour entendre une jolie mélodie.

— …

— Tu n'as jamais vu cet instrument de musique? s'étonna-t-elle.

— Non, mais j'aimerais bien que ta langue à toi soit trouée pour que tu cesses de parler, répliqua du Tertre, excédé. Laisse-moi passer, maintenant.

La jeune fille se plaqua contre le mur, le regard furieux. Pour se venger, elle lui fit une grimace, dans son dos, digne du minuscule singe accompagnant le vieux joueur d'orgue ambulant qui se produisait, quelques fois par année, à l'auberge de Mentana.

Tiens, espèce d'abruti!

Il s'arrêta une fraction de seconde pendant laquelle Gaelle espéra qu'il se retourne pour s'excuser.

Eh bien, non!

Il s'en fichait.

***

Ewan s'affala sur son lit tout habillé sans même avoir le courage d'enlever ses bottes. Dormir, tomber dans un précipice d'oubli. Tel était son unique désir. Il ne se réveilla même pas lorsque Muir vint se coucher à son tour quelques heures plus tard. Ce fut Henriette qui le tira de son sommeil.

— Les fileuses! Elles arrivent! lui cria-t-elle, affolée.

La pauvre femme se recroquevilla par terre, la tête entre les mains.

— Retiens-les! gémit-elle. Empêche-les de me faire du mal…

Seulement Ewan était paralysé. Son dos et ses jambes, moulés dans un bloc de pierre, refusaient de bouger ! Il vit apparaître une gigantesque larve annelée et translucide. Elle rampa vers la vieille, lui découpa le crâne et se glissa à l'intérieur comme s'il s'agissait d'une souche vide. Elle en ressortit presque aussitôt avec un fil coincé entre les deux crochets qui lui servaient de bouche, fil qu'elle commença à aspirer goulûment sous le regard terrifié du cavalier impuissant.

Du Tertre se dressa sur son lit trempé de sueur, le cœur battant la chamade. L'aube pointait entre les rideaux mal tirés. Il décida de se lever, car le sommeil ne reviendrait pas après cet affreux cauchemar. Il chercha des vêtements convenables à enfiler. Son foulard sale et fatigué ne passa pas l'inspection. Ewan en extirpa un propre, bien plié, d'une des poches de sa veste de cuir et y enfonça l'ancien sans ménagement. Puis, il se précipita dehors. Marcher dans le frimas. Passer sa tête sous la pompe à eau de la place publique. Cette douche glacée le réveillerait pour de bon. Et chasserait, espérait-il, les horribles images apportées par l'esprit de la nuit.

***

Quand Ewan revint à l'auberge pour déjeuner, la salle à manger était animée. Muir prenait un café, assis au comptoir en compagnie de Gaelle, qui grignotait sa troisième tartine de miel. Avant même de commander quoi que ce soit, Ewan leur annonça qu'il devait consulter *L'Écho du val de Ninss*. Margot lui proposa la dernière édition de la gazette en souriant. Elle ne lui passa aucune remarque sur ses blessures. Tout comme Charles, Zachary et Gaelle, elle avait frémi au compte rendu que Muir leur avait fait la veille, et, maintenant que du Tertre se tenait en face d'elle, elle se disait, en l'observant, qu'il s'en était plutôt bien tiré vu les circonstances. Quant à Gaelle, elle se traitait de «gourde» depuis qu'elle avait appris qu'Ewan avait, en réalité, une empreinte de pin estampillée sur la joue. Il aurait en effet mieux valu qu'elle ait la langue trouée plutôt que de lui faire un exposé sur les orgues de Barbarie !

— Non merci, fit le jeune éclaireur en refusant le journal que madame Miller lui tendait. J'ai besoin des parutions qui remontent à environ douze ans.

— Pourquoi donc ? s'étonna Muir.

— À cause d'Henriette. Elle a mentionné qu'on lui avait volé douze années de sa vie. Puis elle a ajouté qu'il y a toujours quelqu'un pour nous attendre.

— Tu crois qu'elle aurait été portée disparue !

— Oui…

— Malheureusement, je ne pense pas que tu dénicheras des exemplaires aussi anciens à Mentana.

— La gazette est imprimée à Maurpley, remarqua Margot. Il doit bien exister des archives là-bas.

— On oublie ça alors ! se désola Ewan.

Gaelle pouffa de rire. Les boucles de sa chevelure virevoltèrent sous l'effet de sa gaieté. Cette réaction de gamine qui s'amuse sans raison apparente agaça du Tertre au plus haut point. C'était énervant à la fin ! Cette fille n'avait-elle donc que des courants d'air dans la tête ? Il respira un grand coup afin de chasser son exaspération.

— As-tu déjà rencontré les demoiselles Wells ? l'interrogea-t-elle à brûle-pourpoint.

— Non ! Pourquoi ? demanda-t-il sur la défensive.

— Parce qu'elles conservent ab-so-lu-ment tout !

— Tout ? Vraiment tout ? répéta-t-il, sceptique.

— Elles possèdent, entre autres choses, des monticules de journaux. Si tu veux, je t'accompagne chez elles, proposa-t-elle, les yeux pétillants.

— D'accord, mais je ne comprends pas ce qu'il y a de drôle là-dedans…

— Tu t'en apercevras bien assez vite ! répondit-elle en s'esclaffant de nouveau.

***

Isa, la plus âgée des demoiselles Wells, était osseuse et grande ; sa sœur, Célie, petite et plutôt enrobée. Autrement, le timbre de leurs voix, leurs intonations, les expressions de leurs beaux visages patinés par le temps, les moulinets de leurs bras lorsqu'elles parlaient, leur enthousiasme curieux, tout cela semblait jaillir d'une même source. À croire que la nature avait façonné deux corps pour un seul esprit !

Les sœurs Wells accueillirent Gaelle et son visiteur dans leur salon avec leur gentillesse et leur volubilité légendaires. Jamais Ewan n'aurait pu imaginer une pièce encombrée d'objets aussi disparates. Des montagnes de livres, une quantité incroyable de bibelots, un plateau d'argent en équilibre sur une table basse, des plantes vertes luxuriantes, une cage d'oiseau vide, des paniers d'osier pleins, un lutrin... Gaelle se déplaça entre tous ces obstacles avec la souplesse d'un chat. Pour sa part, Ewan dut déployer de grands efforts afin de ne rien renverser, et ce, sous le regard amusé de la jeune fille.

Après dix minutes, du Tertre ne savait plus comment s'y prendre pour refuser une énième fois une camomille ou un petit gâteau sec.

— Vous avez vraiment mauvaise mine. Il faut manger, mon brave !

— Et vous hydrater.

— Nous avons tant de questions à propos de la future cavalerie express !

— Quelle chance inouïe ! Un éclaireur en chair et en os dans notre maison...

— Toujours pas de biscuit ?

— Du bouillon, peut-être ?

— Bonne idée, Célie ! À cause de sa lèvre...

— De l'enflure, bien sûr !

Gaelle, qui avait imaginé d'avance la réaction d'Ewan devant ce babillage, trouvait cette scène fort divertissante.

Il ressemble à un unijambiste à qui on voudrait faire danser un rigodon frénétique.

Néanmoins, lorsque du Tertre lui décocha un regard implorant, elle se rappela que l'amusement des uns peut devenir le supplice des autres. Elle entraîna donc les demoiselles à l'écart autant pour libérer le pauvre Ewan que pour leur expliquer la situation.

— Dans ce cas, ma jolie… Les journaux sont rangés dans le bas de la bibliothèque, chuchota Isa. Par ordre chronologique.

— Prenez votre temps, dit Célie assez fort pour que le jeune homme comprenne ces derniers mots.

Le duo se retira sur la pointe des pieds dans un silence tout à fait inhabituel.

— Que leur as-tu raconté? s'enquit Ewan, visiblement soulagé.

— Que tu es un ours mal léché et qu'elles s'exposaient à un grave danger si elles continuaient de t'importuner.

Le cavalier pâlit en entendant cette description peu flatteuse de sa personne, quoique plutôt juste.

— Ben non! le rassura Gaelle. Je leur ai simplement confié que nous avions hâte de nous mettre à la tâche.

— Tu viens ici combien de fois par semaine?

— Deux.

— Comment supportes-tu cela?

— Je me le demande parfois ! rigola-t-elle. Sans blague, j'y apprends une foule de choses intéressantes. Il m'arrive même souvent de rester plus longtemps que prévu.

La jeune fille se dirigea vers une impressionnante bibliothèque qui couvrait un mur entier et s'accroupit pour observer les rayonnages du bas.

— Ces dames caquettent continuellement ! insista du Tertre. Comment peux-tu réfléchir ?

— Voyons Ewan ! Célie et Isa sont passionnantes. Il suffit de savoir les écouter.

Du Tertre songea qu'il aimait écouter la pluie ou le frisson des feuilles dans les arbres. Mais qu'il éprouvait beaucoup plus de difficulté avec les causeries des gens.

— Voilà ! se réjouit Gaelle en brandissant un *Écho* à bout de bras. Il y en a plusieurs piles… Quelle année veux-tu ?

— 102 ou 103.

— Attends un peu…

Elle se releva au bout d'un instant avec un tas de journaux dans les bras. Vingt-quatre éditions, qu'ils se partagèrent. Les avis paraissaient toujours en dernière page. Si au cours d'un mois les annonces s'accumulaient (décès, naissances, mariages, disparitions, nominations…), le typographe trichait en rapetissant la taille des caractères.

— Tantôt, à l'auberge, tu as parlé d'une certaine Henriette, n'est-ce pas ? vérifia Gaelle.

— Ma foi, tu n'écoutes pas seulement les Wells.

L'adolescente mourait d'envie d'en savoir plus sur les liens qui unissaient Ewan à cette dame. Mais il était plus stratégique de chercher l'information d'abord, et de poser les questions ensuite… Ils plongèrent chacun dans la lecture des journaux si bien qu'en quelques minutes leurs doigts étaient déjà noircis d'encre.

***

Du Tertre finit par découvrir ce qu'il était venu chercher :
— C'est elle ! Aucun doute possible. L'annonce précise qu'elle avait cinquante-huit ans en 103. Plus douze, cela donne soixante-dix. Pour ce qui est de la ressemblance avec le portrait, je ne sais pas… Elle était affreusement amaigrie.
— Peux-tu me lire le texte ?
— « Jardinière émérite, habitant à Maurpley… Auteure des *Mystères de la floraison*… Spécialiste des hibiscus, des rosiers et des orchidées… Disait devoir son succès au compost qu'elle produisait et dont elle n'a jamais voulu révéler la recette… Avis payé par sa sœur, Maude Longpré. »
— Elle avait la passion des fleurs.
— Oui, elle a pensé aux roses jusqu'à la fin, se désola Ewan. Elle m'a demandé si je les aimais et m'a parlé de leur floraison…

— Et si nous nous esquivions afin d'échapper à la tisane et au bavardage, proposa Gaelle pour détendre l'atmosphère.

— D'accord! Je t'aide à ranger les journaux.

En les replaçant sur leur tablette, Gaelle accrocha l'un d'eux en équilibre sur une pile. Il s'agissait de l'avant-dernier *Écho du val de Ninss*, celui du mois d'octobre. Il tomba par terre, à l'envers. Quand Gaelle le ramassa, son regard fut attiré par deux portraits, côte à côte. Deux visages reconnaissables entre tous… Elle lâcha la gazette, incapable de retenir ses larmes.

— Que se passe-t-il? s'inquiéta Ewan en s'emparant du journal.

CHAPITRE 11

Le choc
des lames

Du Tertre, raide comme un piquet, serrait dans sa main *L'Écho du val de Ninss* dans lequel Margot Miller avait publié l'avis de disparition de son mari et de son benjamin : «Robert Miller, père, et Sev Miller, fils (38 ans et 11 ans)… Vus la dernière fois vers midi, le 3 avril 115 à l'auberge de Lymnoix…» Ewan aurait voulu étrangler le journal roulé dans son poing. Au lieu de cela, les mots virevoltaient autour de lui sans qu'un seul parvienne à se poser sur ses lèvres. Il parvint enfin, de peine et de misère, à en empoigner quelques-uns. Des mots mats, lourds, au goût de cendre :

— Je… je… C'est… vraiment triste.

Les larmes se bousculaient sur le visage pâle de Gaelle, à la manière de passantes pressées. «Que faire pour les arrêter ? » se répétait Ewan en cherchant un geste sensé à poser. Ah ! Voilà… Il fouilla dans une des poches de sa veste et en retira un petit foulard tout fripé qu'il tendit à la jeune fille éplorée. Un autre objet tomba en même temps de cette poche. Un petit rouleau brun que du Tertre se dépêcha de ramasser et de ranger.

— Donne-… moi… le jour… nal… s'il… te plaît…, hoqueta Gaelle en essayant de reprendre une certaine contenance.

Dès qu'elle l'eut en sa possession, elle s'élança hors de la maison des Wells. Ewan lui emboîta le pas.

— Que fais-tu ?

— …

— Heu… Où vas-tu, alors ?

Elle ne lui répondit toujours pas, mais il comprit qu'elle se dirigeait vers l'auberge. La jeune fille fit irruption dans la salle à manger et jeta la gazette sur le comptoir du bar.

— Comment as-tu osé ? cracha-t-elle au nez de sa mère.

Première éclaboussure.

— Oser quoi ? demanda Margot, éberluée.

— Là ! ragea Gaelle en posant un doigt accusateur sur le portrait de son père.

Un véritable éclaboussement, cette fois. Tel un seau d'eau glacée balancé en pleine figure.

— Et puis là ! cria-t-elle en désignant son frère.

Attaque directe sous la forme d'un pavé lancé au beau milieu de la mare…

— Parle-moi sur un autre ton, mademoiselle, si tu souhaites des explications! s'offusqua madame Miller, qui n'entendait guère se laisser houspiller davantage.

Elle s'empara de *L'Écho*, le plia machinalement et le rangea sous le comptoir, un peu comme on cache la poussière sous le tapis à l'arrivée d'un visiteur impromptu, bien que cela n'élimine rien. Ni la saleté ni les mauvais souvenirs. Margot poussa un profond soupir avant de poursuivre la conversation:

— Explique-moi d'abord où as-tu trouvé ça?

— Chez-Cé-lie-et-I-sa-Well-sss! scanda Gaelle avec fracas.

— L'édition d'octobre a glissé d'une pile tandis que votre fille finissait de replacer les journaux que nous avions consultés, intervint Ewan, non pas tant pour préciser les faits que pour créer une diversion.

Il jeta un regard gêné autour de lui. Will le Bigleux ronflait, endormi la tête dans les épaules tel un oiseau: les éclats de voix ne l'avaient même pas atteint. Les trois autres clients présents dans la pièce s'apprêtaient à quitter les lieux. D'autres ne tarderaient cependant pas à arriver pour le repas de midi.

— Gaelle, je suis désolée que tu sois tombée ainsi sur cet avis. Je… je n'avais pas le choix, dit Margot, attristée.

— Pourquoi ne m'en as-tu pas parlé?

— Aurais-tu été d'accord?

— Bien sûr que non! protesta l'adolescente. Quand on annonce officiellement que les gens sont disparus, c'est qu'on a vidé toutes réserves d'espoir.

— Gaelle…

— Ils vont revenir! J'en suis sûre.

— Oh, ma chérie! s'exclama sa mère en contournant le comptoir pour pouvoir enlacer sa fille.

— Ne m'approche pas! Tu crois qu'ils sont morts, je le vois dans tes yeux! l'accusa cette dernière.

Cette fois, le Bigleux tressaillit dans son sommeil.

— Je donnerais tout pour penser le contraire! répliqua Margot, la voix étranglée.

— Si tu lâches la corde du cerf-volant, il s'envole. C'est pareil pour les disparus… Ils sont vivants! Tu n'as pas le droit de les laisser filer, m'entends-tu! tonna Gaelle.

— Nina? bredouilla Will Felgardi, réveillé pour de bon par ce dernier éclat de voix. Nina!

Les joues en feu, les yeux remplis de larmes, la jeune Miller tourna les talons et s'enfuit de l'auberge. Sa mère accablée implora Ewan :

— Suis-la, je t'en prie!

***

Il est possible d'en apprendre beaucoup sur les gens en étudiant leur démarche. En ce moment, celle de Gaelle trahissait un trouble profond, qui la déréglait tout entière, alors que d'ordinaire elle se déplaçait avec la souplesse d'un chat. Ewan n'eut donc guère besoin d'user de discrétion pour la talonner. Une fanfare aurait pu se trouver derrière la jeune fille qu'elle ne l'aurait même pas entendue. Elle était trop occupée à exécuter sa propre partition. « Boum ! Boum ! Pom podom ! » faisaient ses pas en martelant le sol avec colère.

À ce rythme, Gaelle dépassa les limites de Mentana en un rien de temps. Elle s'engagea sur une longue côte, retrouvant, peu à peu, son allure féline au contact de la forêt. En songeant que désormais elle serait aux aguets, l'éclaireur la laissa le distancer. Il se retourna pour contempler le village et grimaça, car cette torsion raviva la douleur dans son dos. Les habitations de pierres grises aux toits pentus avaient rétréci à vue d'œil.

Gaelle poursuivit sa route. Droit devant ! Où filait-elle ainsi ? Du Tertre s'en doutait. Elle marchait en direction de son ancienne maison, à moins que ce ne soit de son ancienne vie… Du Tertre connaissait ce chemin menant au nord puisqu'il l'avait déjà parcouru à cheval pour se rendre à Lymnoix. Il savait également où habitait Édouard Quat, le voisin secourable qui avait hébergé la famille Miller quand elle s'était retrouvée sans logis : Ewan lui avait en effet apporté à quelques reprises des plats cuisinés par Margot en guise de remerciement. Un jour, il dut se faire violence pour ne pas dévorer en chemin une tarte aux pommes aux arômes irrésistibles qu'il s'était engagé à livrer encore fumante. Ses futures fonctions de cavalier express lui demanderaient décidément une totale maîtrise de soi !

Gaelle piqua à travers bois. L'emportement avait cédé la place, un pas à la fois, à la peine ainsi qu'à la honte de s'être montrée aussi véhémente. D'un seul coup, elle avait réussi à blesser sa mère, à embarrasser Ewan et à réveiller Felgardi, quoique ce dernier point ne la perturba guère ! La jeune fille voulut se changer les idées en ramassant des glands. Cela lui rappela les soirées heureuses où Sev et elle créaient d'incroyables animaux à partir des fruits des arbres. Elle se mit à frissonner, autant de tristesse que de froid.

En apercevant le monstrueux séquoia gisant sur ce qui avait été sa maison, Gaelle fut prise de stupéfaction. Elle ne reconnaissait rien de ce lieu autrefois si familier… Des écureuils se pourchassaient sur l'immense tronc, qui leur servait de terrain de jeu, en menant un joyeux bavardage. Comme la nature avait rapidement repris ses droits ! « La mort ne tue pas la vie, mais les vivants. » Au fil des années, Gaelle avait maintes fois entendu ce dicton dont elle saisissait maintenant la justesse et la cruauté.

Une pomme de pin roula à ses pieds. Une autre lui effleura le bras. La troisième et la quatrième rebondirent sur sa tête ! Il fallait riposter sur-le-champ, d'autant que Gaelle devinait bien qui la bombardait ainsi. Elle se retourna.

Tiens, tiens! Une ombre venait de se tapir derrière un bosquet de fougères.

— Ah… ah! Bruk! Je t'ai démasqué! se réjouit-elle en se dirigeant vers les plantes serrées les unes contre les autres.

— Ewan! s'exclama-t-elle, une fois qu'elle en eut écarté les frondes fanées. Que fais-tu là?

— Je… je me promène.

— Sur mes traces? Allons donc! Pour qui me prends-tu?

Il se releva avec raideur et secoua les spores qui s'étaient accumulées sur sa veste.

— Tu en as aussi plein les cheveux, remarqua Gaelle, un tantinet moqueuse.

Du Tertre passa aussitôt ses doigts dans sa tignasse noire. Une pluie rousse en tomba.

— Tu me suivais, avoue-le!

— Sur l'ordre de ta mère, s'excusa-t-il, d'un air coupable.

Cette réponse la déçut. Elle aurait préféré qu'Ewan se lance à sa poursuite de son propre chef. Mais pourquoi aurait-il agi ainsi? Rien ne les unissait l'un à l'autre. Pas le moindre fil…

— Ma mère t'a-t-elle aussi suggéré de m'assommer à coups de pomme de pin? lui demanda-t-elle avec humeur.

— Hein?

— Tu nies, en plus!

— Pas du tout! se défendit-il.

Gaelle comprit que sa première impression avait été la bonne. Bruknir devait assister à cette scène, dissimulé quelque part. Le Vorgombre, plaqué contre le tronc d'un séquoia, s'amusait en effet du quiproquo qu'il venait de créer. En même temps, il était dépité de ne pouvoir discuter avec sa protégée qui, soucieuse de ne pas trahir la présence du papillon, luttait elle-même contre l'envie de le chercher du regard.

— En passant, pourquoi m'as-tu appelé Bruk? l'interrogea Ewan.

— J'ai dit «brute», le corrigea-t-elle. Comme dans «espèce de brute».

— Eh! Tu m'as déjà traité d'ours mal léché chez les Wells! Je vais finir par te donner des noms moi aussi.

— Tu as tout le chemin du retour pour en trouver, Ewan du Tertre, le défia-t-elle. On en a pour trois quarts d'heure avant d'atteindre Mentana.

— Avant de reprendre la route, je mangerai bien quelque chose. J'ai faim, pas toi?

— Si!

— Dans ce cas, passons chez Quat. Il aura sûrement un quignon de pain ou je ne sais quoi à nous offrir.

***

Gaelle avait de l'affection pour son ancien voisin qu'elle continuait de côtoyer à l'auberge. Il venait y tromper sa solitude, une fois par semaine, en partageant un repas avec les Miller. La jeune fille sourit à l'idée de lui faire une visite-surprise. Dans sa hâte, elle courut vers la maison d'Édouard, laissant Ewan derrière elle. Elle s'arrêta net à quelques enjambées de la galerie, affolée par la vue de la porte béante et de la chaise berçante renversée. Et puis il y avait aussi ce bruit de vaisselle qu'on brise, de meubles qu'on bouscule…

Du Tertre se rua à ses côtés. Elle entrevit l'éclat de sa dague.

— Sauve-toi! lui ordonna-t-il, le couteau tendu devant lui, alors qu'un colosse, ossu et hirsute, apparut sur le seuil.

— Waouh! Les gars, venez par ici. Y a double ration de chair fraîche! lança ce dernier en les apercevant.

— On est occupés! cria une voix rustre de l'intérieur de la maison.

— Amenez-vous, sales bâtards! gueula le colosse en se tournant vers le logis.

Deux gaillards en surgirent aussitôt et l'encadrèrent.

— Tu ne sais pas compter, Dan. Il est tout seul ton jeune cavalier, fit son compagnon de droite en crachant sur le sol avec dédain.

— Non! Une fille l'accompagnait, assura leur acolyte. Holà! Toi! Elle est passée où, ta mignonne?

— Elle s'est envolée, le nargua Ewan en s'éloignant lentement de l'endroit où il se tenait debout, un instant plus tôt, en compagnie de Gaelle.

Celle-ci, pelotonnée par terre, était désormais invisible aux yeux d'autrui. Bruknir avait fondu sur elle au moment où le jeune homme lui criait de s'enfuir. Le Vorgombre l'avait recouverte d'une de ses grandes ailes rousses, la transformant ainsi en un simple tas de feuilles mortes.

— Tu es certain qu'ils ne peuvent pas me voir? lui chuchota-t-elle, inquiète.

— C'est la première fois que j'essaie de camoufler un humain, lui répondit-il tout bas. Ça semble marcher.

Lorsque Gaelle entendit le choc des lames, ce fut plus fort qu'elle. Elle écarta du bout des doigts la frange soyeuse qui bordait le membre ailé du papillon.

— Ce n'est pas le moment de me chatouiller! pesta-t-il.

— Je veux voir Ewan.

Les assaillants de ce dernier brandissaient également des dagues. Du Tertre esquivait leurs coups avec une agilité remarquable compte tenu de son état. Il les affrontait de face, sachant trop bien que, s'il laissait l'un d'eux se glisser derrière lui, il signait son arrêt de mort. À trois contre un, le combat était inégal. Combien de temps tiendrait-il encore?

— Il faut l'aider! déclara Gaelle en soulevant l'aile qui la cachait.

— Pas maintenant! décréta Bruk en la plaquant au sol.

La soie du Vorgombre, si légère une minute auparavant, était devenue du plomb. La jeune fille en distingua les nervures : chacune d'elles était gonflée par l'effort qui la clouait sur place.

— Bruk ! le supplia-t-elle. Relâche-moi.

— Chhhut !

— Ils vont le tuer !

Gaelle retint son souffle, car un des brigands tentait un dégagement, en décrivant un arc de cercle, pour passer derrière Ewan. Celui-ci bondit aussitôt de côté, détendit son bras comme un ressort et planta son arme du revers entre les omoplates du fourbe, qui s'affala de tout son long. Hélas ! Son poignard resta emprisonné dans ce fourreau de chair. Du coup, il devait désormais combattre à mains nues. Que valent les poings contre le fer ? Guère mieux que des boules de papier froissé.

— Bruk, il y a une roche, juste là ! hurla Gaelle. Lance-la, je t'en prie !

Il s'exécuta, mais la pierre fut interceptée, en plein vol, par un autre Vorgombre.

— On ne doit pas tuer d'humains ! siffla ce dernier avec colère.

— Il s'agit d'Ewan du Tertre, riposta Bruknir.

— Tu en es sûr ?

— Oui, oui, c'est lui ! intervint Gaelle. Sauvez-le !

— Tais-toi donc ! lui somma son protecteur, excédé. Être invisible suppose aussi d'être muette !

Le congénère de Bruknir visa aussitôt le colosse ossu, ce fameux Dan, en plein crâne, ce qui ne fut pas joli à voir.

Quant au troisième larron, il mourut plus proprement, les vertèbres du cou broyées par les puissantes pattes de l'insecte.

Bruknir desserra alors son étreinte et Gaelle se précipita vers Ewan.

— Ça va ? s'enquit-elle, inquiète.

— Pas vraiment ! grimaça-t-il. Je ne sens plus mon dos.

Le jeune homme fit pourtant une profonde révérence au papillon qui était intervenu en sa faveur.

— Merci de m'avoir sauvé la vie, dit-il d'un ton empreint de respect.

— De rien, fils de la vénérable Tanaïs, répondit l'animal en inclinant la tête. Je n'allais pas laisser des sans-ailes s'en prendre à un des nôtres.

Gaelle n'en revenait pas ! Ewan s'adressait le plus naturellement du monde à un Vorgombre. Une Vorgombre plutôt, si l'on se fiait aux couleurs de sa livrée : du gris sombre tacheté de nacre et du violet éclatant. Plus surprenant encore, l'apprenti cavalier semblait faire partie de leur communauté. La jeune fille se promit de tirer cela au clair à la première occasion.

— Peux-tu m'expliquer ce que tu fais ici, Djune ?! s'exclama Bruk.

La femelle le toisa du regard.

— Es-tu obligé de clamer mon nom aux quatre vents ? rétorqua-t-elle avec humeur.

Il ne lui répondit pas, distrait par sa protégée qui s'élançait vers la maison de Quat.

— *Djep!* Où vas-tu? s'enquit-il.

— Voir si Édouard est vivant!

— Ne t'inquiète pas pour lui! la rassura Djune d'une voix adoucie. Le vieil homme n'était pas là au moment de l'attaque des hors-sentiers.

— Des hors-sentiers! Que lui voulaient-ils? s'étonna Gaelle en revenant sur ses pas.

— Ils cherchaient de l'argent et des vivres, poursuivit la femelle.

— Un instant! s'écria Bruk. Comment es-tu au courant de ces détails?

— Je virevoltais dans les parages, déclara Djune.

Elle avait menti sans même remuer une antenne. Un autre que Bruknir aurait été dupe.

— En plein jour? Impossible… Tu me suivais, *djiii!* s'offusqua-t-il. Sur l'ordre de qui?

— De personne! jura-t-elle.

Le mâle la considéra d'un air souverain.

— De moi-même, reconnut-elle en soutenant le regard de Bruknir.

Un regard où brillaient mille feux. Attisés par mille motifs.

— Hmm… Nous devrions prendre congé les uns des autres, leur rappela du Tertre.

— En effet ! renchérirent les Vorgombres, embarrassés de s'être comportés avec autant de familiarité devant des humains.

Ils s'envolèrent après les salutations d'usage. Gaelle et Ewan observèrent avec émerveillement les voiles légères des papillons onduler entre les gigantesques mâts des conifères.

***

Quelques minutes plus tard, quelque part dans les cieux…

— Combien de lois venons-nous de violer ? gémit Djune.

Bruknir crut nécessaire de les lui énumérer :

— *Aux hommes, tu ne te montreras pas… Ton nom secret, tu garderas… Des combats humains, jamais tu ne te mêleras… Le jour, tu…*

— C'est bon ! l'interrompit-elle, irritée. Je les connais par cœur moi aussi. Trouvons vite un endroit où nous camoufler.

CHAPITRE 12

Secrets et confidences

Une fois les Vorgombres hors de leur vue, Ewan et Gaelle baissèrent les yeux au sol en grimaçant. Il fallait s'occuper des cadavres… Le jeune éclaireur retira sa dague du corps de l'homme qu'il avait poignardé durant le combat et le fit basculer sur le dos. Il aligna ensuite les trois macchabées l'un contre l'autre en les traînant par les pieds.

La Mort laisse volontiers un visage serein à ceux qui ont bien vécu. Or, ici, elle était passée à la hâte sans soigner les détails: ces truands avaient d'authentiques têtes d'épouvantail.

— On doit avertir Muir, remarqua Ewan. Il est autorisé à dresser des constats de décès et à disposer des dépouilles.

— Ton couteau…, indiqua Gaelle en le pointant du doigt avec une moue dégoûtée.

— Quoi?

— Il dégouline.

— Oh, ça! Ce n'est rien.

Du Tertre enfonça la lame dans la terre pour la ressortir aussitôt.

— Voilà, il est propre! déclara-t-il, satisfait.

L'adolescente en prit bonne note: un jour peut-être aurait-elle à nettoyer une véritable épée si elle combattait avec un autre que Zachary. Et dire qu'elle avait failli proposer à Ewan d'aller chercher un torchon chez Édouard! En pensant à Quat, elle suggéra qu'ils lui laissent un mot pour lui expliquer ce qui s'était passé durant son absence et l'aviser qu'ils partaient quérir de l'aide au village.

***

Ils cheminaient côte à côte, sur la route de Mentana, d'un pas vif. Gaelle se doutait qu'Ewan ne parlerait pas facilement de ses liens avec les Vorgombres. Pourtant, elle tenait à connaître la vérité. Aussi avait-elle besoin d'une excellente entrée en matière. Elle se remémora ce petit chiffon rouge qu'elle avait jadis noué à un bâton lorsque son père l'avait amenée, pour la première fois, à la pêche à la grenouille. Ces bestioles, à l'instar des taureaux, ne peuvent résister à l'appel du rouge. Elles avaient jailli aussitôt hors de l'étang dans une gerbe d'écume.

— Ainsi, Ewan du Tertre, tu as du sang de Vorgombre dans les veines, lança finalement la jeune fille en guise de bel appât écarlate.

— Où es-tu allée chercher ça? lui demanda-t-il, intrigué.

— Tantôt, Djune t'a traité comme un des leurs. Elle t'a même appelé «fils de Tanaïs».

Ewan esquissa un sourire. Il reprit cependant vite cet air taciturne qu'il enfilait aussi facilement que sa chemise. Pire, il parut soucieux au moment de confier:

— Il faut que je t'avoue quelque chose de… hmm… d'assez… d'assez… embarrassant.

— Vas-y! l'encouragea-t-elle avec gentillesse.

— Eh bien, voilà! Je suis un homme-papillon. Je cache mes ailes repliées sous ma veste.

— Je peux les voir?!

— Attrape-moi d'abord!

Sur ces mots, il fonça droit devant, pourchassé aussitôt par Gaelle. Bien qu'elle le talonna sur une distance appréciable, il finit par creuser l'écart entre eux. Sa poursuivante ralentit la cadence, et ce faisant, ses idées s'ordonnèrent sans plus d'effort que des écoliers qui prennent le rang, une fois la cloche sonnée.

— Sale menteur! s'écria-t-elle, furieuse. Les Vorgombres n'accouchent pas d'humains!

Le cavalier fondit sur elle, plaqua sa main sur sa bouche et chuchota, les lèvres contre son oreille :

— Prudence, mademoiselle Miller! Certaines choses ne se disent pas à voix haute.

La jeune fille se dégagea d'un geste brusque, plongea ses prunelles noires d'orage dans les yeux extraordinairement verts d'Ewan.

— Qui es-tu réellement? lui demanda-t-elle, le souffle coupé par les grêlons qui s'abattaient dans sa gorge.

Ne supportant pas le profond silence qui s'ensuivit, Gaelle détourna son regard et se remit en route.

Je pourrais risquer cent fois ma vie pour lui, jamais il ne se confiera à moi.

Je pourrais aller cent fois à sa rencontre... Toujours, il s'écartera.

Elle ruminait ces pensées, un pas après l'autre.

Toujours, il s'écartera. Jamais il ne se confiera...

« Je suis le fils adoptif de Tanaïs », entendit-elle soudain dans son dos.

Ewan l'avait rejointe, espérant une réplique qui ne vint pas. Il désirait pourtant relancer la conversation. Sans en être pleinement conscient, mais en le pressentant tout de même, il utilisa à son tour un appât rouge vif :

— Tanaïs, une Vorgombre respectée, m'a découvert abandonné en pleine forêt, alors que j'étais un nourrisson. Elle m'a présenté à son clan, qui a accepté de me recueillir.

— Tu as été élevé par des Vorgombres ! s'exclama Gaelle, incapable de conserver le silence devant un tel aveu.

— En partie… On m'a appris à garder le secret de leur existence avant de m'apprendre à parler. Je n'en ai jamais discuté avec personne.

— Même pas avec Muir ?

— Même pas, bien qu'il ait évoqué, une fois, la présence de papillons géants que l'on pouvait observer dans le ciel d'Imeronx lorsqu'il était enfant.

— Avais-tu déjà croisé Bruknir auparavant ?

— Non. Ni lui ni la femelle qui m'a sauvé la vie.

— Comment te connaissent-ils dans ce cas ?

— Je te retourne la question, Gaelle Miller. N'aperçoit pas les Vorgombres qui veut ! Toi aussi, tu me dois des explications.

— Réponds-moi, d'abord ! rétorqua-t-elle en adoptant cette attitude butée qu'elle savait si bien prendre lors-qu'elle souhaitait mener les choses à sa façon.

— Soit ! capitula Ewan. Les bandes de Vorgombres qui occupent le territoire de cette forêt communiquent entre elles. J'imagine que ce Bruknir et sa complice Djune ont entendu parler de mon histoire au fil des discussions ou des commérages.

— En effet ! pouffa Gaelle. Un petit d'homme chez les pa-pillons de nuit, cela a dû s'ébruiter d'arbre en arbre, à la brunante, et raidir pas mal d'antennes.

Son interlocutrice ayant baissé sa garde, l'éclaireur revint à la charge :

— Daigneras-tu m'expliquer comment tu peux savoir ce genre de choses ?

Grâce à ce « daigneras-tu » prononcé avec un brin d'exaspération, la jeune fille se sentit, tout à coup, considérée par l'impassible du Tertre. Était-ce possible ?

— Je distingue les Vorgombres depuis l'âge de neuf ans, lui avoua-t-elle. À force de les observer, j'ai fini par connaître certaines de leurs habitudes.

— Sérieusement ?

— Oui !

— Alors, c'est toi !

— Moi ?

— Longue Vue.

— Quoi ?! Tu plaisantes encore !

— Pas du tout ! Tanaïs a toujours eu l'habitude de surnommer les humains. Quand j'ai quitté le clan, la rumeur voulait qu'une fillette ait le don d'apercevoir les Vorgombres en plein jour. Cela a suscité une vive inquiétude. Tanaïs s'est même demandé si sa tribu devait quitter ces bois. Par précaution, tu comprends… C'est une des raisons qui l'a incitée à m'éloigner. Au moment de m'expliquer sa décision, elle a parlé d'une enfant qu'elle a nommée Longue Vue.

— Longue Vue, répéta Gaelle, sur un ton rêveur. On me surnomme Longue Vue…

Elle poursuivit son raisonnement, excitée :

— Si je te suis, du Tertre n'est pas ton véritable nom.

— Non… J'ai été appelé ainsi parce que Tanaïs m'a trouvé sur un petit monticule de terre.

— Et ton prénom, d'où vient-il ?

— Ça, ça m'appartient, répliqua Ewan, un peu plus brusquement qu'il l'aurait souhaité.

Tiens, voilà le serpent à sonnette qui agite de nouveau sa queue.

— Je suis désolé Gaelle, mais…

— Je sais ! l'interrompit-elle. Motus et bouche cousue ! Je suis capable de garder un secret aussi bien que toi.

— Sûrement ! Sinon les Vorgombres t'auraient tuée depuis longtemps.

— Voyons ! Ils ne sont pas belliqueux.

— À condition que tu ne représentes pas une menace pour eux…

La jeune fille songea au combat qui avait eu lieu plus tôt devant chez Quat. Djune n'avait pas hésité un instant à abattre deux hommes : elle avait fait exploser la tête de l'un et brisé le cou de l'autre, d'une simple pression des pattes.

Gaelle se remémora aussi une conversation avec Bruknir. Il avait parlé des loups comme s'il s'agissait d'animaux inoffensifs. Quels avaient été ses mots exacts ?

— Des chiens ! s'exclama-t-elle.

— Où ça ? demanda Ewan, surpris.

— Pas ici, non! Je pensais à Bruknir. Il a déjà traité les loups de «chiens des bois», lui expliqua-t-elle.

Pour la première fois depuis qu'elle le côtoyait, elle vit Ewan sourire franchement. Il retroussa un seul coin de sa bouche de manière à laisser sa joue tuméfiée au repos. Ce sourire bancal était irrésistible et Gaelle se perdit, un instant, dans ce pli.

— Ton protecteur ne manque pas d'humour!

— Hein?

— Ton protecteur ne manque pas d'humour, répéta Ewan.

— Comment sais-tu que Bruk veille sur moi? Je n'ai jamais raconté à qui que ce soit qu'il m'a sauvé la vie…

D'ailleurs, elle ne souhaitait pas en parler. L'ourse furieuse défendant ses petits, la chute du séquoia sur sa maison… Ces souvenirs la crispaient aussi désagréablement que lorsqu'elle faisait grincer la craie sur son ardoise, par mégarde, quand l'une des demoiselles Wells lui demandait d'effectuer un calcul.

— Tout à l'heure, il t'a cachée sous ses ailes. Or, les Vorgombres utilisent ce moyen de défense seulement en cas de danger et avec des individus qu'ils doivent protéger.

— On t'a déjà fait le coup?

— De la cape de mimétisme? Oui, quelques fois… Les Vorgombres s'en servent avec leurs petits, qui ne parviennent pas toujours à se camoufler, ou avec les chenilles.

Ils poursuivirent leur route sans avoir à discuter davantage, unis par le fil de ces confidences qui tressaient d'ores et déjà un lien invisible entre eux. Parvenus en haut de la longue côte d'où l'on distinguait Mentana en miniature, ils la dévalèrent, pressés d'arriver enfin à l'auberge.

***

— Maaaman ! claironna Zachary en les apercevant.

Margot sortit de la cuisine. Bien malin qui aurait su si le rouge de ses joues était dû à la chaleur des fourneaux ou à une intense bouffée de joie. Gaelle courut se blottir dans ses bras.

— Je m'excuse, lui souffla-t-elle.

La mère serra sa fille contre elle et fourragea dans ses boucles brunes, en signe d'apaisement. Puis elle remercia Ewan avec effusion.

— Vous devez mourir de faim…

L'après-midi était en effet avancé.

— Oh oui ! scandèrent-ils en chœur.

— Asseyez-vous. Je vais réchauffer de la soupe aux pois. Zac, peux-tu prévenir Muir du retour d'Ewan, comme il l'a demandé ?

***

Quand ils furent tous réunis autour d'une table, Gaelle les mit au courant des derniers événements. Si elle relata fidèlement chacune de leurs péripéties, elle s'arrangea toutefois pour modifier la distribution des rôles :

— Et là, Ewan était désarmé. Il fallait réagir ! Alors, j'ai ramassé une grosse pierre que j'ai lancée sur le crâne d'un des hors-sentiers, le tuant net.

— Toi, en train de viser juste ! s'exclama Zachary, épaté. Tu as toujours été nulle aux jeux de balle, contrairement à Sev.

Il a parfaitement raison. Que puis-je lui répliquer ?

— Pour ta gouverne, ta sœur a d'excellents réflexes, enchaîna du Tertre en guise de réponse. La force, la précision du tir… Il y allait de notre vie !

— Wow !

— Quant au troisième brigand, je lui ai infligé le coup du lapin, précisa Ewan.

— Wow ! répéta Zachary.

— Échec et mat ! se réjouit Muir.

— Gardez vos louanges ! protesta Margot. Que ferons-nous si la forêt devient un guêpier ?

— Analysons la situation, tout d'abord, rétorqua le cavalier émérite. Primo, Ewan, es-tu certain qu'il s'agissait de hors-sentiers ?

À vrai dire, du Tertre n'aurait pu le jurer en se fiant à ses propres observations. Il affirma pourtant qu'il avait bel et bien entrevu le tatouage de l'un d'eux en combattant.

— Hélas ! Je n'ai pas examiné leurs signes par la suite, s'empressa-t-il d'ajouter.

— Pardon ?!

— J'ai… J'ai complètement oublié de vérifier sur leurs cadavres, s'excusa-t-il d'un air embarrassé.

De la suspicion vint se mêler à la stupéfaction de Muir. Il se demandait comment son apprenti, d'habitude si prompt et si méthodique, avait pu omettre d'effectuer cette vérification essentielle, puisque les marques tatouées sur les poignets des hors-sentiers indiquent, sous la forme d'empreintes d'animaux, à quelle bande ils appartiennent. Son protégé était-il plus souffrant qu'il n'y paraissait ? Muir avait-il mal évalué la gravité de ses blessures ?

De son côté, Ewan préférait s'attirer des remontrances plutôt que de dévoiler qu'il avait appris l'identité de ses agresseurs grâce à une femelle Vorgombre. Pourvu que Djune ne se soit pas trompée !

— Ton état de santé altère ton jugement, Ewan du Tertre. Tu es au repos pour les trois prochains jours. Ne t'approche pas d'Akko ! trancha Muir.

Priver un cavalier de chevaucher constitue toujours une épreuve, mais cela demeurait une sanction clémente dans les circonstances. N'empêche ! Le jeune homme songea que, sans monture et sans chapeau, il ne valait guère plus qu'une bouillotte percée.

— Admettons que des hors-sentiers aient voulu voler Édouard Quat, concéda Muir. Déjà, ils violent leurs propres lois puisqu'ils ont coutume de s'attaquer uniquement aux voyageurs, jamais à des habitants. Par conséquent, leur chef ne sera pas enclin à les venger.

Il se leva de table et conclut :

— Si, en plus, nous laissons courir la nouvelle qu'ils ont été tués par un cavalier d'Imeronx et que quiconque s'en prendra à un citoyen de Mentana subira le même sort, je doute fort qu'il y ait des représailles. Chacun restera dans son camp.

— Vous semblez bien les connaître, remarqua Margot, rassurée par cet exposé plein de bon sens.

— Je m'y suis frotté plus d'une fois, si vous voulez savoir ! Trêve de bavardage, je dois aller contrôler l'identité des victimes et disposer de leurs corps. Ewan ne pouvant me servir de guide, je requiers les services de votre fils.

— Je selle Rafale et Topaze ! cria ce dernier en se ruant vers l'écurie.

Madame Miller lança un regard soucieux à Muir.

— Soyez tranquille, Margot ! Avec moi, Zachary est en bonnes mains. Personne ne le mettra échec et mat !

— Parce que vous êtes un fabuleux cavalier, je suppose, dit-elle en esquissant un sourire.

« Un cavalier qui a perdu sa reine depuis trop longtemps », songea Muir en quittant la salle à manger à son tour.

CHAPITRE 13

Des fils conducteurs

É douard s'arrêta de siffloter, au détour du chemin, alors qu'il rentrait chez lui avec l'intention de se préparer un festin. Il se figea, presque aussi raide mort que le lièvre qui pendait à sa main. Il constata, avec une peur grandissante, que ce qu'il avait d'abord pris pour de grosses branches mortes tombées sur son terrain était en fait des troncs d'hommes...

Dans sa maison, le spectacle ne valait guère mieux : l'endroit était sens dessous dessus ! Le pauvre Quat, hébété, sentit les pattes de son précieux lièvre lui glisser entre les doigts. Perdue parmi les débris, sa belle prise n'offrait plus aucune promesse de bonheur. Fort heureusement, Édouard aperçut le mot de Gaelle. Elle avait redressé la table, puis y avait déposé son message en le calant contre le pot à sel miraculeusement épargné durant le saccage.

Les quelques phrases griffonnées par la jeune Miller donnèrent l'once de courage nécessaire au vieil homme pour s'attaquer au nettoyage.

***

Quand il entendit les hennissements, Édouard dressa l'oreille, qu'il avait toujours fine, et poussa un soupir de soulagement en reconnaissant la voix familière de Zachary. Muir et le jeune homme avaient fait le trajet depuis Mentana au galop. Quat les accueillit cordialement. Après leur avoir indiqué où installer les chevaux, il les invita à entrer chez lui.

— Comme ça, vous avez eu de la visite imprévue, constata Muir mi-figue, mi-raisin.

— J'étais parti relever mes collets. Autant vous dire que, pour rien au monde, je n'aurais partagé mon civet de lapin avec ces barbares ! s'exclama Édouard en désignant les trois corps étendus dehors d'un mouvement de tête.

— Il faut s'en débarrasser, déclara le cavalier. Il y a trop de risques que ces cadavres attirent des animaux sauvages. Allons voir ça de près, Zac !

— Je vous accompagne, décréta Quat.

***

Muir s'accroupit pour mieux examiner les dépouilles. Il observa, un à un, les bras des hommes en retroussant leurs manches. Ewan avait raison : ces gaillards étaient bel et bien des hors-sentiers. Le tatouage sur l'intérieur des poignets le confirmait. Il s'agissait de deux marques noires de forme oblongue semblables à des gouttes d'eau.

— On dirait un sabot de chevreuil, remarqua Zachary, penché par-dessus l'épaule du cavalier.

— De mouflon pour être exact, le corrigea ce dernier.

— Qu'est-ce qui vous permet de l'affirmer ?

— Le « M » majuscule tracé entre les gouttes.

— Que signifient ces symboles ? s'enquit Quat, qui, contrairement à Muir, était peu familier avec les mœurs de ces truands.

— Les hors-sentiers se font des tatouages distinctifs à partir de l'empreinte d'un animal dont chaque clan endosse plus ou moins les habitudes. Ceux-ci portaient le « M » des « Mouflons ».

— Va-t-il en venir d'autres ? s'alarma le vieil homme.

Muir lui répéta ce qu'il avait déjà expliqué à Margot, un peu plus tôt à l'auberge : ces brigands avaient enfreint leurs propres règles en s'attaquant à un sédentaire. Personne ne chercherait à les venger.

— Je ne risque rien alors ? Vous en êtes sûr ? insista Édouard.

— Sûr et certain ! répliqua son vis-à-vis sans l'ombre d'une hésitation.

Il aurait pu répondre de « M » comme de lui-même. Ces individus appartenaient, de leur vivant, à la troupe des Mouflons. Muir n'avait pas menti à cet égard. Mais il avait menti sur la façon dont il l'avait su. En réalité, sur leur tatouage, les hors-sentiers n'inscrivaient pas l'initiale du nom de leur animal, mais celle de leur chef.

« M » pour Muir.

Tracady Muir.

Tracady en cavale depuis des années.

Tracady, qui, par la force des choses, était devenue un Mouflon.

Agile, farouche, insaisissable, fuyant constamment la présence des hommes. D'une vigilance extrême.

« M » pour « Meurtrière ».

Pour « Monstrueuse » aussi.

L'éclaireur ravala sa salive en jetant un dernier coup d'œil sur les tatouages. Il n'y voyait plus deux marques noires et oblongues évoquant une empreinte de sabot. Pour lui, ce dessin représentait deux grosses larmes. Gonflées par l'amertume.

Il se releva promptement, chassant, du même coup, la masse bruyante de pensées qui grouillaient dans son esprit et les fourmis qui grouillaient dans ses jambes.

— De retour à Mentana, je dresserai les constats de décès, dit-il. Trois hommes, dans la jeune vingtaine. Des hors-sentiers dont un – le plus grand d'après les indications d'Ewan – se prénommait Dan. Il me reste à dessiner leur visage.

— Ne soyez pas trop fidèle aux détails, lui conseilla Quat. Un loup qui a la rage est moins effrayant à observer !

— J'ai l'habitude d'embellir un tantinet les portraits des morts. Ce n'est pas la première fois, répondit Muir en retirant un carnet du sac de cuir qu'il portait en bandoulière. Rentrez chez vous, Quat.

— Pour ça ! J'ai de quoi faire…

— Attends-moi, Édouard ! Je vais te donner un coup de main, lança Zac en lui emboîtant le pas.

***

Ses croquis terminés, Muir songea à la suite des événements.

Brûler les dépouilles aurait été une bonne action, car il savait que les hors-sentiers pratiquaient la crémation des morts en élevant des bûchers funéraires. Cependant, le cavalier n'était pas tenu de respecter les rituels des hors-la-loi, surtout si, pour ce faire, il risquait d'embraser la forêt. Malgré le froid, le sous-bois restait sec. Il était tapissé de combustible de premier choix : feuilles mortes, aiguilles et branchages à profusion.

Au moment de disposer d'un corps, Muir devait agir en songeant à la sécurité des gens. Ici, le plus sage, le plus simple aussi, était d'éloigner les cadavres de la maison de Quat et de les livrer en pâture aux bêtes sauvages dans un lieu isolé. En plein mois de novembre, la chair humaine ferait la joie des carnassiers, puis celle des charognards. Cette décision prise, il ne restait plus qu'à l'appliquer.

Muir et Zachary abandonnèrent donc les dépouilles des brigands à l'orée d'une petite clairière dont Édouard leur avait indiqué l'emplacement. La lune se pointait déjà dans le ciel. Aussi les cavaliers s'empressèrent-ils de retourner à Mentana.

***

— Ces morts sont plus collants que de la gomme de sapin ! s'exclama Djune du haut de sa cachette.

Bruknir se mit à rire. Ses ailes frémissantes effleurèrent sa compagne. Les deux Vorgombres s'étaient en effet installés tête-bêche, cette position leur permettant à la fois de demeurer au chaud et d'avoir une meilleure vue d'ensemble.

— *Djrrr !* grommela Djune de mauvaise humeur. Il ne vient jamais personne dans cette clairière. Et voilà qu'on y dépose trois tas de chair, pile au pied de l'arbre sur lequel nous nous reposions !

— Je crois que c'est justement pour cela qu'on les a déplacés ici, Djune. Parce que l'endroit est toujours désert.

— Pas la nuit ! tint-elle à préciser. Les loups de Mentana s'y rassemblent parfois. J'aime bien les observer et les entendre hurler.

— Réjouis-toi alors ! Ces gloutons de carnivores nettoieront tout ça, vite fait ! Il ne restera pas la moindre tripe.

— *Djark!* Bruk, tu es dégoûtant!

— Vraiment? Tu pourrais d'ailleurs leur signaler qu'ils te doivent ce festin puisque tu as tué deux de ces proies. Les loups ont la réputation d'être reconnaissants.

— Qu'as-tu entre les antennes? De la brume? s'énerva la Vorgombre. Si j'ameute les loups, tout notre clan sera bientôt au courant que j'ai enfreint les règles. *Des combats humains...*

— *... jamais tu ne te mêleras!* la coupa Bruknir. C'est bon! Je persiste à dire que tu ne pouvais pas demeurer là les pattes croisées. Tu as eu raison d'agir ainsi.

— Ce n'est pas toi que je dois convaincre...

— En effet. Allons-y, alors!

— Déjà?

— Il fait assez sombre désormais. Suis-moi!

Ils traversèrent la clairière à pleines voiles et se rendirent dans une partie de la forêt peu familière, car ces cimes appartenaient à une autre bande de papillons de nuit. Chaque fois qu'ils croisaient un Vorgombre, ils planaient un instant à ses côtés en formulant toujours la même requête: «Nous sommes de la tribu de Belk et cherchons la vénérable Tanaïs. Sais-tu où elle est?» Quelqu'un leur indiqua qu'ils la trouveraient en bas, le long de la Louve.

Ils la repérèrent bientôt sur un bloc de granit qui surplombait la rivière. Chaudement emmitouflée dans ses ailes d'un joli blanc laiteux, elle leur faisait dos et contemplait le reflet des étoiles sur l'eau. Des éclats d'argent ricochaient sur les flots, pareils à des abeilles batifolant de fleur en fleur. Les antennes plumeuses de Tanaïs, à demi dressées, ondulaient de plaisir devant cette vision féerique.

Chez les Vorgombres, surprendre quelqu'un par-derrière est au mieux un signe d'une excessive familiarité, au pire un acte d'agression. Voilà pourquoi Djune et son complice s'apprêtaient à contourner Tanaïs de manière à la saluer de face avec la déférence due à son statut de chef de bande.

— Salut à toi, jeune mâle du clan de Belk! lança-t-elle, sans se retourner, à l'intention de Bruknir.

— Comment m'as-tu repéré? demanda-t-il, ahuri.

— À ton odeur… Et maintenant à ta voix! Tu n'es pas seul d'ailleurs…

— *Djô!* L'effluve de Bruk n'a pas masqué la mienne? s'étonna Djune. J'ai pourtant fait attention de rester dans son sillage, juste derrière lui.

— Et moi qui étais si fier de te servir d'éclaireur! maugréa son compagnon en constatant, une fois de plus, à quel point Djune faisait preuve d'indépendance dans ses moindres faits et gestes.

Tandis qu'ils se posaient auprès de Tanaïs en inclinant la tête et le torse, celle-ci répondit à Djune, amusée:

— Je n'ai pas perçu ton odeur, en effet. Il aurait fallu cependant que tu battes des ailes exactement au même rythme que Bruknir pour éviter que j'aperçoive vos deux ombres projetées sur le sol.

— Merci du conseil. Je l'appliquerai, la prochaine fois.

— Vous n'êtes pas venus à ma rencontre pour avoir des conseils de ce genre, n'est-ce pas? s'enquit Tanaïs avec la perspicacité qui la caractérisait.

— Hélas, non! se désola Djune.

Elle lui raconta les événements survenus au cours de l'après-midi en énumérant les fautes qu'elle avait commises:

— Je n'aurais pas dû épier Bruknir… Pas dû me montrer en plein jour. Ni m'exposer à la vue de Gaelle Miller et d'Ewan du Tertre. Et encore moins intervenir… Je n'aurais jamais dû tuer deux hommes. Pour une histoire à laquelle je n'aurais jamais dû me mêler… Je n'aurais surtout pas dû dévoiler mon nom.

— Ça, c'est de ma faute! précisa Bruknir à sa décharge.

— *Ffff!* Au point où j'en suis, remarqua Djune avec aigreur.

— Au point où tu en es, j'aimerais que tu me dises pourquoi tu as agi ainsi alors que tu n'aurais absolument pas dû, la sonda Tanaïs.

— Je… *djé!* J'ai pensé… qu'il fallait… secourir Ewan.

— Pourquoi donc?

— Parce qu'il est ton fils!

— Non, déclara Tanaïs d'un ton neutre. C'est un petit d'homme, pas un Vorgombre.

Chacune des facettes illuminant les grands yeux noirs de Djune s'éteignit aussi sûrement que lorsqu'on souffle toutes les chandelles d'un candélabre. Il n'y a rien de tel que la déception pour ternir le plus beau des regards. Elle avait tant espéré le soutien de Tanaïs! La chef de clan poursuivit, d'une voix plus chaleureuse:

— Ewan du Tertre est *comme* mon fils. Qu'est-ce que cela signifie à ton avis?

— Qu'il s'agit en quelque sorte d'un choix que tu as fait…, hasarda Djune.

— Exactement! Selon nos lois, je n'aurais même pas dû approcher ce bébé abandonné sur sa butte. Mais, j'ai décidé de le sauver parce que cela me semblait juste et nécessaire.

Tanaïs se tut un instant avant d'ajouter:

— Si tu ne sais pas défendre tes choix, Djune, qui le fera à ta place? Voilà ce que tu dois garder à l'esprit au moment où tu t'expliqueras avec les tiens. Dans les circonstances, tes propres convictions te seront beaucoup plus utiles que n'importe quel appui.

— Je m'en souviendrai.

— Je l'espère!

Ils la saluèrent respectueusement. Puis Tanaïs s'amusa de leur échange au moment de leur envol:

— Passe devant, Bruk!

— Non, je t'en prie… Les femelles d'abord.

— C'est beaucoup mieux, en effet. Ainsi, je n'aurai pas besoin de ralentir ma cadence.

— Ralentir ta cadence? *Djô*, prends ça! riposta Bruknir en heurtant sa complice.

***

Tanaïs se perdit de nouveau dans la contemplation de la Louve, laissant ses idées jaillir et s'écouler avec la fluidité de l'eau. Ainsi, les pas de son cher Ewan l'avaient ramené dans la forêt où il avait grandi… *Fffi!* Dire que le vent, petit cachottier, ne lui avait pas encore rapporté cette nouvelle.

Longue Vue protégée à la fois par Bruknir et du Tertre.

Djune assurant à son tour la protection d'Ewan.

Il y avait là un fil qui partait de la jeune Gaelle Miller et qui s'enroulait aussi sûrement que la chenille tisse son cocon.

Dans quel dessein? Tanaïs ne parvenait pas à s'en faire une idée nette.

Par contre, elle croyait, comme jamais, que le destin des hommes et celui des Vorgombres devaient se rejoindre. N'était-ce pas mue par cet instinct qu'elle avait secouru ce minuscule pousse-rots enveloppé dans une couverture et criant famine, seize automnes auparavant? Elle sourit en se souvenant des ruses qu'elle avait dû déployer pour lui procurer du lait… Quant au prénom du bébé, Ewan, il était gravé sur un végétal d'une espèce inconnue que quelqu'un avait caché dans ses langes. Une feuille ronde avec une entaille, vert lustré sur une face, brune, sur l'autre.

Cette feuille, tout en conservant sa souplesse et son éclat, s'était lovée sur elle-même, formant un petit rouleau.

Au gré des saisons, Tanaïs avait découvert, fascinée, qu'Ewan du Tertre était constitué de la même matière que Belk. Elle ne pouvait expliquer autrement leur stupéfiante ressemblance sur le plan du caractère et du comportement. Intelligents, sûrs de leur jugement, fidèles jusqu'au bout à leurs principes. Et aussi, distants, critiques, moroses! Tanaïs comprit en fin de compte que l'instinct qui l'avait poussée auprès de ce bébé provenait en fait de son propre cœur. Homme ou papillon. Ewan ou Belk. Elle les avait aimés d'emblée, comme la grêle se met à tomber parfois l'été sans aucun avertissement. Où était la frontière, la ligne nette tracée entre l'univers des hommes et celui des Vorgombres? Belk semblait le savoir. Tanaïs, pour sa part, l'avait toujours ignoré.

Elle avait élevé Ewan de manière à ce qu'il puisse penser en Vorgombre. Mais elle l'avait aussi éloigné de la forêt, plus vite qu'elle ne l'eût souhaité certes, pour qu'il apprenne à vivre selon les mœurs et coutumes de son espèce. Cinq ans auparavant, un Vorgombre de sa tribu avait escorté Ewan à la garnison de la cavalerie d'Imeronx réputée, à travers les contrées, pour accueillir les garçons orphelins ou malmenés par la vie, pour peu qu'ils se montrent vaillants et dégourdis. Le «dépôt» avait eu lieu en pleine nuit. Combien de fois depuis Tanaïs s'était-elle demandé si elle avait fait le bon choix? Elle venait d'avoir sa réponse.

CHAPITRE 14

Les échos
de Lotz

Après sa longue méditation sur le bord de la Louve, Tanaïs eut envie de se dégourdir les ailes. Elle virevolta dans la canopée, saluant au passage chaque membre de sa tribu. Sa ronde terminée, elle décida de se poser sur le tronc d'un arbre mort pour observer un mâle qui apprenait à reconnaître les champignons comestibles à son petit Vorgombrin. Quelques espèces subsistaient après les premiers gels et ces végétaux dodus, sans avoir l'onctuosité du nectar des fleurs de navours, étaient nourrissants et agréables au goût. Ils servaient de dernières réserves avant la disette des mois d'hiver.

Peu à peu, les pensées de Tanaïs s'engagèrent de nouveau vers Belk. Cela la ramena presque trente ans en arrière, alors qu'il lui suffisait de déployer ses ailes transparentes

ourlées de vert émeraude et parcourues de nervures am-
brées pour faire frétiller les antennes des jeunes mâles. À
cause du manque de soleil, ses voiles s'étaient épaissies et
assombries, jusqu'à devenir opaques. Au grand soulagement de la fière Vorgombre, elles avaient néanmoins conservé leurs éclatantes parures d'ambre et d'émeraude.
Quant aux poils de son torse, ils étaient devenus touffus
afin de s'adapter au rude climat hivernal. Tanaïs y avait
gagné une somptueuse fourrure argentée.

***

Il en est du peuple papillon comme de celui des hommes :
quelques individus sont d'éternels aventuriers, mais la
plupart préfèrent la quiétude d'un habitat sûr dont ils
changent au gré de leurs besoins ou de leurs unions. Voilà
pourquoi les colonies de ces lépidoptères peuvent subir de
grandes variations de population. Dans chaque tribu, il
existe toutefois deux ou trois familles maîtresses qui occupent le territoire depuis plusieurs générations. Belk
appartenait à une de ces familles établies depuis d'innombrables lunes dans un emplacement dominant une vallée
encaissée, qui bénéficiait d'un microclimat favorable aux
cultures.

Au début, la forêt s'étendait à perte de vue, aussi dense
qu'une chevelure crépue. Lorsque les premiers humains
se pointèrent, cent ans auparavant, par grappes de trois

ou quatre d'abord, puis par bandes un peu plus nombreuses, ils modifièrent le paysage plutôt que de s'y adapter, construisant d'étranges nids de pierre et donnant aux lieux des noms dénués de sens : Maurpley, Didagris, le val de Ninss…

Peu désireux de se mêler à la gent des sans-ailes, les Maïvorgs, comme les papillons de jour géants se nomment à présent (*maï* signifiant « jour », et *vorg* « voler »), fréquentèrent de moins en moins la vallée. Ils préféraient généralement virevolter entre eux. Néanmoins, quelques papillons curieux et téméraires continuèrent à se nourrir, de temps à autre, de fleurs ou de fruits poussant dans le val, croisant à l'occasion des pionniers, qui les contemplaient, avec émerveillement. Il n'y a en effet rien de plus admirable dans la nature que les immenses ailes chatoyantes et colorées d'un Maïvorg butinant au soleil. Le souvenir de ces rencontres se perdit toutefois dans la tête des hommes qui ne le transmirent pas à leurs descendants.

Le clan auquel appartenaient Tanaïs et Belk vivait donc en surplomb du val de Ninss dans une spacieuse clairière de granit reposant sur une source d'eau chaude souterraine, si bien que la température y descendait rarement en dessous du point de congélation. D'en bas, il fallait traverser une forêt à flanc de montagne pour l'atteindre. Quant à l'entrée de ce repaire, elle s'effectuait par des fissures dans le roc si étroites que plus d'un coyote trop fouinard y était resté coincé. L'accès par la voie des airs était évidemment plus rapide, mais cela supposait beaucoup de discrétion de manière à ne pas dévoiler l'existence de ce refuge aux humains, dont on ignorait encore s'il s'agissait ou non d'une espèce prédatrice.

Une végétation luxuriante s'étendait à l'intérieur de cette oasis gorgée de soleil et abritée des vents, où les hivers étaient beaucoup plus cléments que dans les plateaux alentour. Les diverses essences de feuillus, les fleurs odorantes et les tapis de mousse d'un beau vert tendre à longueur d'année ne manquaient jamais d'eau puisque celle-ci s'écoulait, en différents endroits, le long des immenses parois de granit.

Chaque fois que Tanaïs se remémorait ce lieu où la vie lui avait été si douce, elle éprouvait de profonds regrets. Pourtant, elle savait en son for intérieur qu'elle appartenait dorénavant à l'esprit de cette forêt. Qu'importe ! La souffrance d'avoir été bannie de son lieu d'origine vingt-cinq ans auparavant était toujours vive.

***

La suspicion des Maïvorgs à l'égard de la race humaine s'accentua au fil du temps. Les premiers échos troublants provinrent d'un papillon migrateur et solitaire, nommé Lotz. Ce vieux mâle respecté, qui traversait le vaste océan chaque automne, avait pris l'habitude de s'arrêter quelques jours dans la clairière avant d'entamer sa course périlleuse.

Dès son arrivée, on se pressait autour de lui, car il avait toujours des histoires fascinantes à raconter.

Tanaïs était une très jeune chenille le jour où Lotz rapporta que sur la côte, située à deux jours de vol de la vallée, les hommes formaient une meute toujours plus imposante. Les sans-ailes, pour remédier à leur terrible incapacité de voler, se propulsaient sur l'eau dans d'immenses arbres flottants, munis d'ailes en tissu. Or, ces embarcations rejetaient sans cesse de nouveaux arrivants sur le littoral.

— Je crains qu'ils y soient bientôt aussi nombreux que le trèfle dans les champs, remarqua Lotz, qui survolait cette région depuis des lustres.

La présence des humains dans ce lieu à ciel ouvert sur le bord de l'océan qu'ils avaient appelé Imeronx remontait à trois cents ans. Ce fut longtemps un site reconnu pour la pêche et le troc avant de devenir un modeste village. À présent, Imeronx prenait l'allure d'une ville.

***

L'automne suivant, Lotz leur confia que les sans-ailes avaient réussi à enfermer tous les moutons dans des enclos.

— *Pfff!* railla quelqu'un dans l'assistance. Ces bêêêêtes sont si sottes qu'elles obéiraient à un lapin.

— Vrai! répliqua Lotz. Sauf que maintenant il n'en existe plus un seul à l'état sauvage. Et il y a beaucoup plus surprenant encore… Beaucoup, beaucoup plus surprenant!

— Quoi? *Djô!* le pressèrent plusieurs voix.

— Les hommes sont aussi parvenus à apprivoiser – j'ignore comment – les fougueux mustangs.

— C'est impressionnant, en effet. Les chevaux sont plus fiers et plus indépendants que les moutons.

— Parlant de la fierté des ruminants, poursuivit Lotz, les sans-ailes ont pris l'habitude de les tondre pour leur laine.

— Qu'est-ce que ça veut dire les «tondre» ? l'interrogea Stej, un Maïvorgin avide de connaissances.

— Cela signifie «couper les poils affreusement courts».

— Le mouton… il se retrouve la peau à l'air? demanda Stej, les yeux écarquillés d'étonnement.

— *Djoui!* Il est nu comme un ver jusqu'à ce que sa toison repousse.

Un éclat de rire parcourut l'assemblée. Plusieurs larves se tortillèrent même à en perdre haleine. La chenille Tanaïs, quant à elle, s'efforça de rester calme. Lotz les fit tous taire d'un «tche-tchem» sifflé entre ses mandibules:

— Le problème, c'est que les humains, toujours plus nombreux, tondent aussi une bonne partie de la forêt du littoral. Or, les arbres ne repoussent pas aussi vite que la laine des moutons. De plus, pour construire leurs nids de pierre, les hommes cassent le roc de la montagne. Un jour, ils la troueront de part en part!

— Certes, ces faits sont préoccupants, jugea Lestig, le père de Belk, qui était aussi le chef de la tribu. Heureusement, les sans-ailes de notre vallée sont beaucoup plus respectueux de la nature et beaucoup moins envahissants que ceux de ton lointain rivage. Jusqu'à maintenant, ils ne nous ont donné aucune raison de nous méfier d'eux.

— Un Maïvorg averti en vaut deux, répondit simplement Lotz.

— Et pour cela nous te remercions, acquiesça Lestig en s'inclinant de manière à lui signifier sa considération.

Les autres papillons l'imitèrent, même le jeune Stej dont la taille était si petite que le bout de ses antennes heurta le sol comme deux boulets.

— *Tchouille! Ouille!* s'écria-t-il en se redressant et en frottant ses membres endoloris.

Lotz émit un rire bienveillant avant de prononcer ces mots tant attendus :

— Comme j'en ai l'habitude, j'offre maintenant un tour à la chenille qui s'est montrée la plus sage au cours de cette assemblée.

Tanaïs contracta les dix anneaux de son corps en retenant son souffle : elle espérait tellement être choisie.

— Toi! lança Lotz en la pointant de la patte. Tu as gardé ton sérieux tout au long de la conversation. Allez, *djop!* Grimpe sur mon dos.

Ainsi, le vieux papillon initia la petite Tanaïs au plaisir de voler. Ils s'aventurèrent le long de la crête des montagnes.

Une chenille, aussi vorace et curieuse soit-elle, finit toujours par arriver au bout de quelque chose. D'une feuille, d'une branche, de son souffle. Or ce jour-là, Tanaïs put dévorer des yeux l'au-delà pour la première fois. Dans le ciel ou sur terre, chaque détail l'émerveillait. Au moment où Lotz la ramena à son refuge, elle le remercia de la plus belle façon qu'une chenille puisse le faire :

— Quand je tisserai mon cocon, il y aura un fil juste pour toi !

— Tu seras un papillon distingué, lui prédit-il, ému par cette délicate attention.

✳✳✳

Au cours des saisons qui suivirent, d'autres papillons voyageurs mêlèrent leurs voix à celle de Lotz, en rapportant, chaque fois, des nouvelles de plus en plus déroutantes.

Les gens d'Imeronx avaient appris, entre autres, à capturer des éclats de soleil pour les confiner dans de petites cages de verre qui illuminaient leurs habitations, la nuit venue, à la manière de lucioles assagies.

Quant à leurs embarcations, elles ne voguaient plus sur l'eau poussées par la force tranquille du vent dans leurs ailes en tissu. Les humains avaient bouleversé l'ordre des choses depuis qu'ils avaient inventé une machine assourdissante dont on ne savait pas si elle emprisonnait les nuages ou si elle les produisait. Le fait est que leurs bateaux avançaient désormais – tout seuls! – en crachant une épaisse nuée grise.

Plusieurs sans-ailes disposaient d'un long dard de fer qu'ils utilisaient au moment de lancer une attaque ou de se défendre. Le plus effrayant restait toutefois cet objet singulier qu'ils fixaient à leur index. C'était une sorte de tube dans lequel les hommes avaient enfermé la foudre. Dès qu'ils le pointaient sur leurs ennemis, ils les tuaient net d'un trou dans la poitrine! Par bonheur, fort peu d'individus possédaient ce redoutable instrument, qui d'ailleurs refusait de fonctionner par temps humide.

À vrai dire, les Maïvorgs arrivaient mal à se représenter ce tube aux coups mortels, car les habitants de leur vallée chassaient encore à l'aide de pièges que ce soit pour se nourrir ou se vêtir. Les hivers étaient rudes, quoique courts. Les fourrures des loutres et des renards, particulièrement chaudes, étaient prisées par les hommes. Quant aux coyotes, ils croquaient volontiers les poules des fermiers. Un loup ou un ours affamés pouvaient aussi manger de la chair humaine de temps à autre. Et alors? Chacun tuait pour une bonne raison, maintenant de la sorte un équilibre ancestral.

Comment expliquer toutefois que les femelles humaines se fassent des parures, appelées des châles, à partir d'ailes de papillons géants? Cela se passait dans des contrées très lointaines d'après ce qui avait été raconté aux Maïvorgs, mais l'horreur de ce geste n'en demeurait pas moins vive dans leur esprit. Que des hommes arrachent des ailes sur des papillons encore vivants simplement pour que celles-ci conservent tout leur éclat, voilà qui était purement inconcevable !

***

Cette dernière histoire marqua particulièrement Tanaïs, qui en avait pourtant entendu d'autres au fil des ans. Elle avait vu le jour, sous forme d'œuf, six printemps auparavant. Belk avait un printemps de plus. Les deux Maïvorgs s'étaient ignorés durant les trois années de leur stade larvaire, les chenilles ne pensant, dans l'ordre, qu'à s'empiffrer, à s'amuser et à semer les prédateurs. Elles doivent en effet devenir le plus charnues possible au moment de se chrysalider afin de pouvoir demeurer dix longs mois dans leur cocon sans rien grignoter.

Un des jeux préférés de la chenille Belk consistait à se cacher dans un feuillu bien touffu avec une réserve de glands de chêne noir ou mieux de bogues de marronniers. Bombarder et atteindre un écureuil valait un point. Un lièvre, trois points. Un oiseau en plein vol, cinq, et ainsi de suite. Certains animaux, plus gros et plus forts que les larves des lépidoptères géants longues d'un pied, ne devaient cependant jamais être importunés. En premier lieu, le renard gris et la martre, qui sont capables de grimper aux arbres. Durant sa jeunesse, Belk avait donc développé de remarquables réflexes tout en acquérant une profonde connaissance de la forêt et de ses créatures.

Une fois sa métamorphose en papillon accomplie, le fier mâle n'avait pu empêcher ses antennes de vibrer, ainsi que toutes les parties de son corps d'insecte, pour Tanaïs. De son côté, la charmante femelle avait senti le sang affluer dans ses ailes, la première fois qu'elle avait aperçu Belk. Les couples de Maïvorgs se forment au gré de l'attirance sexuelle et se défont aussi spontanément que la brise éparpille les pétales des roses flétries. Il en aurait été sans doute ainsi de Belk et de Tanaïs s'ils n'étaient pas devenus des fugitifs.

Comment cela s'était-il produit ?

Quel avait été l'enchaînement exact des choses ?

Sans l'ombre d'un doute, la triste destinée de Lotz avait été un tournant. À partir de là, chacun avait dû choisir son camp…

CHAPITRE 15

En chute libre

Certains événements n'appartiennent jamais au passé pour de bon, car ils prennent un malin plaisir à se comporter de la même façon que les grillons : ils creusent des terriers profonds dans l'esprit de celui qui les a vécus et y font entendre leur chant strident dès que perce la lueur d'un souvenir. Or, le cri-cri lancinant qui s'élevait en ce moment dans la tête de Tanaïs était d'une infinie tristesse.

Aussi la vénérable Vorgombre, celle qui aujourd'hui méditait, seule, en pleine nuit et en pleine forêt sur le tronc d'un arbre mort, frissonna-t-elle, mais pas autant que la jeune Tanaïs, le jour où elle apprit la tragique nouvelle concernant Lotz…

***

Cette annonce parvint aux Maïvorgs par l'entremise de Stej. Le Maïvorgin, qui jadis buvait les paroles du vieux papillon migrateur, parcourait à son tour le vaste monde. Sa soif de connaissances ne s'était guère tarie avec les années. Il fit escale à la clairière par une douce matinée de septembre. On se massa autour de lui en grand nombre.

— Vous avez saisi, d'écho en écho, qu'à Imeronx, les choses ont beaucoup changé en peu de temps, commença-t-il sans préambule. Les hommes maîtrisent désormais les éléments comme aucun animal ne sait le faire. Ils n'ont guère besoin d'être prudents, ni discrets et, par conséquent, ils vivent à découvert, n'entrant dans leurs tanières que le soir et encore! Souvenez-vous pourtant que Lotz les a déjà traités d'infirmes parce qu'ils ne peuvent pas voler...

— Il a bien raison! approuvèrent plusieurs papillons.

— Détrompez-vous! Les sans-ailes sont plus rusés que le corbeau et le renard réunis. Sur terre, ils ont dompté les mustangs pour pouvoir se déplacer rapidement et à leur guise. Sur mer, ils domptent les vagues grâce à leurs embarcations auréolées de fumée. Ils ignoraient cependant comment se mouvoir en plein ciel.

— *Djôô!* Ont-ils trouvé une manière d'emprisonner le vent dans un de leurs curieux objets?

— Ils n'ont rien eu à inventer, cette fois. Pas de cage qui renferme des éclats de soleil, ni de tube qui lance la foudre sur l'ennemi, répondit Stej. Vous rappelez-vous des moutons que les hommes ont cantonnés derrière des clôtures?

Plusieurs hochèrent la tête. Tanaïs, blottie au creux des pattes de Belk, sourit même en se remémorant la réaction du petit Stej lorsqu'il avait appris que les moutons tondus n'étaient pas mieux que nus.

— Nous aurions dû y prendre garde! s'exclama Stej d'un ton qui donna la chair de poule aux chenilles. Car je redoute le jour, pas si lointain, où les enclos seront aussi remplis de papillons.

Les antennes de chacun se raidirent à ces mots et, si l'on avait observé l'assemblée du ciel, elle aurait eu l'air d'un gigantesque porc-épic sur la défensive. Même les chenilles, d'habitude si actives, se figèrent. Stej justifia ses craintes en leur relatant, avec beaucoup d'émotion, ce qu'il était advenu de Lotz. Malgré la chaleur de ce matin ensoleillé, malgré les pattes de Belk qui l'étreignaient, Tanaïs sentit peu à peu le froid l'envahir aussi inexorablement que la marée montante.

— Lotz a été constitué prisonnier par un groupe d'hommes d'Imeronx. Il était très âgé, ses réflexes l'ont trompé. Je ne m'explique pas sa capture autrement. Je survolais la côte quand je l'ai aperçu. Il était enfermé dans une cage en fer posée au sommet d'une falaise. J'ai atterri en vitesse pour me précipiter à son secours. Mais Lotz m'a ordonné de m'éloigner. «Les sans-ailes vont bientôt revenir, m'a-t-il dit. Et tu ne peux plus rien pour moi.» J'ai protesté.

« Regarde un peu ces entraves ! » a-t-il sifflé en colère en faisant cliqueter les lourdes chaînes qui lui sciaient les ailes et les pattes. Je dus me rendre à l'évidence… Il était impossible de le libérer.

Les Maïvorgs furent indignés d'apprendre qu'un des leurs avait été traité de manière aussi infâme. Rien ne devrait retenir un papillon à terre, surtout pas des fers.

— Lotz m'a fait promettre qu'au moindre danger j'irais me réfugier sur un des rochers à fleur d'eau, au bas de la falaise. Il m'a ensuite expliqué que les hommes étaient partis chercher l'équipement qu'ils mettent à leurs coursiers pour le lui passer.

— Ils voulaient monter Lotz comme un vulgaire cheval ! fulmina une femelle à la livrée rouge orangé.

La grogne reprit de plus belle au sein de l'auditoire. En sa qualité de chef, Lestig, le père de Belk, les incita au calme.

— Posséder une monture ailée n'est pas un acte vulgaire aux yeux des sans-ailes, se désola-t-il. Après la terre et l'eau, ils désirent sillonner le ciel. Il s'agit bien de cela, n'est-ce pas, Stej ?

Ce dernier confirma d'un air sombre :

— Cette terre que les sans-ailes ont nommée Imeronx a toujours fait partie du parcours migratoire des plus aventureux d'entre nous, car il y souffle des courants d'air propices pour entreprendre la longue traversée de l'océan. D'habitude, la migration est un acte solitaire, mais il arrive parfois que de petits groupes de Maïvorgs voyagent ensemble au moment de franchir ces flots. À force d'observer nos déplacements au-dessus de leurs têtes, les hommes ont fini par imaginer une façon de voler. Et ils chercheront à nous dompter par tous les moyens.

— Mais, Lotz, lui, qu'a-t-il fait ? S'est-il soumis ?

— Quelle question stupide ! s'écria Tanaïs.

Plusieurs anciens lui lancèrent des regards scandalisés. *Pfff !* La fougue de la jeunesse…

— Veuillez pardonner mon emportement, s'excusa-t-elle. C'est juste que Lotz a toujours été si indépendant…

— En effet ! acquiesça Stej. Il est mort ainsi qu'il a vécu : en papillon libre d'agir à sa guise. Dès que j'ai senti l'ennemi approcher, j'ai salué mon vieil ami et je suis allé me réfugier, comme convenu, sur un récif d'où j'ai fixé les airs anxieusement. Au bout de quelques instants, j'ai aperçu Lotz en plein ciel, des œillères aux yeux, avec un sans-ailes installé à califourchon sur son tronc qui tirait sur des rênes. Ils se sont élevés très haut au-dessus des eaux. En entendant la clameur des hommes, leurs rugissements de victoire, j'ai prié le vent pour que Lotz se débarrasse de l'horrible tique qu'il avait sur le dos ! Il a fait beaucoup mieux…

— Quoi ?

— Il a pris la position qu'ont nos défunts lorsque nous les mettons en terre.

Des cris de stupeur et d'admiration parcoururent la foule tant l'image qui venait de s'imprimer dans les esprits était percutante. Afin de bien rendre compte du sacrifice de Lotz, Lestig exprima d'une voix claire ce que Stej venait de souffler à demi-mot :

— Il a replié ses ailes sur son torse et il s'est laissé choir !

— Oui, il a chuté dans les flots, entraînant à sa suite son cavalier, poursuivit Stej. Si Lotz s'était simplement débarrassé de lui, les hommes y auraient vu un accident. Une de ces ruades caractéristiques de n'importe quelle bête en cours de dressage. Tandis que, là, ils ont été avertis : les papillons préféreraient croiser leurs ailes et mourir plutôt que de voler sous l'ordre d'autrui.

— Toi qui connais ces gens mieux que nous, crois-tu qu'ils tiendront compte de cet avertissement ? s'enquit Lestig, la mine défaite.

— Cela nous fera gagner du temps.

— Tu n'as pas répondu à ma question, Stej.

— Les hommes d'Imeronx reviendront à la charge tant et aussi longtemps qu'ils auront des yeux pour contempler les étoiles et un cœur pour rêver de voler. Le mot se donne déjà chez les papillons migrateurs de modifier notre trajet.

— Cette espèce est notre ennemie ! décréta Ferkyos.

Ce jeune mâle était un individu puissant doté d'un esprit vif. Il descendait, comme Lestig et Belk, d'une des familles fondatrices de la tribu et il possédait une assurance innée.

— Comment qualifier autrement ceux qui s'attaquent à nous en arrachant nos ailes pour s'en faire des châles et notre liberté pour pouvoir voler ? ajouta-t-il.

— Ne tires-tu pas des conclusions trop hâtives, Ferkyos ? lui demanda Lestig. Il y a autant de variétés d'humains qu'il y a de fleurs. Toutes les plantes ne sont pas carnivores ou vénéneuses.

— Ton aveuglement nous…, gronda Ferkyos.

Il se tut, au prix d'un grand effort, en percevant la désapprobation des autres Maïvorgs. Ce n'était pas une façon de s'adresser au chef de la tribu.

***

Un imperceptible froufrou d'ailes ramena Tanaïs à l'instant présent. Elle reconnut l'odeur de Belk avec un soulagement mêlé de joie. Voilà qui allait sûrement l'apaiser… Elle lui fit une place afin qu'il s'installe à ses côtés sur le tronc où elle se reposait.

— Je t'observe depuis un moment déjà, lui confia-t-il. Tu étais plongée dans tes pensées. À quoi réfléchissais-tu ?

— Aux sans-ailes d'Imeronx qui ont causé la perte de Lotz. Je me disais que ces hommes songeront peut-être un jour à se rendre sur la Lune.

Belk s'esclaffa et la fit basculer par terre, dans le duvet des feuilles mortes. Les nervures d'ambre sur les voiles grises de la femelle se gonflèrent aussitôt de plaisir.

Le mâle l'étreignit de ses pattes inférieures. La caressa de ses pattes supérieures. Avec la tendresse née d'une longue fréquentation.

— Tu es glacée! chuchota-t-il. Je vais te réchauffer…

Il joignit le geste à la parole. Avec la fougue d'un amant trop longtemps séparé de sa bien-aimée.

Un vieux loup solitaire, qui passait par là, détourna le regard en devinant ce qui se tramait dans les feuilles bruissantes. Il leva le museau dignement et retroussa ses babines en émettant un grognement désapprobateur. Grrr! On était aux portes de l'hiver et ces papillons, toujours aussi extravagants, se croyaient en pleine saison des amours!

***

Leurs ébats terminés, Tanaïs se lova dans les ailes de Belk. Les deux Vorgombres, allongés par terre, contemplaient les étoiles en reprenant leur souffle.

— J'ignore si j'aurais survécu à tant d'épreuves sans la présence des fleurs du ciel, remarqua Tanaïs. Chaque fois que je suis triste, je les admire en m'imaginant qu'il s'agit d'un champ de marguerites. Je raffolais de cette plante.

— Tu as toujours aimé les choses simples!

Tanaïs sourit:

— Tant mieux pour moi! Sinon comment serais-je parvenue à passer de la dégustation du suave chèvrefeuille aux fades champignons?

— Djune est venue me voir tout à l'heure, lui confia Belk.

— Pour être honnête, j'en ai eu vent...

— J'en étais sûr! s'exclama-t-il. J'aurais pu parier ma réserve de fruits séchés là-dessus.

— Raconte!

— Djune m'a expliqué qu'il était de son devoir d'intervenir pour sauver Ewan – tout comme il est du devoir de Bruknir de protéger Gaelle –, et ce, en dépit du fait que cela l'a obligée à violer de nombreuses règles. J'avoue qu'elle a été fort convaincante!

— Je l'imagine bien! Ta petite-fille est très respectueuse des lois, mais elle n'y est pas soumise. Elle sait prendre des décisions personnelles, qui restent cependant dans l'intérêt de tous.

— C'est un esprit libre comme toi! constata Belk en l'étreignant.

— Comptes-tu convoquer un conseil afin de juger ses actes?

— Non. J'ai consulté Datzu et Eïsa. Ils partagent mon opinion.

— À savoir?

— Ewan du Tertre est sous ta protection depuis qu'il est tout petit. Il aurait été très mal avisé de notre part de le laisser périr.

— Nous sommes d'accord sur ce point, approuva Tanaïs en se levant. À propos des humains...

— Ne commence pas, *djé!*

— En effet, tu n'aimeras guère ce que je vais te dire…

— N'en souffle mot, alors! lâcha-t-il en bondissant sur ses pattes.

Les deux amants se tenaient maintenant debout, l'un en face de l'autre, dans la position d'adversaires qui se jaugent. Et Tanaïs n'avait nullement l'intention de fléchir.

— Le moment est venu de nous dévoiler aux hommes, déclara-t-elle.

— Jamais, m'entends-tu! Ils sont la source de tous nos malheurs!

— Faux! Ce sont les nôtres qui nous ont bannis. Les Maïvorgs sont des ravisseurs de la pire espèce. Les ravisseurs du jour.

— Oublierais-tu que nous faisons partie de cette espèce?

— Plus maintenant. Nous avons pris le nom de «Vorgombre», il y a vingt-cinq ans. Souviens-toi: *vorg*, pour «voler», et *ombre*, pour «nuit».

— Je connais parfaitement l'origine de notre nom! s'indigna Belk. Nous l'avons choisi par opposition à celui de «Maïvorg».

— Par opposition, justement! Pourquoi refuses-tu encore et toujours d'admettre la principale différence entre les papillons du jour et ceux de la nuit?

— Qui est?

— Notre capacité d'éprouver de la compassion pour tout être vivant.

— Cette compassion est contraire à l'instinct! martela Belk. Elle a mené mon propre père à sa perte.

— Ce n'est pas la compassion qui a tué Lestig, mais Ferkyos!

— *Tsss!* Au fil des années, tu as tissé ta propre toile à la manière d'une araignée qui se nourrit d'illusions. D'ailleurs, tu n'y as attrapé que des soucis!

— *Djôô!* répliqua Tanaïs, piquée au vif. Quand j'ai abandonné mon état de Maïvorg, j'ai tout laissé derrière moi. Pire, une fois dans cette forêt, j'ai dû te quitter, toi, pour fonder une tribu.

— Tu possédais – et tu as encore – toutes les qualités d'une meneuse. C'était la seule chose à faire, rétorqua-t-il.

— De tourner le dos à tous ceux que j'aimais? lui demanda-t-elle avec rancœur.

— Il y allait de ta vie!

— Soit! Ma survie étant désormais assurée, je ne m'éloignerai plus jamais des êtres qui me sont chers. À commencer par Ewan du Tertre. Si cela suppose, comme je le pressens, que je le regarde en face et que je réponde à ses interrogations, je le ferai!

— Je te préviens…

— Surveille tes paroles, Belk! Tu es venu sur mon territoire sans y être invité.

— Tu n'oserais pas?

Au même instant, deux vigoureux mâles de la tribu de Tanaïs apparurent dans leur champ de vision. C'étaient

Krig et Rulf, de redoutables bêtes de garde. Ils se posèrent de part et d'autre de leur chef.

— Tu oserais ? fit Belk, ahuri.

— Je te conseille de quitter ces lieux sur-le-champ et de ta propre initiative, lui répondit-elle d'un ton résolu.

Belk s'envola, furieux. Pourquoi s'être querellé, une fois de plus, au sujet de la conduite à tenir vis-à-vis des hommes ? Quoi qu'en dise Tanaïs, n'eussent été ces créatures, ils seraient encore de fiers et puissants Maïvorgs à l'heure qu'il est !

CHAPITRE 16

Des flacons
aux mille éclats

L a nuit tira sobrement ses rideaux sur la querelle de
Tanaïs et de Belk tandis que Gaelle ouvrit les siens, le
lendemain matin, sur une nuée de flocons. D'ici quelques
heures, l'hiver aurait étendu un moelleux édredon de
neige sur la place et les sentiers de Mentana, signe qu'il
comptait s'y installer à son aise pour un certain temps.
Gaelle s'étira sans parvenir à chasser l'envie qu'elle avait
de se blottir sous ses draps comme une marmotte dans
son terrier. Son estomac, lui, n'entendait guère hiberner.
Il protestait en émettant des gargouillements qui auraient
réveillé un mort. La jeune fille s'empressa de se laver avec
l'eau fraîche du broc que sa mère, déjà debout, avait déposé à côté de la cuvette en terre cuite faisant office de la-
vabo, puis elle s'habilla. Elle dégringola ensuite les marches
jusqu'à la salle à manger.

Margot l'y accueillit avec un baiser et lui glissa un lait chaud au miel sur le comptoir.

— Veux-tu du pain doré ? lui proposa-t-elle. J'ai envoyé Will au poulailler.

— J'aurais peut-être dû y aller, remarqua Muir entre deux bouchées de lard. Ça fait un moment qu'il est parti. Il faut croire que Poule Rousse défend âprement sa ponte, une fois de plus.

Gaelle s'imagina une lutte épique entre l'oiseau têtu protégeant sa couvée et Will, tout aussi obstiné dans sa volonté de mettre la main sur ce butin. Elle n'était pas très loin de la vérité, sauf que l'empoignade n'avait pas eu lieu avec une des pensionnaires du poulailler, mais avec un oisillon humain qui semblait tombé de son nid…

— Par la peste noire ! vociféra Will Felgardi en pénétrant dans l'auberge.

Il poussait un garçon craintif et maigrichon devant lui.

— Par la peste noire ! répéta-t-il. Cette vilaine j'nesse volait les poules !

— Je les volais pas, elles ! se défendit l'accusé, qui tremblait des pieds à la tête. Je prenais juste quelques œufs.

— Mais qu'est-ce que t'as dans le ciboulot ? Quin que tu les volais, elles en personne, puisque tu leur chipais leurs dessous !

— Vous marquez un point, Will, intervint Muir en peinant à garder son sérieux.

Il s'enquit du nom du petit.

— Je m'appelle Hugo, m'sieur.

— Quel âge as-tu ?

— Douze ans.

— Fi ! répliqua le cavalier d'un ton qui imposait la vérité.

— J'ai neuf ans, m'sieur.

— À mon avis, déclara Muir à l'intention de Will, le jeune Hugo a eu sa leçon.

— Et les œufs qui ont fini sur la paille, écrapoutis. Quelqu'un y songe ? s'indigna Felgardi.

— Au nombre de poules que nous soignons, il en reste pour ma recette de pain doré, le rassura Margot. Serais-tu assez aimable pour retourner en chercher ?

— D'la besogne pour les vieilles branches pendant que la j'nesse, elle, s'assit sur son derrière dodu… Même pas pour couver des œufs, quin ! maugréa le vieux Will en s'exécutant de mauvaise grâce.

Un quart d'heure plus tard, chacun y trouva son compte. Pain doré moelleux et goûteux pour Gaelle et Hugo. Café sucré au whisky comme Felgardi l'aimait.

En observant le garçon en train de dévorer le contenu de son assiette, Muir crut reconnaître un tatouage.

***

Dès qu'Hugo eut terminé de manger, Muir lui fit signe de le suivre à l'écurie. Il avait l'intention de l'interroger.

— La marque sur ton poignet, qu'est-ce que c'est? demanda-t-il.

D'instinct, Hugo étira la manche de sa veste usée sur sa peau et croisa les mains ensemble.

— Rien, m'sieur.

— Eh!

— J'ai dû me salir.

— Je vais t'aider un peu, d'accord? Je crois plutôt qu'il s'agit d'un tatouage, et non d'une tache.

— …

— J'ajouterai qu'il représente une empreinte d'animal, plus précisément de mouflon.

L'enfant le regarda, ébahi, ce que Muir interpréta comme un «oui».

— Tu es donc un hors-sentiers.

Hugo hocha timidement la tête.

— Et ta chef porte le même nom que moi.

— Je sais pas.

— Comment tu ne sais pas?

— J'connais pas votre nom, m'sieur.

— Je m'appelle Muir.

— Dans ce cas, non.

— Elle ne s'appelle pas Tracady? s'étonna le cavalier.

— Si!

— Tracady Muir.

— Nnnon.

— Hé, gringalet! Cesse de jouer aux devinettes et révèle-moi son identité tout de suite!

— Ben, Tracady comme on a dit. Tracady Molvan, m'sieur.

— Han-han, fit Muir de toute évidence perturbé par cette réponse.

Le garçon plutôt dégourdi voulut profiter de cette brèche dans l'esprit de son interlocuteur pour clore l'entretien: il se replia vers la porte entrebâillée de l'écurie.

— Holà! Tu restes ici! s'exclama Muir en l'agrippant par le col de sa veste. Je n'en ai pas fini avec toi. C'est Tracady qui t'a montré à voler?

— Elle serait très fâchée si elle apprenait pour les œufs, se désola Hugo.

— Je ne te suis pas. Détrousser les pauvres gens, n'est-ce pas la principale activité des hors-sentiers?

— Peut-être pour les aut' bandes. Mais pas pour les Mouflons! lança l'enfant fièrement.

— Vous vivez comment, alors?

— Ben, de la contrebande!

— Quoi?!

— M'dame Tracady est pour la justice. Le tabac et le sel coûtent trop cher pour les paysans. Nous, on en vole pour…

— Tu vois bien Hugo que vous êtes des pilleurs! l'interrompit Muir.

— Vous dites qu'on détrousse les pauvres gens. Jamais, ça jamais ! protesta Hugo. On allège seulement les riches de quelques marchandises qu'on revend bon marché.

— Vous vous faites payer ? s'étonna Muir. En espèces sonnantes ?

Hugo pouffa de rire :

— Pas toujours ! Sinon il faudrait des coffres avec des mulets. La patronne accepte aussi d'la volaille, des pommes ou du fromage. Des vêtements, du savon. N'importe quoi qu'est utile. On vit bien…

— T'es maigrichon pour quelqu'un qui mange à sa faim.

— On vivait bien, précisa Hugo, la mine basse. Jusqu'à ce que m'dame Tracady disparaisse.

— Que s'est-il passé ?

— Ben… Elle a disparu.

— Hugo ! s'impatienta Muir. Donne-moi une véritable explication sinon on y sera encore demain.

— La chef avait rendez-vous pour un échange. Elle est partie à cheval avec Dent Creuse. Parce que Dent Creuse, partout il la suivait. Et quand il grognait celui-là, croyez-moi qu'il avait toutes ses dents. Si fait que Tracady, elle est pas revenue et que Dan et Frank, ils l'ont pas retrouvée…

— Elle s'est peut-être enfuie…

— Ben voyons ! s'offusqua Hugo. M'dame Tracady m'a recueilli à la mort de mes parents. J'avais quatre ans. Jamais qu'elle m'aurait abandonné ! De toute façon, j'ai pas terminé mon explication.

— Continue dans ce cas…

— Sur le lieu du rendez-vous, Dan et Frank ont découvert Dent Creuse, raide mort, les quatre pattes en l'air. Son cheval était blessé. Même qu'ils ont dû l'achever. Ils ont aussi trouvé l'écharpe de Tracady. Dan a raconté qu'y avait des traces de lutte et qu'un malheur était arrivé à m'dame.

— C'est terrible! laissa échapper le cavalier comme si cette histoire le concernait directement.

— Oui, sauf que… sans un corps bien raide, y a pas un vrai de vrai mort, observa l'enfant avec une logique implacable.

— Exact! Donc, selon toi, Tracady aurait disparu sans le vouloir et elle serait encore en vie.

— Aussi sûr que le dé qui roule donne un chiffre!

— On l'a enlevée, conclut Muir en sombrant dans un profond silence.

Toutes ces révélations lui tourbillonnaient dans la tête, soulevant un tas d'émotions qu'il croyait pourtant mortes. Il comprenait maintenant pourquoi le dénommé Dan et deux autres acolytes s'en étaient pris à la maison de Quat en dépit des règles établies par les hors-sentiers. Ils n'avaient pas agi à l'insu de leur chef… Ils s'étaient comportés de la sorte parce qu'ils n'avaient plus de chef et que, une fois tenaillés par la faim, ils n'avaient plus vraiment réfléchi.

Quant à Tracady… Elle avait troqué «Muir» contre «Molvan», délaissant son nom d'épouse pour revenir à celui de jeune fille. Néanmoins, elle n'avait pas passé ces dernières années à terroriser les individus qui croisaient sa route, comme il s'en était convaincu au fil des informations qu'il avait recueillies. Non ! Elle s'était lancée dans un commerce qu'elle considérait – disons-le ainsi – honorable. Illégal soit, mais équitable et profitable à sa manière. Muir se demanda si tout ce qu'il venait d'apprendre pourrait changer quelque chose aux horreurs du passé. Il s'en voulut aussitôt d'avoir pensé une fraction de seconde à excuser l'impardonnable.

— M'sieur Muir, m'sieur Muir ! Vous allez bien ? s'inquiéta Hugo devant l'air abattu du cavalier.

— Mmoui… Tu sais quoi ?

— Nnnon, répondit le garçon avec prudence.

— Je te propose un marché.

À ce mot, les yeux du jeune contrebandier s'éclairèrent :

— Quel marché ?

— Tu te places sous ma garde le temps qu'on retrouve la trace de madame Mui… euh… je veux dire Molvan.

— Ça risque d'être long, maugréa Hugo, qui ne semblait guère enchanté par l'idée de perdre sa liberté.

— Tu as le choix entre un nouveau chef et de nouvelles règles, ou la forêt en plein hiver, mon gars.

Hugo zieuta la neige qui continuait à tomber dru par une des fenêtres de l'écurie. Il contempla ensuite le bout de ses chaussures trouées, ses orteils nus et crasseux. Le picotement de la paille sèche, qui lui gardait les pieds au chaud, acheva de le décider.

— D'accord, soupira-t-il. Je reste.

— Fort bien ! se réjouit le cavalier. Cela fera un voleur de poules en moins dans les parages. Allons, ne fais pas cette tête ! Retournons à l'auberge pour voir comment on va s'organiser.

***

Pendant ce temps, Gaelle rêvassait, accoudée au comptoir. Elle avait encore le goût du lait chaud au miel dans la bouche, sa mère lui en ayant resservi une tasse. Un goût de pré en fleurs, d'abeilles et de colibris qui s'en donnent à cœur joie… Puis elle songea à Ewan, passant soudain de l'été à l'hiver, du passé au présent.

À l'inverse de moi, ce matin, Ewan a décidé de faire la marmotte. Il a raison puisque, hier, Muir l'a forcé à prendre trois jours de repos.

***

Au même instant, Ewan tentait de se persuader qu'il était l'heure de s'extirper de la chaleur bienfaisante de ses couvertures. Il se leva en grimaçant de douleur. Les os de son dos l'élançaient encore fichtrement ! Il entrouvrit le rideau de la fenêtre de sa chambre : devant la volée de flocons duveteux, l'envie de se recoucher le submergea. Avec un temps pareil, il ne lui restait qu'à hiberner comme l'ours mal léché qu'il semblait être…

De retour dans son lit, du Tertre constata que Muir lui avait laissé un mot sur la table de chevet : « *Pas eu le temps de questionner les gens. Peux-tu t'en occuper ?* » Le patron avait disposé ce message sous les trois fioles de paillettes qu'il avait collectées dans le passage secret, du côté de la vallée. En les manipulant, Ewan eut l'impression de tenir une substance rare entre ses mains. Ces poudres écarlates, dorées et violacées formaient le plus beau et le plus étrange des bouquets. D'où provenaient-elles ? D'humains ? D'animaux ? De minéraux ? Va savoir… Ewan déposa les flacons avec précaution sur le petit meuble et enfonça sa tête dans son oreiller. Dix minutes plus tard, il ronflait.

Il mit un certain temps avant de reconnaître Henriette Longpré, qui arborait son chapeau de feutre beige à lui. Elle lui sourit et, sans faire plus de cas de sa présence, retourna bichonner ses admirables rosiers. C'étaient des fleurs exubérantes, au parfum exquis, autour desquelles batifolaient de nombreux insectes. La vieille dame excentrique ne portait qu'un seul gant de jardinage, ce qui amusa du Tertre. Toutefois, son sang se glaça à la vue des deux longs fils qui pendouillaient de ce gant ou, plus exactement, qui ondulaient… Quand Henriette s'aperçut à son tour que ces horribles fils avaient pris vie – qu'il s'agissait en fait de fileuses –, elle se mit à hurler et essaya de les arracher. Mais les deux fines larves annelées et translucides s'enroulèrent à une vitesse prodigieuse autour de son bras. Puis autour de son cou, de son menton… La bâillonnant brutalement, lui obstruant les narines, bandant ses yeux. Plus un son ne sortait de la bouche d'Henriette. Pas un cri ne parvint à sortir de celle d'Ewan.

Il se redressa au beau milieu de ses draps en bataille, l'esprit en pagaille, la bouche sèche, et se précipita à la fenêtre, qu'il ouvrit toute grande, pour inspirer à fond l'odeur vivifiante de l'hiver. Sur la place de Mentana, les allées et venues des gens avaient tracé de profonds sillons dans la neige accumulée au cours de la matinée tandis que le ciel s'obstinait à cacher le soleil sous plusieurs couches de gris.

Il repensa à son rêve angoissant et au fait que les fileuses, évoquées par Henriette lorsqu'il l'avait rencontrée tapie au fond d'une grotte, étaient venues le hanter pour la seconde fois. Ces affreuses larves lui rappelaient un peu les chenilles des Vorgombres, sauf que ces dernières tissaient des enveloppes de soie dans un but noble, celui de se faire un cocon, alors que les horrifiantes bestioles de ses cauchemars agissaient de façon abjecte.

En entendant des cliquetis d'ustensiles et de vaisselle, Ewan sut qu'il était midi. Peut-être même un peu plus tard, s'il se fiait à l'arôme de pommes chaudes qui montait jusqu'à sa chambre. Du Tertre s'habilla le plus vite qu'il put et descendit les escaliers en rangeant les trois flacons dans la poche intérieure de sa veste de cuir.

***

Avant d'avaler quoi que ce soit, Ewan circula de table en table dans le but de montrer les fioles aux nombreux clients de l'auberge. Elles passaient de main en main, suscitant toujours les mêmes commentaires admiratifs. Personne ne sut toutefois le renseigner sur l'utilité ou l'origine de leur contenu. Sauf Will le Bigleux qui avait, bien entendu, une baliverne toute prête à ce propos :

— C'est d'la poudrerie pour épicer les potions magiques, pardire !

— Pourquoi pas de la morve de dragon séchée ? répliqua Ewan, acerbe, en se départissant de son impassibilité habituelle.

En hôtesse avisée, Margot s'approcha du jeune homme et lui offrit de l'installer à une table pour manger. Ewan accepta volontiers. Il poussa avec lassitude les flacons aux mille éclats devant son couvert. Quand Charles Lhoumey se pencha pour lui servir une généreuse portion de ragoût d'agneau, il s'immobilisa en les apercevant.

— Vous reconnaissez ces paillettes ? s'enquit Ewan dans l'espoir d'avoir enfin une bonne prise.

— Pas vraiment ! répliqua l'aubergiste pour se reprendre aussitôt. Si, en fait… Où les as-tu trouvées ?

— Dans le massif.

— Ça ne m'en dit pas long…

Évidemment, du Tertre n'allait pas parler du passage secret et encore moins de la poudre d'or incrustée dans sa peau après son agression dans la forêt. Évidemment… Or, il sentait que Lhoumey, qui aimait bavarder, attendait d'en savoir davantage avant de se confier. Voilà pourquoi il lui divulgua que ces paillettes provenaient d'un roc situé en surplomb de la vallée de Ninss.

— J'ai vu quelque chose d'assez semblable, une fois, entre les mains d'un marchand itinérant, déclara Lhoumey. Cela remonte à quatre ou cinq ans… Cet homme possédait un assortiment de poudres aussi scintillantes que celles-ci. Elles servaient à teindre les tissus. Je m'en souviens parce que Nina lui en a acheté.

— Mouin… merci, baragouina Ewan, la bouche pleine.

De la teinture ? À d'autres ! Contrairement à Lhoumey, le jeune homme savait qu'il ne pouvait s'agir de cela.

Il était en train d'essuyer le fond de son assiette à l'aide de sa mie de pain lorsqu'il découvrit *qui* pourrait peut-être l'éclairer.

Pour cela, il devrait se déplacer de nuit.

À pied ? Dans les bois et la neige ?

Certes non !

À moins que…

Quels avaient été les mots exacts de Muir ?

« Tu es au repos… Ne t'approche pas d'Akko ! »

235

Dans la cavalerie, cheval ni chapeau ne se prêtent.
C'est une règle d'or.
À moins que…

CHAPITRE 17

Une rencontre officielle

Gaelle! Du Tertre devait trouver Gaelle Miller! Il se rua à sa recherche. Elle jouait dans la cour arrière enneigée de l'auberge avec le jeune Hugo, que Margot avait déjà renippé de la tête aux pieds. Tel un prince, il portait avec fierté des bottes anciennes tandis que la large écharpe laineuse qui effleurait son nez lui faisait une sorte de collet monté. Ewan les interrompit avec rudesse:

— Je dois te parler, annonça-t-il à la jeune fille sans même la saluer.

Il ajouta en pointant Hugo d'un coup de menton:

— Seul à seul. Je t'attends dans ma chambre.

Le protégé de Muir tourna ensuite les talons et s'éloigna d'un pas vif.

Qu'importe son peu de façon! Les paroles d'Ewan eurent l'effet d'une brise dans l'esprit de Gaelle. Tels des pissenlits fanés qui auraient lâché toutes leurs aigrettes sous un souffle tiède, une multitude de «Que me veut-il?» se répandit dans la tête de l'adolescente, qui se hâta de gagner l'auberge. Comme elle avait la charge de nettoyer l'escalier reliant la salle à manger à l'étage, Gaelle prit soin d'ôter ses bottes avant de monter chez Ewan. Elle fronça les sourcils en s'apercevant que du Tertre, lui, n'avait pas pris pareille précaution.

***

— Dépêche-toi! lui dit-il en l'attirant dans sa chambre.

— Tu n'as pas plus de manières qu'un ours, ironisa-t-elle avant de s'asseoir sur l'unique chaise de la pièce.

— J'étais pressé de te montrer ça.

Ewan lui présenta les fioles au contenu merveilleux et se lança dans une longue explication. Les mots jaillissaient de sa bouche ainsi qu'un flot trop longtemps contenu. À Gaelle seule il put confier la vision d'horreur des crânes dans la souche. La peur qu'il avait eue de mourir lorsqu'il s'était retrouvé immobilisé dans la forêt par une force inconnue. Sa conversation avec Henriette alors qu'il s'était réfugié dans une grotte et le remords d'avoir abandonné la vieille dame à son sort. Il tut cependant ses cauchemars à propos des terrifiantes fileuses, estimant que ces rêves sans queue ni tête ne valaient pas la peine d'être partagés.

— Ces paillettes sont la clef d'un mystère, j'en suis sûr. Or, personne, ici, ne peut me renseigner sur leur origine. J'ai donc pensé consulter les Vorgombres.

— Consulter les Vorgombres…, répéta bêtement Gaelle, abasourdie autant par la soudaine volubilité d'Ewan que par la nature de ses révélations.

Elle se rattrapa néanmoins en précisant :

— J'imagine que tu veux t'adresser à… ta mère adoptive… Tanaïs.

— Nous allons nous adresser à Tanaïs, la corrigea-t-il. Il suffit d'attendre la fin du jour. Peu après le souper, nous nous enfoncerons dans la forêt.

Gaelle n'en revenait pas ! Le farouche cavalier l'incluait dans ses plans. Il est vrai qu'ils s'étaient découvert des liens communs, la veille, après la rencontre regrettable avec des hors-sentiers.

— Tu veux que, moi, je t'accompagne ! s'exclama la jeune fille.

— Toi et… Topaze, bien entendu, lui répondit-il.

Gaelle bondit de sa chaise, comprenant d'un coup le véritable motif d'Ewan : il ne pouvait monter Akko et refusait de voyager à pied, la nuit venue.

— Espèce d'hypocrite ! Tu ne m'invites pas réellement, moi ! Tu as juste besoin d'un cheval, lui reprocha-t-elle, pleine de dépit.

— Il me faut la cavalière aussi.

— Dans ce cas, Ewan du Tertre, tu es un hypocrite et un profiteur !

Je pourrais aller cent fois à sa rencontre... Toujours, il s'écartera.

Telle fut la dernière pensée de Gaelle avant qu'elle lui claque la porte au nez. Puis il l'entendit crier :

— Essuie tes bottes avant de monter les escaliers ! Sinon, la prochaine fois, je te plante la serpillière entre les jambes !

Ça lui fera une belle monture, tiens !

Ewan ne put réprimer un sourire à cette dernière insulte. Il avait été élevé parmi des animaux pour qui le contrôle de soi était une règle élémentaire de survie. La fougue de Gaelle le déroutait et le fascinait à la fois.

***

Lorsque Ewan entra dans la salle à manger, Margot dressait les tables pour le repas du soir. Zachary offrit de l'aider dès que sa partie de fléchettes serait terminée. Il était d'ailleurs en train de gagner. Quant à Hugo, il trépignait d'impatience depuis que Muir lui avait promis de l'initier à ce jeu. Gaelle s'était réfugiée sur le banc de chêne où elle avait l'habitude de lire. Sauf qu'au lieu d'avoir les yeux plongés dans un roman, elle immergeait sa cuillère dans un bol de soupe. Du Tertre se joignit à elle en cherchant ce qu'il pourrait dire pour l'amadouer.

— Je crois que Tu-sais-qui aimerait bien faire officiellement ta connaissance, Longue Vue…, commença-t-il.

— Ne gaspille pas ta salive, l'interrompit-elle. J'ai déjà sellé Topaze. Retrouve-moi derrière l'écurie dans un quart d'heure.

Elle ne desserra plus les dents jusqu'à ce qu'ils se réunissent au lieu et au moment convenus.

— Où va-t-on? s'enquit-elle alors qu'ils venaient d'enfourcher le fringant cheval alezan.

— Au nord, vers Lymnoix. À deux lieues environ.

— Pourvu qu'on soit de retour avant que Zachary fasse sa dernière inspection des stalles! Je ne veux pas avoir à inventer un mensonge pour justifier notre course.

Sur ce, Gaelle lança sa monture dans la nuit bleuie par les reflets de la lune. Topaze s'ébroua pour partager son excitation de partir à l'aventure non pas avec un, mais deux compagnons humains sur le dos. Il accéléra la cadence. Ses sabots soulevaient la neige, la transformant en une écume qui se fracassait contre ses jambes puissantes. Gaelle épousa les mouvements de la bête et Ewan, ceux de la cavalière. Ils formèrent bientôt un seul corps propulsé au galop. Des embruns floconneux leur nimbaient la tête.

***

Ils parvinrent à destination en moins d'une demi-heure. À la demande d'Ewan, Gaelle dirigea Topaze vers la Louve.

Il fallut pour cela pénétrer davantage dans les bois, où les bruits se turent d'un coup à l'arrivée de ces intrus. Au grand amusement de Gaelle, du Tertre se mit à hululer. Une chouette lui répondit presque aussi vite. Allons donc! Une série de hululements se relayèrent ensuite au cœur de la forêt.

Ewan sauta à terre, suivi de sa comparse. Ils s'assirent sur un bloc de granit glacial surplombant la rivière, après y avoir étendu quelques fougères fanées.

— Tanaïs devrait bientôt arriver, affirma du Tertre alors que le silence régnait à nouveau en maître. Ces cris, c'était notre code.

— Ça l'est encore! remarqua avec bienveillance l'imposant papillon qui atterrit à quelques pieds de lui.

— Tanaïs! s'écria-t-il en se levant pour lui faire une profonde révérence.

Gaelle se prosterna avec tout autant de respect. Une fois la tête relevée, elle put admirer les ailes grises veinées d'ambre de même que la fourrure soyeuse et argentée de la femelle Vorgombre.

— Celle qui t'accompagne a bien poussé depuis la dernière fois que je l'ai observée, Ewan du Tertre. Et toi, tu es devenu un homme. Cinq printemps et autant d'étés, six automnes et un sixième hiver, voilà les saisons qui nous ont séparés, toi et moi, soupira Tanaïs. Pourquoi as-tu choisi de revenir par une de ces nuits où les tiens se blottissent au chaud près d'un bon feu?

— Je voulais te montrer ceci, lui répondit le jeune éclaireur.

Il extirpa les trois fioles de la poche intérieure de sa veste.

— Pourquoi avoir emmené Longue Vue, dans ce cas ?

— Il avait besoin d'une cavalière. Je suis juste un pion, maugréa Gaelle. Mais vous pouvez compter sur ma discrétion !

— Je sais que tu n'as jamais trahi la confiance des Vorgombres, jeune fille. Là n'était pas ma question…

Au fond de lui, Ewan pressentait que là n'était pas la réponse, non plus. Il aurait pu se faire une raison et se dé-placer seul, à pied, en pleine noirceur. Alors, quoi ?

Alors, le temps filait. Aussi tendit-il un des flacons à Tanaïs, qui le prit pour en examiner le contenu de près. Elle se raidit et le verre lui glissa des pattes. Il se fracassa sur le granit en y formant un crachat rouge sang.

— D'où tiens-tu ces écailles ? s'inquiéta-t-elle.

— Des écailles ? De quoi ? Aucun poisson n'en possède d'aussi minuscules. Ni les serpents d'ailleurs.

— Mais les papillons, si.

— Pourquoi n'en as-tu pas alors ? s'étonna Ewan.

— Je les ai toutes perdues avant même que tu naisses ! Pour prendre soin de ses paillettes, un papillon doit ex-poser ses ailes à la lumière du jour et à la chaleur. Or, je ne prends plus grand soleil depuis que je suis devenue une Vorgombre.

— Tu n'as pas toujours été une Vorgombre ? lui demanda Ewan, stupéfait.

— Non ! Jadis j'étais un papillon du jour. Un Maïvorg… Il est temps, je crois, de te révéler mon passé. Par contre, j'aimerais t'entendre d'abord…

CHAPITRE 18

Monstrueux cocons

Après qu'Ewan eut relaté dans quelles circonstances il avait découvert de la poudre de Maïvorgs et l'attaque dont il avait été victime par la suite, Tanaïs voulut voir sa blessure. Elle put ainsi confirmer que l'agresseur était bel et bien un papillon de jour géant. Ce fut alors à son tour de prendre la parole devant les deux jeunes sans-ailes qui s'étaient déplacés en pleine nuit afin de la rencontrer. La Vorgombre leur raconta les jours sombres qui avaient entraîné le schisme entre les papillons de sa bande, vingt-cinq ans auparavant :

— Les nouvelles en provenance d'Imeronx et de cieux encore plus lointains étaient de plus en plus affolantes. Certains humains semblaient pouvoir dompter la nature, remplaçant le vent par des machines à vapeur, la foudre par des fusils.

Drapée dans ses ailes afin de camoufler ses frissons, Tanaïs parla de ce vieux papillon qui se laissa sombrer dans l'océan plutôt que de voler avec un cavalier accroché à ses flancs. Lotz, son cher Lotz…

— À la suite de ce terrible événement, la discorde éclata au sein de la tribu dont je faisais partie. Lestig, notre chef, était partisan d'une attitude défensive. Il souhaitait que nous restions cachés aux yeux des habitants de la vallée de Ninss dont le cœur, disait-il, n'avait pas la cruauté des hommes d'ailleurs. Mais plusieurs membres, plus jeunes et plus agressifs, des femelles aussi bien que des mâles, voulaient se venger. « Privons-les de leur liberté avant qu'ils ne nous privent de la nôtre ! » gronda le plus fougueux d'entre eux. Il se nommait Ferkyos… *Djô*, qu'il était malveillant !

Une chouette hulula comme si elle exhortait Tanaïs à poursuivre son douloureux récit.

— La volonté de la race humaine d'asservir les autres espèces se décline de mille et une façons. La chaîne pour le chien, le mors pour le cheval, le joug pour le bœuf, les cages pour les oiseaux… Alors, certains parmi nous se demandèrent ce que les papillons possédaient pour entraver les « sans-ailes », ainsi que nous les qualifions déjà avec dédain.

Tanaïs se tut un instant en considérant que les deux jeunes gens assis à ses côtés n'étaient guère des êtres incomplets même s'ils marchaient au lieu de voler.

— Les hommes et leur surprenante ingéniosité, soupira-t-elle. « Comment pourrions-nous en tirer avantage ? » insista Ferkyos, à plusieurs reprises, en sollicitant notre assemblée. Cette odieuse question se fraya un chemin dans les esprits échauffés comme le ver gâte le meilleur fruit. Chez les papillons, chaque pensée suit le fil de son propre cocon. En d'autres mots…

— « Toute idée vaut la peine d'être soigneusement tissée ! » l'interrompit Ewan, heureux de se rappeler cette maxime que Tanaïs lui avait si souvent répétée.

— Exact ! Les humains se servaient de fers aux pieds pour emprisonner les gens. N'avions-nous pas nos propres fils presque aussi résistants que ceux des araignées ? N'étions-nous pas, au sein de la nature, les maîtres incontestés des cocons ? Un jour, Ferkyos se déclara prêt à encoconner autre chose que des chenilles. Autre chose, oui ! Hommes, femmes, enfants…

— Pour… pour quoi faire ? bafouilla Gaelle, horrifiée par la vision qui s'imposa à elle.

Des cercueils de soie de différentes grandeurs avec des corps pétrifiés à l'intérieur…

— Pour disposer du savoir des humains à volonté. Imaginez que chaque être d'exception, sélectionné en raison de son érudition, d'un don ou d'un savoir-faire particulier, soit préservé dans un cocon…

— Comment un homme peut-il survivre en pareilles circonstances ! s'insurgea du Tertre.

— L'espèce humaine produit d'innombrables sécrétions. Il y a des pics comme ceux qui provoquent la mue de la voix de vos garçons ou l'activation du système reproducteur de vos femelles, leur expliqua Tanaïs. Au cours du vieillissement, les sécrétions causent des changements moins remarquables et vous n'y prenez pas toujours garde. Le plus balourd des papillons peut, par contre, les détecter. En somme, il suffit de procéder à la mise en cocon juste avant un pic ou un creux de sécrétion afin de placer le corps en dormance.

« Dormance ou pas, un long séjour dans un cocon vous transforme en paquet d'os ! » songea Ewan en repensant aux bras décharnés d'Henriette Longpré. Du coup, il se rappela ses cauchemars peuplés d'abominables larves. Du Tertre frissonna. Jusqu'à quel point ses mauvais rêves révélaient-ils la vérité ? Il questionna Tanaïs afin d'en avoir le cœur net :

— Qui tisse ces cocons ? Des chenilles ?

— À mon avis, vu l'ampleur du travail et la qualité du fil à produire, ce sont plutôt les guérisseuses qui s'en chargent, lui répondit-elle.

— Les guérisseuses ? répéta Gaelle, piquée par la curiosité.

— Bien sûr ! s'exclama son complice. Enfant, j'ai eu une vilaine plaie à la cuisse. C'était douloureux, du pus suintait… Et, toi, Tanaïs, tu m'as conduit auprès d'une Vorgombre qui possédait un don particulier. Elle m'a tissé une sorte de pansement autour du fémur.

— Oui, ces femelles sont rares. Elles sont capables, à l'instar des chenilles, de sécréter de la soie, sauf que leur fil a des vertus régénératrices. Je sais que Ferkyos a mis son projet de coconnière à exécution. Or, il y avait déjà une guérisseuse qui était membre de la tribu de la clairière quand j'y nichais. Elle s'appelait Nadrige.

— Il en existe sans doute d'autres parce qu'Henriette parlait *des* fileuses, précisa le jeune cavalier. Que fera Ferkyos une fois sa réserve de génies humains constituée? Il ne consultera pas leur savoir pour le simple plaisir...

— Ferkyos était animé d'un désir de vengeance et, par-dessus tout, de puissance. Il voulait renverser le chef de la tribu. L'idée d'encoconner des humains, à laquelle Lestig s'opposait farouchement, servait ses plans. J'ignore, par contre, quelles sont ses intentions depuis.

— Qu'est-il arrivé à Lestig? s'enquit Gaelle.

La voix de Tanaïs grésilla:

— Nous avons été de moins en moins nombreux à nous élever contre les arguments de Ferkyos. Il était si persuasif. On nous a d'abord raillés, puis isolés. Un beau matin, Belk a trouvé son père, Lestig, l'abdomen perforé, les ailes atrocement mutilées. «Fuyez! Cachez-vous!» fut son dernier ordre... Belk, Oji et moi-même avons mené un petit groupe ici sur le plateau de Mentana. Nous avons survécu en devenant les premiers Vorgombres.

— Des papillons de nuit qui se camouflent le jour, murmura Gaelle.

— Nos frères ennemis, les Maïvorgs, ne sont actifs qu'entre le lever et le coucher du soleil. Ils ont besoin de ses rayons bienfaisants pour réchauffer leur sang et leurs muscles avant de voler, mais aussi pour accumuler de la chaleur en vue de la nuit. Ils n'aiment pas la noirceur et encore moins le froid mordant auquel nous avons dû nous adapter en nous réfugiant dans cette forêt.

— Ils ne vous ont donc pas poursuivis sur les hauteurs de Mentana, déduisit Ewan.

— À quoi bon ? soupira Tanaïs. Nous n'étions plus sur leur territoire et, surtout, nous sommes devenus discrets au point de nous faire oublier. N'était-ce pas là l'héritage de Lestig et notre nature profonde ? L'arrogance, voilà ce qui me hérisse le plus le poil chez les Maïvorgs.

— Comment se sont-ils rappelé votre existence, alors ? l'interrogea Gaelle.

— Les rumeurs glissent de feuille en feuille à travers bois. Bien malin qui attrapera celui qui a cancané en premier ! Un grand duc, des loups, la rivière ? Toujours est-il que les Maïvorgs ont eu vent de notre survie et de nos habitudes de camouflage quoique, pour eux, jusqu'à présent cela soit demeuré un phénomène insignifiant, de l'ordre du bruissement.

— Pourquoi ne m'as-tu jamais avoué qu'ils existaient, Tanaïs ? Ce sont tout de même vos ennemis ! lui reprocha Ewan.

— J'ai d'abord pensé à te mettre à l'abri en t'envoyant vivre loin d'ici, répliqua la Vorgombre. Tu avais onze ans à l'époque où Gaelle a commencé à nous apercevoir. Que serait-il arrivé si d'autres humains avaient pu en faire autant, s'ils nous avaient sortis de l'ombre en étalant notre existence au grand jour ? Comment auraient réagi les Maïvorgs en apprenant que la petite tribu d'exilés aux troupes décimées avait fondé trois clans de papillons bien portants ? J'ai craint le pire, car en eux couve un feu que Ferkyos sait très bien attiser. Celui de la haine…

— Ah ! Ils ont des braises en guise de cœur comme les dragons dont tu m'as si souvent raconté les histoires ! s'écria le jeune homme.

— En quelque sorte, oui. Je me suis librement inspirée de Ferkyos au moment d'imaginer ces récits.

— Où se situait votre habitat avant votre exil ? demanda Gaelle.

— Tout près de l'endroit où Ewan a découvert les paillettes. Dans une large clairière de granit abritée par la montagne et qui surplombe le val de Ninss.

— En parlant de ces paillettes, est-ce les tiens qui ont creusé le passage dérobé où Muir et moi les avons trouvées ?

— Oui, cela remonte à l'origine de notre tribu, bien avant ma naissance. Il s'agissait de notre première coconnière.

— Quelle horreur ! gémit Gaelle.

— Pas une coconnière humaine, se reprit Tanaïs. Au début de notre arrivée dans cette vallée, il y a fort longtemps, nos ancêtres avaient une taille moyenne et des prédateurs cent fois plus nombreux.

— Ainsi, ce que j'ai observé dans cette galerie… ces mystérieuses alvéoles, creusées à même la paroi, servaient de chambres secrètes pour leurs pontes! s'exclama du Tertre, admiratif.

— Précisément! Cet endroit a été condamné à la suite d'un effondrement. De toute façon, il était abandonné depuis des lustres puisque nous étions devenus assez robustes pour nous reproduire au sein même de la clairière et nous défendre en cas d'attaque. Dis-moi Ewan, les Maïvorgs ont donc rouvert ce passage?

— Oui. L'éboulis de rochers qui m'a permis de passer sans encombre de la deuxième à la troisième terrasse provient certainement de leurs travaux de déblaiement.

— Mais pourquoi se donner tout ce mal? s'interrogea Gaelle.

— Si un Maïvorg amène un humain à son repaire dans le but de l'encoconner, il ne peut survoler la vallée, en plein jour, avec sa proie entre les pattes. Il serait aussitôt repéré, lui répondit Tanaïs.

— En somme, ce passage est de nouveau emprunté par la bande de Ferkyos, ce qui explique pourquoi Muir et moi y avons découvert des paillettes.

— Dès qu'une aile de papillon effleure une surface un tant soit peu rugueuse, elle y dépose une fine traînée d'écailles, lui confirma Tanaïs.

— Ces Maïvorgs sont trop bien organisés, je n'aime pas cela, conclut Ewan.

— Mais Ferkyos est vieux, remarqua Gaelle dans un sursaut d'espoir. Il est devenu chef de clan, il y a… un quart de siècle !

Tanaïs courba ses antennes en signe d'impuissance :

— Un papillon de jour, gorgé de lumière et de chaleur, vit environ cent ans, jeune fille. C'est beaucoup plus qu'il n'en faut pour faire éclore les projets les plus fous, surtout si on utilise un fertilisant tel que le fumier de la vengeance. Ou, pire, celui de l'arrogance.

***

Topaze fendait l'air, éperonné par Gaelle qui espérait étourdir son angoisse par le mouvement et la vitesse de son cheval. Ewan lui enserrait la taille alors qu'elle aurait voulu qu'il lui agrippe le cœur à pleines mains. Ce cœur qui se dévidait en songeant au sort réservé à son père et à son frère. On les avait encoconnés, elle en était convaincue ! Parce que Robert Miller était le cerveau qui avait inventé l'extraordinaire pompe à puiser l'eau.

Pourquoi donc n'existe-t-il pas de machine assez puissante pour extraire tout le mal qui monte des entrailles de la Terre ?

Ewan lui serra davantage la taille et ce contact, associé au galop allongé de sa monture, l'apaisa peu à peu.

Ils ralentirent une fois Mentana en vue et atteignirent l'écurie en passant derrière le gîte. La jeune fille fut soulagée d'apercevoir les excréments encore dispersés sur la paille des stalles d'Akko et de Rafale. Cela signifiait que Zachary n'avait pas nettoyé les lieux depuis leur départ et qu'en conséquence il ne s'était pas rendu compte de leur absence.

— Évitons d'attirer l'attention sur nous en entrant ensemble dans l'auberge, suggéra Ewan. Vas-y pendant que je desselle Topaze.

Gaelle eut la présence d'esprit de passer par l'escalier extérieur menant à l'étage. Elle put ainsi se dévêtir et descendre à la salle à manger comme si elle venait tout juste de quitter sa chambre.

✳✳✳

Quand Ewan pénétra à son tour dans la pièce enfumée et animée, son sang se figea en remarquant que Gaelle et Muir discutaient ensemble avec des airs de confidence. «La peste soit cette fille!» jura-t-il entre ses dents. Ne venaient-ils pas, tous deux, de promettre à Tanaïs de garder le silence au sujet de ses troublantes révélations? En échange, la Vorgombre leur avait assuré qu'elle consulterait les chefs des autres bandes de la forêt de Mentana, Belk et Oji, pour réfléchir à la situation.

— Assieds-toi, l'ami ! lui lança Muir. Mademoiselle Miller m'a tout raconté.

Le jeune homme inspira profondément de manière à ne pas la fustiger. Ah ! Qu'il aurait aimé, à cet instant précis, clouer le bec de cette pie bavarde !

— Tu es trop crispé, mon gars, constata Muir. Ne t'inquiète pas. Nous n'arrêterons pas nos recherches pour si peu. Au contraire, nous les poursuivrons de plus belle.

Cette fois, du Tertre toisa Gaelle. Une cascade d'injures dégringola de ses iris verts braqués sur elle. Le serpent à sonnette se réveillait, prêt à cracher son venin.

— Mais quoi ? se défendit la jeune fille avec un aplomb singulier dans les circonstances.

— Qu'as-tu dit ? siffla-t-il, les dents serrées.

— Je me suis juste excusée auprès de Muir.

— Personne n'est à l'abri d'une maladresse, opina ce dernier. Sauf peut-être les cavaliers, ajouta-t-il avec un clin d'œil.

Ewan se tut, confus. De quoi parlait-on au juste ?

— N'en fais pas un drame, conclut Muir. Ce n'est pas une si grande perte. Mais redonne-moi vite celles qui restent ! Je vais les mettre à l'abri avant que Gaelle en casse une autre…

— Il parle des fioles, précisa-t-elle avec un brin de malice qu'Ewan perçut enfin.

Nous faisions souvent ça, Sev et moi. Quand on prend le blâme à la place d'un autre, les gens ont tendance à être plus cléments. Et surtout ils ne posent pas de questions !

***

Son butin en main, Muir monta s'enfermer dans la chambre qu'il partageait avec son protégé. Il enveloppa les flacons dans de larges mouchoirs en lin brodés de ses initiales « P. M. » et les rangea dans sa sacoche.

« M'dame Tracady m'a recueilli à la mort de mes parents. J'avais quatre ans. Jamais qu'elle m'aurait abandonné ! »

Bon sang ! Chaque fois qu'il croyait l'avoir chassée, sa discussion du matin avec le jeune Hugo lui revenait à l'esprit. Par bribes insidieuses.

« Jamais qu'elle m'aurait abandonné ! » s'était indigné l'enfant.

Jamais ? Vraiment ?

N'y tenant plus, Muir fouilla dans ses affaires à la recherche d'un ancien carnet de voyage. Une fois l'objet trouvé, un superbe ouvrage relié en cuir ciselé, il s'installa sur l'appui de la fenêtre et le feuilleta. Il entendit presque son rire clair s'échapper d'entre les pages en reconnaissant les oiseaux qu'elle y avait peints. Ce rire depuis si longtemps perdu. Envolé…

Muir passa plusieurs fois ses doigts sur l'ex-libris collé à l'intérieur de la couverture. Cette vignette indiquait simplement son nom à lui, le propriétaire du carnet. *Patrick Muir.* Le cavalier ouvrit son canif et s'appliqua à décoller les bords du petit papier jauni. Ils se laissèrent faire docilement, peut-être soulagés qu'on veuille les libérer de leur secret. Muir attrapa la feuille pliée qui se cachait sous l'ex-libris et la déplia, le souffle court.

Dessiner son beau visage en gros plan pour cet avis, publié sept ans auparavant, lui avait causé la pire peine de sa vie.

AVIS DE RECHERCHE

Tracady Muir (née Molvan)

Morte ou vive

Pour affichage immédiat dans tous les lieux publics

Potentiel de danger : **très élevé**
Accusation : **meurtre de son mari, le cavalier express Kevin Muir**
Arme utilisée : **poignard**
Description : **visage allongé, yeux pers, cheveux châtain clair, ossature moyenne**
Taille : **5,8 pieds**
Âge : **25 ans**
(née au lieu-dit de la Pointe-du-Jour en 298)
Signes distinctifs : **aucun**
Récompense : **un sac de pièces d'or**

Avis émis à Imeronx, le 27 novembre 323

CHAPITRE 19

Le mouchard

Ewan et Longue Vue avaient eu leur entretien avec Tanaïs dans la soirée du vendredi alors que le souffle de l'hiver s'était octroyé un peu de répit. La vénérable Vorgombre avait jugé les circonstances assez graves pour envoyer aussitôt des messagers auprès des chefs des autres bandes. Ils convoquèrent un conseil le lendemain, à minuit. Oji proposa de tenir cette rencontre dans une grotte située sur son territoire : nul besoin de posséder des antennes très habiles pour savoir que la tempête reprendrait de plus belle au cours des prochaines heures. En raison de la dimension restreinte de cet abri et de l'urgence de la situation, il fut décidé d'y réunir seulement les anciens ainsi que Bruknir dont le rôle de protecteur de Gaelle Miller était connu de tous.

En ce samedi de la fin novembre, six Vorgombres se réunirent donc au cœur des bois et de la nuit. Au cœur de leurs souvenirs aussi. Après les salutations d'usage, Tanaïs leur exposa les motifs de son inquiétude. Elle raconta d'abord qu'Ewan du Tertre avait été agressé dans la forêt qui longeait leur ancien havre, du temps où ils étaient encore des papillons de jour et habitaient tous ensemble.

— Il m'a montré une blessure dans son dos. Une fine et longue griffure... Ewan m'a confié que les vêtements qu'il portait avaient été entaillés et que des paillettes dorées parsemaient la plaie.

— Facile d'y reconnaître le coup de patte d'un Maïvorg, constata Eïsa.

Ayant en mémoire sa violente dispute avec sa bien-aimée deux nuits auparavant, Belk enchaîna d'un ton apaisant:

— Écoute, Tanaïs... Que ton protégé ait été attaqué est navrant, mais... comment dire?

— Prévisible, l'aida gentiment Tanaïs. Je sais bien, Belk. Ewan était un intrus sur le territoire des Maïvorgs. Un ennemi à abattre.

— Lui as-tu ordonné de ne plus se rendre en ces lieux?

— C'est plus compliqué que ça, soupira-t-elle.

— Pourquoi donc? s'étonna Oji.

— Ewan m'a révélé que la cavalerie dont il fait partie cherche à établir le parcours le plus direct possible entre Imeronx et Aurora.

— Si ces cavaliers pouvaient monter des papillons à la place des chevaux, ce serait déjà chose faite, remarqua le pragmatique Datzu.

— Le trajet est déjà balisé jusqu'à Eystef, où se situe désormais un relais. Cette rumeur se répand chez les voyageurs humains comme une traînée de paillettes, précisa Bruknir qui, même en surveillant Gaelle d'assez loin depuis que celle-ci logeait à l'auberge, restait au courant du moindre ragot.

— Je connais ce village. Il se trouve loin au nord de Lymnoix et à une altitude encore plus élevée. Autrement dit, la cavalerie a déjà un pied dans cette chaîne de montagnes. En somme, les hommes n'abandonneront pas ce projet de sitôt, peu importe le danger, conclut Oji.

— C'est d'autant plus vrai qu'Ewan et son supérieur, un dénommé Muir, ont découvert un moyen rapide d'aller de Mentana à Didagris, ajouta Tanaïs.

Elle leur annonça la réouverture du passage secret et leur mentionna les admirables trompe-l'œil sur les panneaux de porte qu'Ewan lui avait décrits en détail.

— C'est assurément l'œuvre du Coloriste! s'exclama Oji. Ah! Son nom humain m'échappe… Il s'agit d'un jeune peintre renommé au-delà de nos frontières. Il résidait sur mon territoire, au lieu-dit des Biches, quand il a disparu dans des circonstances obscures. Ses parents et amis ont battu les bois pendant des semaines pour le retrouver. Ils criaient le nom de… de… de David! Voilà! David Latreille.

— Cela remonte à quand? lui demanda Tanaïs.

— Cinq ou six ans, il me semble.

— Tout s'entrelace! s'exclama-t-elle.

— Si nos frères…

— Nos ennemis! fulminèrent plusieurs voix.

— Si nos frères ennemis sont si bien organisés, reprit Belk, cela signifie que Ferkyos a une idée précise en tête.

— Oui, mais laquelle? s'enquit Eïsa en exprimant une crainte générale.

Ils se turent, plongés dans de sombres pensées. Les six Vorgombres, drapés serré dans leurs ailes, ressemblaient à des naufragés qui grelottent en attendant les secours. Ce fut Tanaïs qui rompit le silence.

— Puisqu'un affrontement entre les Maïvorgs de la clairière et les cavaliers est imminent, ne pourrions-nous pas au moins fournir des renseignements utiles aux humains? demanda-t-elle avec la douceur de ces brises d'été qui finissent souvent par faire claquer les portes.

«À quoi bon résister?» songea Belk. Le moment semblait venu en effet de changer de conduite vis-à-vis des sans-ailes.

— Mettons nos informations en commun avant de discuter des actions à entreprendre, trancha-t-il.

***

Ce qu'ils savaient depuis belle lurette: qu'une coconnière humaine avait été créée dans leur ancien repaire.

Ce qu'ils ignoraient : jusqu'à quel point elle était fournie.

Ainsi, même si aucun Vorgombre n'avait été témoin de l'enlèvement de David Latreille, ils étaient prêts à jurer que le Coloriste avait été ravi par les Maïvorgs, puis utilisé pour son génie de peintre. Quant à Robert Miller, son attaque avait eu lieu à proximité de Lymnoix, sur le territoire d'Oji. Une femelle du clan de ce dernier avait assisté au rapt du père et du fils mené par deux mâles maïvorgs en plein jour. L'un arborait une splendide livrée turquoise et l'autre possédait des ailes émeraude marbrées d'or. Les assaillants n'avaient pas repéré la Vorgombre : en cela l'art du camouflage fonctionnait à merveille. Ils s'abattirent sur les humains avec la grâce d'une étoile filante et la violence d'une avalanche. Il y avait là aussi un cheval alezan, qui reçut de féroces coups sur les flancs pour que cessent ses hennissements. La terrible nouvelle de cette agression s'était répandue dans la forêt comme un crachin entêté et glacial.

Plusieurs membres doutaient de la survie de David Latreille. Une fois les trompe-l'œil du passage secret achevés pour leur compte, les cruels papillons de jour l'avaient, selon toute vraisemblance, remercié en le tuant. Par contre, les six Vorgombres estimaient que Robert Miller était toujours vivant puisque les Maïvorgs avaient grand besoin de ses talents : sa pompe à puiser l'eau permettrait d'établir des peuplements permanents loin des rivières. C'était une invention révolutionnaire tant pour les hommes que pour les lépidoptères ! Tanaïs revint aussi sur la disparition du jeune Sev Miller dont elle s'expliquait mal la raison. Les Maïvorgs avaient-ils jeté son corps dans une crevasse ? Quelle raison auraient-ils eu de laisser en vie ce témoin gênant en l'encoconnant ?

Cette conversation terminée, Tanaïs posa la question qui allait de soi :

— Quelle est la prochaine étape ?

— Trop de déductions, pas assez de faits, grommela Belk. Envoyons un espion dans la coconnière.

— *Djé !* C'est risqué ! s'écrièrent de concert Datzu et Oji.

— L'un des nôtres pourra s'acquitter de cette mission sans se faire repérer, répliqua Belk. Je pense à ce jeune mâle dans ma tribu, fringant, courageux et rusé.

Interpellé par ces paroles, Bruknir remua d'aise dans le fond de la grotte.

— Il va toujours au bout de la tâche qu'il s'est donnée. Il n'abandonne jamais !

Les antennes de Bruk se raidirent d'orgueil.

— Il se fond si bien parmi les arbres et les végétaux que même les moustiques le laissent tranquille.

Bruknir applaudit intérieurement à cette description flatteuse de son talent de camoufleur.

— Il est d'un naturel on ne peut plus sérieux. Je crois qu'il ignore le sens du mot « plaisanterie », continua Belk.

Du coup, Bruk ne se reconnut plus dans ce portrait… Sa déception fut si grande que ses antennes plumeuses fléchirent comme les branches d'un saule pleureur. Ce n'était pas à lui que Belk pensait en des termes aussi élogieux, mais à Niox.

Niox! Celui-là même qui l'avait épié, lui, Bruknir, en train de changer les chiffres du panneau d'accueil de Mentana.

Qui l'avait épié sans se faire attraper, il fallait bien l'avouer…

***

Au cours du samedi et du dimanche, des bouffées de neige, un soulèvement foisonnant de flocons, avaient emmailloté Mentana dans les langes de l'hiver. La bourgade semblait désormais endormie, appesantie dans une torpeur qui l'isolait du reste du monde.

L'homme voyait arriver le premier jour de chaque mois avec une hantise grandissante pareille aux ombres gigantesques que projettent les torches derrière les grilles des cachots. Il en était venu à détester cette date où l'on tourne la page du calendrier. Il fut cependant fidèle à son habitude : en ce lundi 1er décembre, il sortit juste avant l'aube. Après avoir avalé une lampée de whisky. Puis une autre ! Et une dernière encore… Histoire d'avoir le courage de descendre de nouveau jusqu'en bas.

Le mystérieux individu prit soin d'enfoncer sa flasque en argent dans un repli de sa cape. Son bonnet de fourrure sombre muni de rabats pour les oreilles lui dessinait une tête de merle noir. Il avança le dos courbé, rasant les maisons du village, essayant de se faire oublier dans la nuit cendrée qui cédait, peu à peu, sa place au petit jour. En raison de l'épaisse couche de neige, l'homme rejoignit cahin-caha l'endroit du plateau où l'on avait accroché la vertigineuse échelle de corde plongeant vers le canyon. Ce chemin servait de raccourci entre Mentana et la vallée de Ninss pour les téméraires qui voyageaient à pied. Le froid était cinglant, les barreaux de bois glacés. Un accident est si vite arrivé…

N'aurait-il pas été plus simple, plus sage surtout, de se laisser tomber dans le vide? Une partie de lui n'était-elle pas du reste déjà morte?

***

Awi pestait contre Svreid. Pourquoi son éternel complice n'avait-il pas tué le jeune sans-ailes qu'il avait surpris dans la forêt une semaine auparavant? Pourquoi l'avait-il abandonné à son sort, inconscient, au lieu de l'achever sur-le-champ? Awi secoua fébrilement le bout de ses ailes turquoise cerclées de bronze non pas par nervosité, mais par nécessité. Il était transi, *djiii!* La réserve de chaleur de ses écailles était en train de se vider. Toute cette neige! Il n'en avait jamais vu autant. À perte d'horizon… Le chasseur surdoué qu'il était constata qu'au moins cela avait l'avantage de former un tapis moelleux parfait pour fixer les empreintes.

Le Maïvorg n'avait jamais eu à se rendre en cette partie du canyon durant la saison hivernale. Dans les faits, il s'y pointait au besoin, c'est-à-dire une ou deux fois par année, le premier jour du mois. Par contre, l'asticot de Mentana, lui, devait s'y présenter chaque mois, même s'il se déplaçait presque toujours en vain. Il faut dire qu'il respectait ce pacte à la lettre. *Pfff!* Soumettre cet homme était encore plus facile que de traquer un lièvre à la patte cassée. D'ailleurs, Awi l'entendait qui approchait.

***

— Ah! vous êtes là, remarqua l'individu, mal à l'aise.

— Je m'en serais passé, crois-moi! siffla le Maïvorg.

— La dernière fois que je vous ai vu, nous étions début avril.

— *Djé!* Tu as alors attiré mon attention sur cette prodigieuse pompe à eau. Ce Robert Miller a un sacré cerveau, en effet! Cela valait la peine qu'on se déplace.

— Et son fils, Sev?

— Pour savoir s'ils sont encore en vie, sers-toi de ton intuition, le railla Awi qui estimait que les humains en étaient singulièrement dépourvus.

Il battit des ailes avec brusquerie, exaspéré de ressentir les cruelles morsures du froid.

— Dois-je te rappeler qui pose les questions ici, sale pie ? poursuivit-il avec humeur.

— Nn… non, bien… bien… sûr ! bafouilla son interlocuteur.

— Tu empestes le whisky. As-tu ce flacon plat et brillant que tu traînes d'habitude ?

— Ma flasque ? Oui.

— Passe-la-moi et détourne les yeux.

L'homme s'exécuta sans un mot et sans comprendre.

— C'est bon, conclut Awi au bout de quelques minutes. Tiens, reprends ton bien. Il y a six jours, j'ai pisté un jeune humain, qui aime les chevaux et qui s'appelle Ewan du T. Un précieux indice que j'ai relevé sur sa gourde. Il rôdait près de notre repaire. Qui est-ce ?

— Du Tertre. Ewan du Tertre… C'est un cavalier de la garnison d'Imeronx.

— Je savais qu'il ne s'agissait pas d'un promeneur ordinaire simplement égaré ! gronda le papillon. Que trafiquait-il dans les parages ?

— Il était parti en expédition à travers le massif dans le but de repérer une route entre Mentana et la vallée.

— Quel âge a-t-il ? s'étonna Awi.

— Seize ans.

— Voilà une mission ambitieuse pour un garçon de seize ans ! Je parie qu'il est accompagné.

— Oui, reconnut l'individu à contrecœur. Il répond aux ordres d'un autre cavalier beaucoup plus expérimenté. Un dénommé Muir.

Les craintes d'Awi étaient donc fondées. L'éclaireur ou plutôt les éclaireurs n'avaient pas atteint la forêt qui donnait accès à la clairière des Maïvorgs par Didagris, comme l'avait supposé Svreid. Ils étaient arrivés par le nord au lieu du sud et, pour ce faire, ils avaient nécessairement emprunté le passage secret. Qui à l'évidence n'était plus secret ! Assailli par la rage, Awi fouetta à plusieurs reprises un bloc de granit avec ses pattes supérieures sous l'œil affolé de son interlocuteur, qui se tassa sur lui-même.

— Que devrais-je savoir encore ? s'enquit le papillon sur un ton tyrannique qui n'admettait aucune cachotterie.

— L'au… l'autre jour… E… Ewan m'a montré un assortiment de poudres enfermées dans des fioles. Il m'a demandé si j'en connaissais l'usage.

— De la poudre ! se moqua Awi. La nature en est pleine. Le pollen, la sciure des fourmis…

— Il s'agissait de vos écailles.

— *Djascht !*

Le Maïvorg enroula une de ses pattes autour des poignets de son souffre-douleur en y plantant ses fines griffes acérées. Puis il l'attira vers lui brutalement et le força à s'agenouiller.

— Pitié ! supplia le pauvre bougre. Je ne lui ai rien dit, je vous le jure ! J'ai inventé une histoire.

— Ah oui… et est-ce qu'il t'a cru ?

— Je ne crois pas, hélas !

— T'a-t-il indiqué d'où provenaient nos paillettes ?

— Non plus. Ewan, il… il n'est pas très bavard.

— Par chance, toi, tu l'es pour vingt !

Awi relâcha sa douloureuse étreinte.

— Rapporte-moi toutes les habitudes de ces deux éclaireurs. Leurs moindres faits et gestes, ordonna-t-il.

Lorsque le Maïvorg devait fixer le sort d'un sans-ailes encombrant, son choix était simple : l'encoconnement pour les êtres d'exception, la mort pour tous les autres. Une fois ces renseignements pris et sa décision arrêtée, Awi se livra à un rituel cruel. Il se conduisait toujours ainsi quand il avait terminé d'interroger l'homme de Mentana. L'odeur rance de la culpabilité l'excitait tout autant que celle de la peur ravissait Svreid. À chacun son effluve préféré…

— Maintenant que tu les as livrés, trouve-moi une seule et unique raison d'épargner la vie de ces cavaliers.

Awi demandait cela pour la forme. Jamais il ne serait fié au jugement de ce minable. Non… Le papillon voulait juste provoquer la panique chez son vis-à-vis en le forçant à chercher la bonne réponse avec un désespoir grandissant.

***

Le Maïvorg observait l'ascension du bonhomme agrippé à l'échelle de corde qui le ramenait chez lui. Il émit un chuintement de mépris. Vu sous cet angle, ce type ressemblait vraiment à ce qu'il était. La tête arrondie et noircie par son bonnet, la cape dans le vent qui lui dessinait des ailes. Il avait l'air d'une mouche ou, pour être plus précis, d'un mouchard.

— Svreid, sors donc de derrière ces éboulis! lança Awi.

— Comment m'as-tu découvert? s'enquit son comparse, fort dépité, en dépliant sa longue silhouette.

— Je t'ai vu au moment où tu te cachais.

— Impossible! Tu avais le dos tourné.

— Et un miroir – ou plutôt une flasque – à la patte.

— *Djiii!* Tu triches si tu utilises des artifices humains! s'offusqua Svreid.

— Et toi, tu triches quand tu ne respectes pas les ordres!

— J'ai quitté la clairière parce qu'il n'y avait pas un chat sauvage dans les parages. La coconnière peut se passer de surveillance durant quelques heures, surtout en cette période de l'année où il y a peu de va-et-vient, dit-il en trépignant de froid et en rabattant ses ailes émeraude jaspées d'or sur son torse.

— C'est d'ailleurs pour ça qu'on ne va pas rentrer tout de suite… Filons à Mentana, au risque de finir en glaçons! pesta Awi en fixant le soleil, qui peinait à réchauffer la terre en ce lundi matin blafard.

CHAPITRE 20

Les étoiles
pleurantes

Quelques heures plus tôt...

N iox avait quitté les bois de Mentana, dans la nuit du dimanche au lundi, peu après minuit, en mettant le cap sur la vallée de Ninss. Afin de ne pas se fatiguer, il avait survolé le canyon du vol lent et régulier des papillons appelé la « volée battue ». Ce parcours lui avait pris un peu plus de deux heures.

Jusqu'à présent, la tâche la plus difficile pour le jeune mâle avait consisté à trier les éléments essentiels dans l'amas de précisions et de conseils donnés par Belk au cours de la nuit précédente. La nuée de flocons qui s'abattait alors sur la forêt n'était rien en comparaison de la rafale de recommandations prodiguée par son chef... Pourtant, le patient Niox l'avait écouté tout du long d'une antenne attentive. Tant mieux pour lui, car, s'il avait agi autrement, le rusé Belk l'aurait estimé incapable d'accomplir une mission si délicate. En somme, sans s'en douter, Niox avait réussi haut la patte sa première épreuve.

**

La seconde avait été également aisée : pénétrer dans le repli des Maïvorgs fut un jeu de Vorgombrin. Belk lui en avait signalé les quelques rares accès et Niox avait choisi de passer par l'étroite fissure qui détenait le record des coyotes coincés. Il se fit aussi plat qu'un cafard et plus discret qu'un cloporte ! Une fois en territoire ennemi, Niox progressa avec une prudence extrême jusqu'à un vieux pin tordu et odorant pour enfin s'aplatir à son pied jonché d'aiguilles. Il fut étonné de la tiédeur du sol avant de se rappeler que le chef de sa tribu lui avait vanté les vertus de l'eau chaude souterraine, qui réchauffait la clairière de granit. Le papillon de nuit avait à peine besoin de nuancer son camouflage tant il faisait sombre dans cette partie de la clairière. Des lueurs émanaient toutefois de deux zones distinctes.

À trois cent soixante pieds, en direction du soleil levant, l'espion compta neuf grandes lanternes ovales accrochées çà et là aux branches dégarnies de quelques feuillus. De doux éclats bleu clair, vert tendre, orangés et rouge vif scintillaient à travers leur enveloppe fine et translucide.

Jamais une chenille Vorgombre ne pourrait espérer grandir dans de tels cocons, aussi somptueux que visibles. Par contre, neuf papillons maïvorgs verraient le jour en mars après avoir été bercés par le vent pendant dix mois. S'ils avaient d'abord été à l'abri des regards durant l'été, sous le couvert des feuilles des érables et des chênes noirs, les cocons lumineux étaient devenus repérables au premier coup d'œil depuis le passage du puissant souffle automnal. «Quelle autre espèce peut s'autoriser à exposer ainsi sa progéniture?» se demanda Niox. De manière plus éloquente que tous les discours de Belk, ces lanternes de soie égayant la nuit lui indiquèrent la pleine mesure de l'arrogance des Maïvorgs.

À trois cents pieds, en direction du soleil de midi, l'émissaire des Vorgombres observa dix-sept autres cocons, de tailles variées, attachés aux traverses d'une imposante pergola. Une lumière terne se dégageait de chacun d'eux. En ajustant les multiples facettes de ses yeux pour les observer malgré la distance, Niox put constater qu'ils étaient tissés à l'aide d'un fil de soie écru qui s'effilochait par endroits. Le squelette en bois de la pergola s'effaçant dans les ténèbres, ces cocons vaporeux en suspension ressemblaient à des étoiles qui brillaient à grand-peine dans la nuit. Des étoiles pleurantes, car elles avaient cessé d'être filantes en perdant leur liberté.

Niox ferma les yeux pour ne plus voir ce spectacle navrant d'humains enchaînés dans de la soie, réduits à l'état de larve, et dont l'esprit refusait pourtant de s'éteindre. L'indignation qui ne demandait qu'à surgir en lui se heurta à la digue de sa volonté : « On ne traverse pas ! Reculez ! », tel était l'ordre scandé à la plus petite émotion au moment où il devait se dissimuler.

Chez les Vorgombres, l'art du camouflage exige la maîtrise de nombreuses habiletés. Il faut savoir se fondre dans la nature, faire corps avec elle. C'est l'un des premiers enseignements qu'on inculque aux Vorgombrins. Vient ensuite une initiation beaucoup plus difficile, parce qu'elle ne relève pas du domaine des choses concrètes. Le jeune papillon de nuit doit apprendre à maîtriser la moindre de ses humeurs. En effet, au moyen de leurs prodigieuses antennes, la plupart des lépidoptères détectent les odeurs fortes, celles associées à la parade amoureuse par exemple, à des lieues à la ronde. Limiter les effluves à leur plus simple expression en ne ressentant aucune émotion, voilà l'idée géniale qui permettait aux Vorgombres de passer inaperçus même à quelques pieds de l'ennemi.

Niox rouvrit les yeux et dressa ses antennes. Son odeur continuait à se confondre avec celle du vieux pin tordu sous lequel il s'était tapi presque deux heures auparavant. Il pouvait piquer un somme, jamais il ne serait repéré ! À ce moment, deux Maïvorgs, se détachant de l'ombre, traversèrent la coconnière humaine. Leurs voiles de satin d'un bleu et d'un vert intenses contrastaient dans ce décor lugubre. Niox ne s'étonna pas de leur apparition puisqu'il avait flairé et analysé leurs fumets depuis un bon moment. Ces jeunes mâles dégageaient une grande assurance. Ils étaient en pleine possession de leurs moyens et une complicité quasi organique les liait l'un à l'autre. Niox n'avait jamais rien senti de tel, sauf une fois en croisant deux fillettes en tous points identiques. Des jumelles, avait-il appris.

S'ils montaient la garde, ces papillons de jour ne le faisaient pas de façon très convaincante. Peut-être souhaitaient-ils juste passer une nuit blanche alors que la clairière était ensommeillée. Ils avaient en effet l'air de comploter en chuchotant entre eux si bas que Niox ne parvenait pas à les entendre distinctement. Il attrapa des mots au vol tels que « garçon », « asticot », « canyon » et « éclaireur ». Cela n'avait ni queue ni tête ! Cependant, il comprit très bien ce que l'un des Maïvorgs, adossé à une des colonnes de la pergola, lança à son compagnon au moment où celui-ci prenait son envol :

— Tu es trop zélé, Awi. Tu as le tempérament d'une fourmi, pas d'un papillon !

✱✱✱

Un quart d'heure plus tard, le Maïvorg esseulé quittait à son tour les lieux, en suivant le sillage du dénommé Awi. Niox allait enfin pouvoir se dégourdir les ailes et collecter davantage d'indices sur cette coconnière. La tempête des jours précédents avait exhalé sa poudrerie sur toute la vallée. En revanche, la température restait clémente à l'intérieur de la clairière. Alors que le plateau de Mentana était enveloppé dans une épaisse couverture de neige, ici, il n'en restait qu'une fine dentelle ajourée. Peu importe! Niox préférait planer jusqu'à la pergola afin de ne laisser aucune trace au sol. Il grimpa au sommet du pin et s'élança en déployant ses voiles cendrées criblées de pépites d'argent.

Il atteignit sa cible en quelques secondes, s'y posa en douceur, profitant dès lors d'une vue plongeante sur les cocons. C'est ainsi qu'il découvrit un berceau de soie qu'il n'avait pu repérer auparavant, car ce chétif cocon se trouvait suspendu derrière un autre beaucoup plus grand. « Ils encoconnent même les bébés, *djé!* » remarqua Niox en ne laissant pas libre cours à une aversion qui aurait cependant été naturelle dans les circonstances.

Une brise se leva et réveilla quelque chose au sol. Une armée d'araignées! Niox n'en avait jamais vu autant. Il s'avisa soudain que les innombrables bestioles envahissaient les colonnes de la pergola. Elles grimpaient de bas en haut, se répandaient sur les traverses partout à la fois. Quand il comprit sa méprise, le jeune mâle s'asséna un coup d'antenne sur la tête. Quel imbécile! Il s'était laissé distraire par des milliers de feuilles de lierre, brunies par l'automne, figées dans des postures arquées, et dont les fines tiges ressemblaient aux interminables pattes des araignées.

Reprenant son inspection de la structure de bois, Niox constata que des plaquettes en pierre identifiaient chaque cocon. Elles étaient fixées avec de la gomme de sapin et gravées selon la seule écriture connue des papillons, celle des humains. Il en lut trois marquées aux noms de Rompierre, Rivard et Sendyn, sans les mémoriser toutefois puisqu'il n'était pas venu ici pour vérifier le sort de ces gens. Les étiquettes étaient classées par ordre alphabétique. Aussi l'espion fila-t-il vers la lettre « M ». Il tomba sur une dénommée Molvan et hocha la tête, admiratif. Le système d'identification des Maïvorgs était à la fois simple et complet.

Chaque plaque comprenait, dans l'ordre, les renseignements suivants :
• Nom de la proie
• Date et lieu de sa capture
• Nom du prédateur
• Comportement de la proie au moment de sa capture
• Particularité

Cela donnait :
• Molvan, Tracady
• 25 octobre 115 – pic des Brumes
• Awi
• Résistance 5 * Meurtrière
• Vastes connaissances du terrain, art de la fuite

Ou encore et, cette fois, Niox prit soin de fixer chaque détail dans son esprit :

- Miller, Sev
- 3 avril 115 – route de Lymnoix, tronçon de l'auberge
- Awi
- Résistance 2
- Fils de R. Miller

- Miller, Robert
- 3 avril 115 – route de Lymnoix, tronçon de l'auberge
- Svreid
- Résistance 3
- Inventeur de la pompe à eau

Ainsi, les suppositions des Vorgombres à propos des Miller s'avéraient exactes. La mission de Niox achevait. Il ne lui restait plus qu'à vérifier si David Latreille faisait partie des victimes. Il tomba sur une inscription au nom d'Henriette Longpré et se demanda ce qui avait pu lui arriver pour que sa place soit vide. Seul un long fil de soie cassé indiquait qu'il y avait eu là un cocon. Niox passa au « L » suivant. Il ne s'agissait toujours pas de Latreille.

Il s'agissait de… de… *djô !* Le minuscule cocon qui l'accompagnait portait le même nom, évidemment ! Le drame concernant ces gens avait fait grand bruit à Mentana. Comment oublier les battues organisées par les humains à travers la forêt et le prénom de la femme qu'ils recherchaient à grands cris? Niox regarda en vitesse l'étiquette de Latreille, juste à côté. Elle ne contenait aucun élément inconnu, mis à part que ce rapt était l'œuvre de Svreid. Un prédateur apparemment exceptionnel! Le Vorgombre put retourner derechef à sa sinistre découverte:

• Lhoumey, Nina
• 19 août 113 – attrapée au vol, falaise de Mentana
• Svreid
• Résistance 0
• Appât à chantage

• Lhoumey, Benjamin
• 7 mai 113 – dans son berceau, auberge de Mentana
• Awi
• Résistance 0
• Appât à chantage * Petit de N. et C. Lhoumey

Benjamin, l'enfant du couple Lhoumey! Il avait succombé, au cours de sa première semaine d'existence, à une de ces nombreuses maladies des nouveau-nés. Sa pauvre mère, éperdue de désespoir, avait nié que le cadavre mis en terre soit celui de son bébé. Elle l'avait hurlé sur sa tombe à en perdre la voix. Personne ne l'avait crue et pourtant... elle disait vrai!

De toute évidence, Awi avait substitué un nourrisson mort à l'enfant en parfaite santé. Son complice Svreid avait terminé le travail en cueillant la belle Nina au moment où elle se détachait de la vie.

Awi... C'était celui qui avait quitté la clairière, une heure auparavant.

Et celui qui l'avait suivi devait être Svreid.

« Sont beaucoup trop forts ces deux-là ensemble ! » grommela Niox.

***

L'espion des Vorgombres ressentait une profonde satisfaction : il allait pouvoir dévoiler aux siens une mine d'informations à propos de la coconnière. « J'en aurai presque autant à dire que Belk », pensa-t-il en se remémorant les infinis détails fournis par son chef afin de le préparer à sa mission.

Un amoncellement de données que le patient papillon avait triées en balançant pêle-mêle, dans le fossé de sa mémoire, les rameaux plus ou moins utiles. Or, maintenant l'un d'eux se ramifiait dans son esprit à la vitesse d'une couche de glace qui se fissure dès que l'on pose du poids dessus. Et qui finit par se fracasser !

Première craquelure...

Ewan du Tertre veut connaître l'origine des paillettes de Maïvorgs miroitant dans des fioles.

Le jeune cavalier consulte Tanaïs.

Qui consulte les anciens.

Mais avant.

Oui, avant !

La craquelure devient fissure. Elle forme une étoile.

Ewan montre ses fioles aux nombreux clients de l'auberge.

Et à l'aubergiste.

Oui, mais encore avant.

Au départ.

La cassure court déjà sous la glace…

C'est l'œuvre d'Awi et de Svreid.

Qui attirent dans leur filet cette formidable pie bavarde de Lhoumey avec un objet en or massif.

Le plus lourd d'entre tous pour un humain.

L'amour des siens.

« Sont beaucoup trop forts ces deux-là ! » se répéta Niox.

***

Après avoir quitté la clairière ni vu ni connu, Niox s'élança vers Mentana à volée vibrée. Une cadence frénétique que même les papillons les plus entraînés ne peuvent maintenir que sur une courte distance.

Niox, lui, franchit ainsi quatre longues lieues. Les ailes tordues par la douleur, prêtes à se disloquer. Le thorax écrasé sous la violence de l'effort. Le souffle de plus en plus court, pantelant. Il vola ainsi jusqu'à l'épuisement non pas pour éviter de se faire surprendre par le soleil levant. Non !

Il devait prévenir les siens d'un danger beaucoup plus grand : le péril auquel Ewan du Tertre s'était exposé à son insu en consultant Charles Lhoumey.

Car tant et aussi longtemps qu'il resterait à Mentana, Ewan serait une proie à découvert, qui ne pesait pas plus lourd qu'un faon voyant le jour.

CHAPITRE 21

Chevauchée près de la Louve

L e lundi matin, aux aurores, Awi avait interrogé Lhoumey, son mouchard attitré, à propos d'Ewan du Tertre. En raison des informations obtenues, le Maïvorg avait décidé de ne pas retourner à la clairière et Svreid s'était plié à sa requête, flairant là le début d'une aventure. Quelque chose qui le mettrait en appétit. Sauf que, pour l'instant, il restait sur sa faim, sans même une gomme de pin à sucer.

Son complice l'avait entraîné jusqu'au village de Mentana, sur le plateau. Le soleil, levé depuis moins d'une heure, s'amusait à faire ricocher ses rayons sur la neige. Çà et là, des persiennes ouvraient leurs lourdes paupières de bois au fur et à mesure que les habitants se réveillaient. Les papillons s'étaient tapis dans ce que Svreid croyait être la remise d'une maison encore assoupie.

Cet abri, beaucoup trop exigu pour que deux Maïvorgs y restent debout, était construit avec des planches de sapin. Il ne comprenait aucune fenêtre. Awi l'avait choisi, car il était planté de guingois entre des conifères qui le tenaient à l'écart des regards indiscrets. Svreid fut le premier à s'y engager. Il s'assit sur une sorte de banc percé tandis que son compagnon refermait la porte sur eux.

— Il règne en ce lieu un bouquet de fumets plus âcres les uns que les autres. Mes antennes ne savent plus où donner de la tête, remarqua Svreid, sans paraître pour autant perturbé par la puanteur qui l'enveloppait.

— Fais attention de ne pas glisser dans le trou. Je n'irai pas t'y repêcher !

« C'est la cachette idéale. Nous n'y serons pas dérangés », avait affirmé Awi en poussant son complice à l'intérieur quelques minutes plus tôt.

— Comment peux-tu être sûr qu'aucun homme ne nous surprendra ici en voulant évacuer ses excréments ? N'est-ce pas à cela que sert cet étrange refuge ? le questionna Svreid.

— Oui, c'est ce que les humains appellent, assez joliment d'ailleurs, des lieux d'aisances. Sache que, pour eux, des latrines verrouillées signifient que la place est prise et qu'il faut courir ailleurs si on a une envie pressante, répondit Awi en fermant le loquet.

— Et en quoi consiste le reste de ton plan pour le moins vaseux, *djé* ?

Awi émit un chuintement discret. Un petit rire…

— L'auberge de Mentana se trouve juste en face, indiqua-t-il en appuyant ses pattes sur la porte.

— Mais on n'y voit…

— Chhhut! Arrête de te plaindre.

Après une brève inspection du panneau de la porte, Awi déclara:

— Je vais élargir l'espace entre ces planches mal jointes. J'aimerais qu'ensuite tu surveilles le gîte. Avec un peu de chance, tu apercevras ce jeune éclaireur, nommé Ewan du Tertre.

— Je te cède volontiers ma place au-dessus du trou, plaisanta Svreid en se levant. Que la traque commence!

***

Entre-temps, Lhoumey était retourné derrière ses fourneaux. Il était rentré à l'auberge avec un panier rempli d'œufs si bien que personne ne lui avait demandé d'où il arrivait ainsi vêtu de sa cape et de son bonnet. Charles déposa une louche de pâte épaisse sur chacune des quatre plaques de cuisson du poêle en fonte qui trônait dans sa cuisine.

— Ils sont toujours vivants, lui avait assuré son persécuteur plus tôt dans le canyon. Vivants et… au chaud! avait-il précisé, comme si ce dernier détail l'amusait.

Le pauvre homme s'accrochait à cette pensée : sa femme et son fils étaient sains et saufs. Qu'importe le reste ! La pâte d'une des crêpes commença à faire des bulles. Il la tourna pour dorer l'autre côté.

Quand le gigantesque papillon avait fondu sur lui la première fois en le plaquant au sol, il lui avait glissé à l'oreille :

— Va falloir qu'on cause si tu veux revoir ta belle et ton vermisseau.

Le redoutable animal s'était ensuite empiffré des framboises que Lhoumey venait de ramasser au beau milieu des bois tout en lui exposant – avec des précisions ne pouvant appartenir qu'à la vérité – comment les Maïvorgs s'y étaient pris pour enlever son épouse et son bébé.

Charles retourna une autre crêpe.

« Va falloir qu'on cause… »

Moucharder, c'était le prix à payer pour que les siens demeurent en vie. Qu'aurait fait Margot Miller à sa place ? Aurait-elle sacrifié mari et fils ?

Il s'occupa de la troisième crêpe recouverte de petites cloques.

Ignoble, malfaisant, faux jeton, il n'était pas tendre à son propre égard ! Sa mauvaise conscience pesait de plus en plus lourd, une trahison s'ajoutant à une autre dans le plateau des remords, alors que le plateau de la joie restait désespérément vide. Parfois, Charles s'endormait affolé en se demandant s'il est possible qu'un cœur écrasé par la culpabilité cesse de battre…

Une odeur de brûlé lui piqua le nez. Le cuisinier jura et gratta la plaque ronde sur laquelle gémissait la quatrième crêpe, irrécupérable. Il déposa le reste dans une assiette en criant à Margot que le petit déjeuner d'Ewan était prêt.

***

Du Tertre terminait son café. Les tartines et le lait chaud au miel que Margot disposa sur le comptoir après l'avoir débarrassé de son assiette vide lui indiquèrent que Gaelle allait bientôt apparaître. Elle arriva en effet et s'installa à ses côtés.

— C'est un jour particulier aujourd'hui, lui dit-il.

La jeune fille fronça les sourcils en soufflant sur sa tasse.

Un jour très particulier, oui! Qu'est-ce qui lui prend d'en discuter en public?

— Gaelle…

Ce soir, nous sommes conviés dans la tribu de Bruknir… Bon sang! Ce lait est brûlant!

— Gaelle…

Niox nous racontera pour la coconnière. Je saurai enfin pour papa et Sev!

— Oh, Gaelle!

— Quoi?!

— Je parlais de moi seulement. De personne d'autre.

— De toi ? s'étonna-t-elle en abandonnant son lait.

— C'est un jour particulier parce que je ne suis plus au repos, je peux chevaucher Akko.

— Aaaah ! fit son interlocutrice visiblement soulagée.

Du coup, mademoiselle s'attaqua à ses tartines. Ewan se tut pour la laisser manger à sa guise.

— Ben, qu'est-ce que t'attends ? lui lança-t-elle, la bouche pleine. Cours à l'écurie !

— En fait, je voudrais que tu m'accompagnes.

— Moi ?!

— Oui, toi ! Et Topaze évidemment, précisa-t-il, le sourire en coin.

— Évidemment ! s'exclama-t-elle avec entrain. Pour aller où ?

— Je ne sais pas…

— Promenez-vous du côté de la chute, leur suggéra Margot en s'immisçant dans leur conversation. L'eau a dû geler.

— Excellente idée ! Nous sommes passés devant à quelques reprises, Muir et moi. C'est un des plus beaux paysages, le long de la Louve.

Quand Gaelle eut engouffré sa dernière bouchée, elle fit signe à Ewan et ils se levèrent.

— Minute, ma jolie ! s'écria sa mère. Il fait un froid de canard. Monte dans notre chambre et choisis-toi un de mes châles. Je te l'offre.

— Tu m'en donnes un ? Vraiment ?

— Il m'en restera toujours deux. Il est temps que je me remette aux aiguilles. J'ai des fourmis dans les mains !

À l'époque où Margot vivait avec son mari, elle adorait tricoter. Elle faisait apparaître des pompons, des franges, des fleurs, des torsades de joie dans ses lainages. Après la disparition de Robert et de Sev, ses doigts de fée avaient sombré dans un lourd sommeil.

— Oh ! Merci maman ! s'exclama Gaelle en se jetant dans ses bras.

***

La jeune fille grimpa en vitesse à l'étage. Elle savait déjà quel châle elle désirait. Le rouge vermillon, tricoté dans un point qui évoquait les vagues. Elle s'en fit une mantille en renonçant, après deux ou trois essais infructueux, à y refouler toutes ses boucles. Quelques mèches capricieuses restèrent donc en liberté.

Quand il l'aperçut, au milieu de l'escalier, Ewan songea à un coquelicot. À sa grâce. À ses pétales soyeux à la fois délicats et flamboyants. Du Tertre n'était pas habitué à appréhender les choses ainsi. Il agissait toujours de manière rationnelle ou instinctive. Que signifiait à la fin cette image entêtante ? Pourquoi associait-il Gaelle à cette fleur ?

Son esprit lui chuchota une réponse : « On ne résiste pas à l'envie de la cueillir… »

Et cela lui déplut souverainement. Parce que les fleurs, comme les filles, il avait l'habitude de les contourner…

***

— Awi! s'emballa Svreid, l'œil collé contre la porte des latrines. Le garçon sort de l'écurie.
— Il monte un cheval?
— Oui.
— Seul?
— *Djmm*, voyons… Un autre cavalier le suit. Une cavalière plutôt. Elle porte une coiffure de femme.
— Où vont-ils?
— En direction du soleil de midi.
— Écoute-moi, Svreid. On quitte les lieux discrètement et on vole un peu plus bas que la crête du plateau, en longeant la falaise. Personne ne pourra nous voir. Une fois sortis de Mentana, nous nous élèverons en plein ciel.
— Me laisseras-tu Ewan du Tertre, Awi? Que je finisse ce que j'ai entrepris!
— Cela va de soi. Fonçons maintenant!

***

Ewan et Gaelle chevauchaient vers le sud. Ils devaient parcourir un peu plus d'une lieue sur un chemin dégagé, puis couper à travers bois pour rejoindre la Louve. Jamais ils ne soupçonnèrent que des Maïvorgs les pourchassaient, à une hauteur vertigineuse au-dessus de leur tête.

Alors que les deux promeneurs avançaient au pas, juste avant de pénétrer dans la forêt, les papillons fondirent sur eux. Awi happa Gaelle à la taille, la tirant violemment par-derrière. Quand ils furent debout sur le tapis de neige, il plaqua le dos de la fille contre son torse d'insecte et serra trois de ses quatre pattes supérieures autour de sa proie. De sa patte libre, il lui arracha son lainage afin d'en faire un bâillon. Il ne voulait surtout pas que la sans-ailes alerte les siens par ses cris stridents de femelle.

Ewan subit une attaque à peu près semblable, sauf qu'il fut projeté par terre après avoir été désarmé. Lorsqu'il essaya de se relever, profitant du fait que Svreid était occupé à chasser les chevaux, l'impitoyable Maïvorg se rua sur lui. Il lui asséna un cuisant coup de fouet avant d'abattre l'extrémité effilée de son aile inférieure sur sa poitrine. Du Tertre hurla de douleur : c'était comme si on lui enfonçait une lame sous la peau.

Paniquée, Gaelle cherchait son souffle qui n'arrivait plus à se frayer un chemin à travers ses côtes meurtries et la peur qui la submergeait.

— *Djiii!* protesta Awi. N'achève pas ce garçon avant qu'il réponde à mes questions.

— Intéresse-toi d'abord à ta prise! grommela Svreid en relâchant sa pression de mauvaise grâce.

— Quel est ton nom, jolie inconnue ? sifflota Awi à l'oreille de sa captive.

Il la débarrassa de son bâillon qu'il jeta par terre.

— Ga… Gaelle… Miller, répondit-elle en fixant le châle de sa mère qui gisait dans la neige.

Elle s'imagina, horrifiée, qu'une fois égorgée, son propre sang formerait une tache d'encre vermeille qui s'agrandirait peu à peu sur ce papier buvard d'un blanc immaculé…

— Quel dommage ! Nous avons déjà deux Miller dans notre coconnière. On ne va pas rassembler la nichée. Qu'en penses-tu, Svreid ?

— Tuons-la sur-le-champ, trancha ce dernier avec l'indifférence du chasseur de primes.

Au comble du désespoir, Gaelle ne détecta aucun Vorgombre dans les arbres alentour. Personne ne viendrait les secourir !

— Ne faites pas ça ! s'écria Ewan en se relevant de peine et de misère. Elle peut vous être beaucoup plus utile que son père ! Elle…

Que fait-il ?

— Elle possède un don in…

Un don ? Il ne peut pas…

— Par pitié ! Non, Ewan ! Non ! le supplia la jeune fille.

Du Tertre la regarda, les iris étrangement rétrécis. Deux fentes vertes semblables à celles d'un prédateur prêt à bondir sur sa victime.

Il va me livrer !

294

Le cavalier révéla en effet aux Maïvorgs que la fille de Robert Miller parvenait à distinguer les Vorgombres en plein jour.

— Sale traître! rugit Gaelle, hors d'elle. On t'appellera du Traître désormais et on te pendra!

— Ça suffit maintenant! décréta Awi en lui faisant un lacet du soupir.

Gaelle s'évanouit et son agresseur la flanqua en travers d'une de ses pattes comme on porte négligemment sa veste sur le bras lorsqu'il fait trop chaud.

Ewan remarqua le châle rouge étendu aux pieds du papillon. Il crut y voir un pétale de coquelicot sauvagement arraché, mais chassa aussitôt cette idée de son esprit. Il lui fallait bloquer cette émotion. Les Maïvorgs ne devaient pas sentir ce qui l'unissait à Gaelle. Pour un humain, du Tertre maîtrisait plutôt bien les techniques de camouflage que Tanaïs lui avait enseignées: dissimuler ses sentiments, il savait faire!

— *Djô!* Il est temps qu'on en finisse! s'impatienta Svreid. Je gèle.

— Oui, le froid nous gagne dès qu'on reste inactif, acquiesça Awi en agitant ses ailes avec vigueur pour se réchauffer. Laisse-moi éclaircir encore quelques éléments avec ce gibier et il est à toi.

***

Avant de le céder pour de bon à son complice, Awi voulut se livrer au cruel rituel qui bouleversait tant le mouchard de Mentana :

— Trouve-moi une seule et unique raison de t'épargner.

Ewan s'agrippa avec l'énergie du désespoir à la perche qu'on lui tendait.

— Vous détenez Gaelle Miller. Encore faut-il qu'elle accepte de vous parler…

— Nous nous débrouillerons ! l'interrompit Svreid, menaçant.

— Cette fille n'a jamais rien pu me cacher. Épargnez-moi et vous épargnerez du temps.

— *Djé !* Elle n'a plus l'air de t'avoir en grande estime, le railla Awi. Elle ne se confiera pas plus à toi qu'à nous.

— Je n'ai pas besoin de ses confidences puisque…

Du Tertre se tut un moment avant d'ajouter :

— J'entends ses pensées. Pas toutes, heureusement ! Juste ces choses auxquelles elle songe très fort sans oser ou sans vouloir les formuler.

— Tu nous mens ! s'énerva Svreid.

— Je ne vois guère comment un tel phénomène pourrait se produire, tempéra Awi.

— Ne discernez-vous pas le moindre frisson dans la nature ? leur demanda Ewan.

— Évidemment, *dji !*

— Eh bien ! Disons que, moi, je perçois les frissons de l'âme de Gaelle Miller.

CHAPITRE 22

Prisonniers !

Awi et Svreid rentrèrent à la clairière, au beau milieu de la matinée, avec un inestimable butin entre les pattes : un cavalier d'Imeronx et une détectrice de Vorgombres ! Svreid possédait en prime la dague d'Ewan, sauf que les armes humaines ne l'attiraient guère. Il la laissa donc à de petits Maïvorgins, qui s'extasièrent à la vue de cet objet inusité. Un conseil fut convoqué sur-le-champ. Une vingtaine de Maïvorgs y participèrent, toutes générations confondues. Awi passionna son auditoire en dévoilant les détails ayant mené à la capture de ces humains : en revanche, il leur cacha la négligence de Svreid qui avait laissé le jeune homme s'enfuir de leur forêt, une première fois, quelques jours auparavant. Les prisonniers furent assis entre les membres de l'assemblée, réunis en cercle autour d'un grand feu.

Du Tertre n'était pas attaché, un avantage qu'il devait sans doute à son statut de traître. Quant à Gaelle, elle n'avait cessé de l'insulter dès qu'elle avait retrouvé ses esprits. Résultat ? Elle avait été bâillonnée et ligotée, en plus d'être placée sous la garde de Svreid. En sa qualité de chef de la tribu, le majestueux Ferkyos interrogea Ewan :

— Toi, qui prétends entendre les pensées de Gaelle Miller, dis-nous donc à quoi elle songe en ce moment.

— Qu'elle ne me pardonnera jamais... Promis juré sur la tête de son père et de son frère Sev ! répondit-il en crachant par terre.

— Même une taupe devinerait cela ! railla Awi.

— En effet, c'est assez évident, concéda du Tertre.

— Qu'est-ce qui te lie exactement à cette fille ? s'enquit Ferkyos, mû par une véritable curiosité.

Toutes les antennes se tournèrent vers le jeune sans-ailes. On le sondait ! Ewan devait les convaincre qu'il était proche de Gaelle, mais qu'il n'y accordait aucun prix. Aussi choisit-il de dire la vérité sans détour. De la raccourcir outrageusement en fait...

— Elle et moi habitons le même lieu, côtoyons les mêmes gens, parlons la même langue. Voilà ce qui nous unit.

— Pourquoi te promenais-tu avec elle lorsque nous vous avons attaqués ? voulut savoir Awi.

— Faute de mieux ! Gaelle est plutôt mignonne. Muette, je la trouverais parfaite... Or, elle jacasse du matin au soir, se mêlant toujours de ce qui ne la regarde pas. La plupart du temps, je la supporte à grand-peine.

— À vue d'œil, tu es d'un naturel taciturne, opina Ferkyos. Il n'est pas étonnant que cela t'irrite.

— Si au moins je pouvais cesser de lire dans ses pensées ! Remarquez, elle non plus ne me porte pas dans son cœur : elle me traite tantôt de serpent, tantôt d'ours mal léché…

Tu es monstrueux, oui !

— Et maintenant de monstre, ajouta Ewan en haussant les épaules.

À cet instant précis, Gaelle l'aurait étranglé ! Nul besoin d'être un devin pour s'en apercevoir !

— Tu as affirmé, lors de ta capture, que ton irascible complice possède le don de voir des Vorgombres, le relança le chef des Maïvorgs. Dévoile-nous-en davantage.

— Les papillons de nuit la surnomment Longue Vue. Elle les distingue depuis l'âge de neuf ans. Ils l'ont aussitôt persuadée de se taire. Alors, quand je lui ai tendu une perche en évoquant leur existence…

— Tu les connais toi aussi ? l'interrompit Svreid, surpris.

— Mais non, *dji !* Il en a eu vent en s'immisçant dans la tête de la fille, lui expliqua Awi.

— C'est exact, s'empressa de confirmer Ewan. Bref, Gaelle était si excitée de pouvoir enfin se confier à quelqu'un qu'elle s'est transformée en moulin à paroles !

Évidemment, toi, tu n'as besoin de personne…

— Elle m'a mentionné des papillons aux noms étranges. Niox, Djune, Bruk…

Vas-y, ne te gêne surtout pas ! Livre-les tous, misérable !

— Oui, je m'apprête à les livrer tous! Ne t'en déplaise, petite fille modèle! s'énerva-t-il.

— Je peux lui faire un lacet du soupir si tu ne veux plus l'entendre, proposa Svreid dans un inhabituel élan de sollicitude.

— Pas maintenant, merci. Je disais donc qu'elle mentionnait…

— Des noms qui te sont inconnus, le coupa Ferkyos. Tu pourrais tout aussi bien les avoir inventés. Que sais-tu d'autre?

— Euh… Que les Vorgombres se cachent quelque part dans la forêt et vivent la nuit.

— Nous sommes déjà au courant! Tu ne nous apprends rien.

— Sauf le respect que je vous dois, objecta Ewan, je ne suis même pas censé connaître leur existence.

— Il n'a pas tort, reconnut un des membres de l'assemblée.

— Ah! s'écria du Tertre. J'ai peut-être quelque chose qui va vous intéresser!

Quoi encore?! Est-ce seulement un jeu pour toi?

— Gaelle m'a parlé d'un papillon très important parce qu'il est le descendant direct d'un grand meneur qui s'appelait… Lestig.

— *Djrrrah!* gronda Ferkyos. Belk est vivant! La rumeur était donc juste.

Cette réaction indiqua à Ewan qu'il venait de toucher une corde sensible... et de marquer un point. Un murmure parcourut le groupe des lépidoptères. La mise à mort de Lestig et la fuite de son fils Belk faisaient partie des événements ayant marqué l'histoire de la tribu.

— Et Tanaïs? s'informa quelqu'un dans l'assemblée.

— L'amante de Belk, précisa un vieux Maïvorg vers qui plusieurs têtes se tournèrent. On raconte qu'à l'instar de certaines espèces d'oiseaux – les pigeons, les tourterelles, les aigles même – ils ne se seraient jamais vraiment quittés.

— Quelle drôle d'idée! *Pfff!*

— Cessez immédiatement ce cancanage! leur ordonna Ferkyos. Nous avons d'importantes décisions à prendre. Il y a quelques jours, Awi m'a avisé que notre passage secret avait été découvert. D'où ta présence forcée parmi nous, Ewan du Tertre.

Les antennes s'orientèrent à nouveau vers le jeune homme. Elles étaient dressées comme des points d'exclamation, ces signes d'écriture servant à exprimer un profond mécontentement.

— Explique-nous ton rôle dans cette histoire, le pressa Ferkyos.

Ewan leur relata comment il avait remarqué, par hasard, l'entrée du passage secret. Il parla aussi de Muir, d'Henriette et de la future cavalerie express. De toute façon, il était convaincu qu'il n'apprenait rien de neuf au chef des Maïvorgs.

— Les cavaliers sont réputés pour ne jamais abandonner les leurs. Quelles sont les chances que ce Muir se lance sur ta piste ?

— Je ne vois pas quels indices lui permettraient d'arriver jusqu'ici. Mais s'il y parvient, il sera accompagné du frère aîné de Gaelle, Zachary. Muir considère que c'est un excellent escrimeur.

Espèce de lâche ! Tu nous trahiras tous, un à un.

— Pourquoi nous révèles-tu cela ? demanda le méfiant Awi, qui, bien que fasciné par ce témoin, n'était pas encore entièrement persuadé de sa fiabilité.

Du Tertre devait vite trouver une réponse… Celle qui s'imposa le dégoûta de lui-même. Il la divulgua toutefois, conscient qu'elle aurait un indéniable accent de vérité :

— Parce que je suis jaloux de l'intérêt que Muir porte à cette recrue. Je ne serais pas peiné qu'il disparaisse.

Awi eut un imperceptible mouvement de tête qui signifiait son assentiment.

Je vais te tuer, sale traître. À mains nues, pendant ton sommeil. Tu ne pourras plus jamais dormir tranquille !

Ewan ne sourcilla pas.

— À mon avis, il n'y a pas de danger immédiat du côté des sans-ailes, déclara Ferkyos. D'autant plus que la neige compliquera leurs recherches. Par contre, les Vorgombres découvriront rapidement que nous sommes responsables de l'enlèvement de Gaelle Miller. Ils viendront la chercher.

— Dans ce cas, nous devons l'emprisonner ailleurs qu'ici, remarqua une ancienne.

— Tu as raison, Nadrige. Examine ces proies afin de sentir leur niveau de sécrétions et déterminer si tu peux les encoconner toutes les deux. Nous déciderons ensuite d'un lieu.

— Nous encoconner! s'insurgea Ewan en posant son regard sur la femelle à laquelle Ferkyos venait de s'adresser.

Nadrige… Celle dont Tanaïs avait évoqué le nom. Une guérisseuse. Ou plutôt, dans cette tribu aux mœurs barbares, une fileuse…

Du Tertre constata avec amertume combien les apparences sont trompeuses: ses cauchemars mettaient en scène d'horribles larves qui inspiraient une aversion naturelle tandis que, dans la réalité, la redoutable Nadrige forçait l'admiration avec ses ailes chatoyantes et bigarrées où le fuchsia l'emportait sur le beige et le gris foncé.

— Nous encoconner! répéta-t-il machinalement.

— Ne t'inquiète pas, ce n'est pas douloureux, le rassura Svreid. En plus, tu auras la paix. Chez nous, on dit: «Muet comme un cocon.»

— Surtout, vous ne pourrez pas vous évader, scandèrent plusieurs Maïvorgs dans la foule.

— Voyons! protesta du Tertre, ne vous ai-je pas prouvé que j'étais de votre côté?

— Aucun humain ne sera jamais de notre côté, jeune homme, trancha Ferkyos en donnant congé à l'assemblée.

***

Sa haine des sans-ailes, Ferkyos la nourrissait depuis qu'il était un Maïvorgin alors qu'il écoutait les récits troublants de Lotz et de Stej à propos de ces étranges bipèdes. Ses yeux avaient d'abord reflété l'incompréhension, puis l'aversion. Cette hostilité grandissante lui insuffla l'idée d'encoconner des humains. Le chef de l'époque, Lestig, s'éleva contre ce projet. Un mâle vénérable et sage affrontant un mâle fougueux, avide de pouvoir. *Djiii!* Quel combat ridicule…

Ainsi, la coconnière servit d'assise au couronnement de Ferkyos. Au début, le simple fait d'accumuler des cocons fut satisfaisant. La réserve se constituait lentement avec des spécimens humains de premier choix. Mais, en sa qualité de meneur, Ferkyos avait besoin de beaucoup plus. Les écureuils amassent de fabuleux trésors et ne deviennent jamais les rois de la forêt. Pourquoi? Parce qu'ils ne se préparent qu'un seul hiver à la fois. Ferkyos pensait, au contraire, que la coconnière devrait lui permettre de tisser un nouvel horizon pour sa tribu. C'est en songeant aux fourmis, si prévenantes envers les colonies de pucerons qu'elles élèvent pour leur miellat, que son plan lui apparut dans son ensemble. Les Maïvorgs allaient migrer dans une contrée inexplorée par les sans-ailes. Ils y fonderaient un royaume où les hommes, une fois extraits de leurs cocons, seraient réduits à l'état d'esclaves, car les papillons géants n'entendaient guère faire bon ménage avec ces horribles pucerons.

Or, malgré de nombreuses expéditions, les éclaireurs maïvorgs ne réussirent pas à dénicher la terre idéale pour les accueillir. En effet, partout où les températures étaient clémentes et où il y avait de l'eau douce, le long des rivières, autour des lacs, se trouvaient aussi des hommes. Parfois seulement quelques grappes, mais des hommes tout de même. «Amenez-en trois, il en poussera cent», avait coutume de dire Ferkyos.

Tous les Maïvorgs au sein du clan endossèrent ce rêve d'habiter une oasis vierge, encore plus les nouvelles générations qui naquirent avec une méfiance innée envers les humains. Les idées de Ferkyos avaient le même pouvoir d'attraction que ce morceau de bois incandescent qu'il avait rapporté, un jour, au retour d'une de ses expéditions. Ce meneur à l'esprit pénétrant avait, au préalable, épié des sans-ailes autour de leurs feux de camp. Il comprit vite qu'en leur dérobant des tisons, il pourrait offrir un cadeau inégalable aux membres de sa tribu: des flammes dansantes qui les réchaufferaient l'hiver venu. Sans la présence de ces tiques sur deux pattes, en contrebas, dans la vallée, la vie au sein de cette clairière aurait été parfaite. Ferkyos se demandait parfois si son projet de s'établir ailleurs n'était pas une chimère. Sa couronne pesait alors un peu plus lourd sur ses antennes toujours en alerte.

Jusqu'au jour où l'astucieux Awi avait attrapé Robert Miller. Un inventeur capable de pomper l'eau en la faisant remonter à la surface du sol aussi sûrement que la pluie entraîne la sortie massive des vers de terre. Dès le printemps, les recherches des éclaireurs maïvorgs reprendraient et, cette fois, ils auraient l'embarras du choix, vu qu'ils possédaient désormais toute l'eau douce du monde, concentrée dans un cocon, à portée de patte. Il fallait juste dénicher un endroit verdoyant et ensoleillé. Awi s'était arrangé pour que Robert Miller collabore. *Tsss!* Celui-là ne ferait pas comme cette Henriette Longpré, qui n'avait jamais voulu divulguer la recette de son compost (un produit d'exception, car il protégeait les plantes des attaques des insectes). Les Maïvorgs avaient fini par tuer cette vieille bique indomptable ! Non, le fameux inventeur de Mentana ne garderait pas son secret pour lui. Awi avait paré à cette éventualité en capturant le fils Sev Miller au lieu de l'éliminer. Un appât parfait qui permettrait d'obtenir l'aide du père, le moment venu.

Awi… Ferkyos avait rarement croisé un papillon à l'esprit aussi vif. Plusieurs saisons auparavant, las de passer le plus clair de ses jours à espionner les sans-ailes en quête d'un être singulier valant la peine d'être enconné, Awi avait eu un éclair de génie. Il s'était trouvé un mouchard humain pour effectuer la fastidieuse besogne à sa place! Pour ce faire, il avait élaboré un plan sophistiqué et, fidèle à son habitude, il avait mis ce balourd de Svreid dans le coup. Deux prises plus tard, soit une femme et son bébé, l'aubergiste de Mentana venait lui apporter des informations avec la docilité d'un chien qui rapporte un bâton à son maître. Ce gros toutou leur avait permis de suivre la trace de Robert Miller.

Puis celle d'Ewan du Tertre.

CHAPITRE 23

L'alliance

Charles Lhoumey avait servi les crêpes d'Ewan, deux heures auparavant. Depuis, les commandes des clients s'étaient succédé. Le cuisinier s'efforçait de se concentrer sur le grésillement du beurre et du bacon pour ne pas songer à la façon dont il avait commencé cette horrible journée. Le simple fait de repenser à son maléfique interlocuteur – un gigantesque papillon, tu parles! – lui donnait la chair de poule. Mais la culpabilité ne fond pas aussi vite que le gras. Par contre, comme lui, elle laisse de vilaines taches indélébiles. N'y tenant plus, l'aubergiste craqua aussi sec que la coquille des œufs qu'il s'affairait à casser. Si bien que Margot le surprit affalé sur une chaise en train de sangloter lorsqu'elle franchit la porte de la cuisine, chargée d'une pile d'assiettes sales.

— J'ai... j'ai... quelque chose de terrible... à... t'avouer, bafouilla-t-il d'un air désespéré.

Ce fut un véritable branle-bas dans l'auberge. L'époque des armes de bois fut révolue d'un coup pour Zachary. Muir lui fournit une de ses propres dagues, un poignard à la lame effilée et aiguë. À présent, ils galopaient côte à côte sur le chemin menant à la chute de la Louve. Margot leur avait indiqué que sa fille et Ewan devaient encore y être. Du moins, elle l'espérait de tout son cœur de mère…

***

Au retour de sa mission à la coconnière, Niox avait averti les siens du danger qui menaçait le protégé de Tanaïs. Il ne doutait pas que les dénommés Awi et Svreid cherchent à supprimer ce sans-ailes gênant parce qu'il risquait de découvrir leur repaire. Aussi, en ce moment, des Vorgombres sillonnaient les environs de Mentana, à l'affût du moindre incident, et ce, en dépit du fait qu'il fasse jour. C'est ainsi que Djune et Bruknir repérèrent une flaque rouge qui détonnait dans la blancheur du paysage. Ils décidèrent d'aller y voir de plus près.

***

— Regarde, la forme bien nette au sol, souffla Bruk en humant l'odeur de Gaelle sur le châle délicat qu'il venait de ramasser. Cette immense empreinte aurait-elle été laissée par le corps d'Ewan ?

310

— La taille et l'effluve lui correspondent en effet.

— Flaires-tu le reste ?

— *Djô !* s'exclama Djune. Le fumet des Maïvorgs, quoique plus subtil que celui des humains, est impossible à manquer. Je sens la présence de deux mâles.

Après avoir contourné la silhouette d'Ewan imprimée dans la neige, Djune pointa de la patte un filet de paillettes émeraude auquel se mêlaient des éclats d'or et déclara :

— Cela correspond à la description de Niox plus tôt, quand il parlait des gardes de la coconnière.

— Oui, ces traces sont celles du fameux Svreid. L'autre, Awi, a une livrée turquoise.

Les antennes des Vorgombres se tournèrent brusquement dans la même direction.

— Des vibrations de galop… On a de la visite !

— Cachons-nous ! intima Djune.

— Je te suis.

— Lâche le châle, Bruk ! lui dit-elle en s'envolant.

***

Le châle rouge de sa mère frissonnait par terre, à l'abandon. C'est le premier indice que Zachary aperçut. Il releva aussi la grande silhouette d'Ewan imprégnée dans la neige ainsi que des empreintes de bottes et de sabots. Muir lui ordonna de rester en selle, le temps qu'il jette un œil à des marques beaucoup plus curieuses. Des traces fines et griffues…

— Lhoumey nous a dit la vérité, annonça-t-il à Zachary. Cela ne ressemble à rien de ce que je connais. Admettons que ce soient des empreintes de papillons géants.

Les Vorgombres, réfugiés dans un pin, observaient la scène. En apercevant les dagues accrochées à leurs ceintures, Bruknir eut une idée qui lui sembla des plus prometteuses. Il se faufila entre les branches du gigantesque conifère à la recherche d'un nid délaissé qu'il remplit de grosses pommes de pin. Quand il revint auprès de sa complice, son butin sous la patte, elle maugréa dans un bruissement :

— Pourquoi voler un nid de merle ? Veux-tu t'en servir comme chapeau ?

Bruknir étouffa un rire. En guise de réponse, il projeta deux pommes de pin près de la monture du garçon. Le cheval eut un mouvement de recul et le jeune cavalier dégaina son poignard. Tout en rassurant sa bête, il sauta à terre.

— Parfait ! murmura le papillon de nuit, satisfait.

Il visa ensuite les pieds de Muir. Ce dernier saisit sa dague à l'instant. Bruk fit signe à Djune de la suivre. Ils glissèrent en vitesse le long du tronc, en se moulant à l'écorce, jusqu'à ce qu'ils arrivent à hauteur des chevaux. Les deux hommes étaient toujours sur le qui-vive.

— Profite du spectacle, recommanda Bruk à sa complice en envoyant valser le nid, qui se retrouva aussitôt cloué sur un tronc d'érable à l'aide de deux lames acérées.

Djune raidit ses antennes d'admiration. Bruk lui expliqua, toujours à mi-voix, qu'il s'agissait d'un jeu, nommé les fléchettes, auquel Muir et Zachary excellaient.

— Pourquoi les avoir fait jouer à ça dans ce bois perdu ? s'étonna Djune.

— Pour m'imaginer ce que cela donnerait avec un Maïvorg comme cible.

Les cavaliers se tenaient à présent dos à dos, aimantés par le danger. Ils pivotaient dans un parfait accord, scrutant chaque tronc, chaque branche, chaque pierre. Ce n'est pas tant la peur qui se lisait sur leur visage que la détermination et la colère.

— Nous savons que tu es dans les parages, infâme papillon. Lhoumey nous a tout raconté. Toi et ceux de ton espèce, vous ne vous en prendrez pas aux nôtres impunément, hurla Muir.

Cette menace lancée à pleins poumons dans l'air sec de la forêt trouva aussitôt un écho chez les Vorgombres. Mais ça, pour l'instant, les deux cavaliers l'ignoraient…

Puis Muir se tourna vers Zachary :

— Gaelle et Ewan sont déjà loin, à l'heure qu'il est. Rentrons… Nous n'avons plus rien à faire ici.

— Que dirons-nous à ma mère ? gémit Zac, la mine sombre, en ramassant le châle perlé de glace.

— L'horrible vérité…

— Quoi ?! Que ma sœur s'est… envolée !

***

Un conseil réunissant les trois clans de la forêt fut convoqué en fin d'après-midi. Il n'était pas question que les papillons de nuit laissent Gaelle entre les pattes de leurs ennemis. Autant leur offrir une boussole indiquant «Vorgombre à l'horizon»! Ainsi, Belk, Oji et Tanaïs ne se demandèrent-ils plus *s'il* fallait intervenir, mais plutôt *comment*.

Comment surprendre les Maïvorgs sur leur propre terrain?

Comment leur arracher Ewan et Longue Vue vivants?

Niox parla d'un point faible au sujet des gardes de la coconnière, quelque chose qu'il avait observé dans leur attitude.

Et Bruk proposa une façon originale de soumettre un Maïvorg afin d'éviter de violents et funestes corps à corps. Une sorte de jeu appelé les fléchettes pour lequel il faudrait obtenir l'aide des meilleurs joueurs qui soient.

Le temps d'une alliance était venu.

Celui des règlements de comptes aussi…

Bruknir fut désigné pour traiter avec les hommes dont il connaissait si bien les mœurs.

Niox fut chargé de la vengeance.

***

Dans une auberge, les panses et les gosiers des clients sont des maîtres impitoyables. Que Gaelle et Ewan aient été enlevés n'y changeait rien. Ainsi, Zachary et sa mère durent servir le repas du soir dès dix-huit heures tandis que Lhoumey se démenait en cuisine. Pendant ce temps, Bruk pénétra dans l'écurie. Il salua de la tête les cinq chevaux qui s'y reposaient. En l'apercevant, Topaze recula au fond de sa stalle, naseaux grands ouverts, yeux exorbités.

— Je suis venu en ami, lui dit l'immense papillon.

— *Frrrh!* Deux des tiens m'ont encore attaqué, ce matin! renâcla le cheval.

— Ils ne font pas partie de ma bande. Moi, j'ai toujours protégé Gaelle.

— D'où la connais-tu? s'étonna Topaze en pointant les oreilles en avant.

— Tu l'apprendras si tu me laisses m'expliquer avec son frère. Maintenant, sois gentil et mets-toi des œillères pendant que je me cache…

Topaze agita sa crinière, signe qu'il appréciait la plaisanterie. Quant à Bruknir, il vola jusqu'à l'enchevêtrement des poutres de sapin qui soutenaient le toit et n'eut aucune difficulté à s'y camoufler. Il attendit cependant longtemps avant que Zachary arrive pour sa dernière ronde. Le jeune homme arborait encore la dague que Muir lui avait remise au cours de la matinée. Il engagea une conversation à sens unique avec son cheval, en le brossant :

— Dommage que les animaux ne parlent pas la langue des humains ! Tu pourrais me décrire ceux qui vous ont assaillis ce matin, Akko et toi.

— Tout ça, c'est la faute de ces odieux Maïvorgs ! scanda une voix descendue du ciel.

Zachary jeta sa brosse et mit d'instinct sa main sur le manche de son poignard.

— Range ta lame, *djiii !* Je ne tiens pas à finir comme ce nid que tu as épinglé sur un tronc plus tôt.

— Qui êtes-vous ? riposta Zac en brandissant son arme.

Il avait beau fouiller du regard chaque poutre au-dessus de sa tête, il ne distinguait rien d'anormal. Pourtant, il aurait juré que la voix pleine d'assurance provenait de là-haut.

— Je suis un papillon.

Bizarre ! La voix semblait s'être déplacée.

— Dans ce cas, je ne donne pas cher de votre peau !

— Première erreur, Zachary Miller : on ne menace jamais un Vorgombre.

L'apprenti cavalier pâlit : la voix se rapprochait.

— Qu'est-ce qu'un Vorgombre ? Comment savez-vous mon nom ?

— Deuxième erreur : on évite de lui poser des questions. Remarque que ta propre sœur ne respecte pas cette règle.

— Vous connaissez Gaelle ?

— Je suis très attaché à Miss Colibri, comme tu la surnommes.

Zachary était de plus en plus tendu. Il avait beau essayer de débusquer cette voix, il n'y parvenait pas !

— Troisième erreur, jeune homme : on ne tourne jamais le dos à un Vorgombre.

Cette fois, Zachary entendit un bruit sec par-dessus son épaule. Il se retourna. Un imposant papillon roux se tenait debout face à lui ! Zac pointa aussitôt sa dague vers l'abdomen de l'insecte.

— Excellent réflexe, mais il faut orienter ton arme plus haut. Juste là, précisa Bruk en plaçant une patte sur son thorax. En enfonçant ta lame ici, tu es sûr d'atteindre mes muscles. Je ne pourrai plus marcher, ni voler.

— …

— Tu n'as pas envie d'essayer ? Peut-être te sens-tu redevable parce que je t'ai sauvé la vie, cet automne. Je te l'ai encore laissée sauve, ce matin, d'ailleurs.

— Je ne vous ai jamais vu ! objecta Zachary.

— Ce qui ne m'empêche nullement d'être là et d'agir. Souviens-toi… Tu as claironné partout que la force du vent t'avait arraché à la mort quand le séquoia a détruit ta maison.

— Et alors ?

— Le vent ne vise pas aussi bien, *tché !* Rappelle-toi aussi ce que Gaelle a raconté à propos des hors-sentiers qui les ont menacés, du Tertre et elle, devant chez Quat.

— Euh… Vous l'avez dit, ma sœur est plutôt volubile…

— Elle a affirmé qu'elle en avait abattu un d'une pierre lancée en plein crâne. Or, elle n'a aucune adresse au tir, contrairement à toi.

Zac sourit en se souvenant qu'il avait lui-même estimé ce détail improbable au moment où Gaelle lui avait rapporté les faits. Bruk poursuivit :

— C'est Djune, une femelle de ma tribu, qui a assommé ce brigand.

— Assommé ? Il était raide mort quand Muir et moi sommes arrivés sur les lieux.

— Et encore plus quand vous avez jeté les corps à l'orée d'une clairière !

— Vous êtes décidément au courant de beaucoup de choses ! Convenons que vous êtes un protecteur… et non un ennemi, concéda Zac. Il n'empêche que Gaelle et Ewan ont été enlevés par un papillon géant.

— Non pas un mais deux papillons, en fait. Ils appartiennent au clan des Maïvorgs tandis que je suis un Vorgombre.

— Que vont-ils faire de ma sœur ? La tuer ?

— Sûrement pas ! Vois-tu, elle possède ce don unique…

Le papillon de nuit et Zachary poursuivirent longuement leur conversation. Bruknir termina en parlant de l'origine des paillettes récoltées dans le passage secret :

— Ces précisions te seront utiles pour convaincre Muir de nous rencontrer demain soir. Assurez-vous que personne ne vous suit.

— D'accord, nous viendrons à la brunante.

— Devant ton ancienne maison… Nous serons sept.

— Sept!

— Considère-toi chanceux que nous ne soyons pas une trentaine! De nombreux Vorgombres donneraient leur réserve de fruits secs pour assister à ce face-à-face extraordinaire, s'esclaffa Bruknir en sortant de l'écurie.

Sur ce, il s'envola dans le ciel étoilé. Zachary le contempla, émerveillé, comme s'il s'agissait d'une marionnette à fils mue par une main aussi leste que gigantesque.

***

Au cours de la nuit, ce fut au tour de Niox de passer par là. Il se posa au pied du panneau d'accueil du village. «Bienvenue à Mentana. 163 habitants.» Il se rappelait avoir épié Bruk en train de décrocher la queue du 6 afin que ce chiffre se transforme en 9. À la vérité, ce territoire abritait une population humaine ainsi qu'une tribu importante. Des hommes et des papillons aux destins étroitement liés. Niox en était convaincu désormais. Aussi décida-t-il de modifier cet écriteau, à la manière de Bruknir. En imitant cette action qu'il avait d'abord condamnée, Niox donnait finalement raison à Bruk. Il essayait de faire céder le chiffre en fonte à l'aide de ses pattes griffues quand quelqu'un le sermonna dans son dos:

— Ah quin ! J't'y prends, fichue sorcière ! La main dans la trappe !

— Ravi de faire votre connaissance, Will Felgardi.

— Et moi donc, 'spèce d'entourloupeuse ! Les gens vont enfin arrêter de m'appeler le Bigleux quand j'vais leur rapporter c'te rencontre.

— Ça non, ça ne va pas être possssible ! siffla Niox en se retournant et en agrippant le vieil homme par le cou.

— Z'avez pas de nez crochu ? Pas de verrues ! s'exclama Felgardi, plus dépité qu'apeuré.

Niox relâcha son étreinte, découragé autant par l'haleine fétide de son interlocuteur que par l'incohérence de ses propos. Ce pauvre fou ne représentait aucun danger : personne ne pouvait le prendre au sérieux. Le Vorgombre n'avait guère besoin de protéger ses arrières. Il lui demanda donc sans détour où dénicher Charles Lhoumey.

— Dans son lit, pardire !

— Ne devrais-tu pas y être toi aussi ?

— Je préfère brasser du vent. Dès fois que j'entende Nina…

— Nina ? L'épouse de Lhoumey ?

— C'était ma fille, bien avant cela. Paraît qu'elle est fin morte ! Charles m'l'a assez seriné.

— Morte ?! Je crains qu'il t'abuse depuis un moment…

Niox lui chuchota à l'oreille des mots d'une indicible horreur et d'une infinie douceur, après quoi Felgardi lui indiqua comment pénétrer dans l'auberge par une fenêtre dont la crémone fermait mal. Il lui précisa aussi où dormait Lhoumey. Un peu plus, il lui aurait tracé un plan.

— Ce claque-langue de menteur, dévore-le! Désosse-le jusqu'au caleçon.

— Je ne suis pas carnivore, répliqua Niox.

— Recrute un loup, d'abord!

— Je préfère me débrouiller seul. Une fois qu'il aura reçu ma visite, Lhoumey ne sera plus qu'un mauvais souvenir. Tu peux dormir sur tes deux oreilles, va!

CHAPITRE 24

L'expédition

Dissimulés dans les tranchées de la nuit, Muir et Zachary avaient fraternisé, la veille, avec certains des plus illustres Vorgombres de la forêt de Mentana. Oji n'était pas venu puisqu'il avait été décidé, au préalable, qu'aucun des membres de son clan ne participerait à l'expédition dans la vallée. Les siens allaient plutôt redoubler de vigilance en faisant des rondes discrètes dans les bois et autour du village. Belk était accompagné de Djune, Niox et Bruknir, qu'il avait désignés pour escorter les humains dans l'antre des Maïvorgs, tandis que Tanaïs était flanquée de sa garde rapprochée, Rulf et Krig, qui se joindraient eux aussi à l'expédition.

Le rendez-vous fut fructueux, les propositions des papillons se greffant naturellement à celles des hommes, la discrétion des uns trouvant un écho dans la prudence des autres. Ils convinrent qu'un trajet à cheval serait beaucoup trop long et qu'il fallait prendre la voie des airs. Le lendemain soir, au moment où cette troupe originale se mit en branle, la complicité entre les individus était palpable. Muir se réjouit en approchant le papillon trapu qui lui servirait de monture :

— J'ai toujours rêvé d'être un dragonnier. «Papillonnier», c'est encore mieux !

— Nous sommes encore plus agiles et nous n'embrasons rien sur notre passage, plaisanta Rulf.

De leur côté, Djune et Bruk se chamaillaient à propos de la lanterne à huile de Muir.

— Passe-la-moi, le temps du vol ! Déjà que tu l'auras pour toi seule, une fois rendue là-bas, ronchonna Bruknir.

— Vous êtes pire que deux enfants qui convoitent le même jouet, rigola Zac en s'installant sur le dos de Krig.

Le toujours aussi réfléchi Niox rappela ce beau monde à l'ordre d'un simple «tche-tchem» sifflé entre ses mandibules :

— N'oublions pas que notre plan, si ingénieux soit-il, demeure périlleux.

***

Une chouette en train de démembrer une souris s'étouffa lorsque cette chevauchée improbable traversa son champ de vision. Pour leur part, Muir et Zachary vivaient une expérience inouïe : ils fendaient l'air, à plat ventre sur leur monture, les bras noués autour de la tête des papillons. Ces destriers du ciel étaient des créatures d'une infinie agilité et d'une incroyable vigueur.

Quand le repaire des Maïvorgs fut en vue, les Vorgombres se dispersèrent en deux groupes. Krig et Rulk atteignirent la crête de la clairière, une lourde crinière de granit que les rayons de la lune caressaient négligemment. Comme prévu, les cavaliers se plaquèrent contre le torse ventral des papillons, qui les emmaillotèrent dans leurs ailes. Commença alors une périlleuse descente le long de la paroi glaciale au cours de laquelle les as du camouflage se fondirent dans la pierre. Grâce à la cape de mimétisme, les humains pouvaient non seulement devenir invisibles mais aussi inodores, dans la mesure où ils n'éprouvaient pas d'émotions trop intenses.

Entre-temps, Niox introduisit Bruk dans le refuge des Maïvorgs. Il disparut sous le pin qui l'avait abrité trois nuits auparavant pendant que son complice rampait vers un autre arbre. Djune, tapie dans la fissure qui donnait accès aux lieux, attendait le moment d'entrer en scène.

Svreid et Awi surveillaient la coconnière avec beaucoup plus d'attention que d'habitude. Ils prévoyaient la venue des Vorgombres sans toutefois la craindre. Les prisonniers qui les intéressaient n'étant plus sur place, les Maïvorgs s'imaginaient mal que leurs indésirables visiteurs s'éternisent. Ils en seraient quittes pour quelques parades d'intimidation. Les Vorgombres allaient vite battre en retraite. « Comme ils l'ont déjà fait, il y a vingt-cinq ans. Comme ils ont l'habitude de le faire en se camouflant ! » avait affirmé Ferkyos avec dédain. Encore et toujours cette arrogance des papillons du jour, une espèce tellement habituée à briller...

Lorsque Djune fut convaincue d'avoir patienté assez longtemps pour que sa bande ait pu prendre position, elle s'engagea dans la clairière. Bruk détourna le regard devant cette somptueuse apparition. Il n'allait pas trahir sa présence et faire échouer cette entreprise parce que Djune lui plaisait un peu trop... Awi et Svreid goûtèrent à leur tour ce ravissement. Stupéfaits, ils ne purent s'empêcher d'admirer cette femelle ennemie, qui se présentait à eux drapée dans un taffetas moiré gris rehaussé d'ocelles nacrés. Ses ailes violacées inférieures formaient une sorte de panache soyeux duquel se déployaient des pattes élancées.

— Je suis la messagère des Vorgombres, fit-elle en guise de présentation.

— Ils nous envoient une colombe ! plaisanta Svreid.

— Qu'as-tu à dire ? s'enquit Awi, méfiant.

— Vous permettez que je me mette à l'aise, répondit Djune en s'avançant à pas souples vers la coconnière.

Elle s'adossa à un des piliers de la pergola et entrouvrit ses ailes. Elle tenait dans l'une de ses pattes une boîte en verre et en fer-blanc dans laquelle dansait une jolie flamme.

— Qu'est-ce que c'est ? Une cage à feu ? demanda Svreid, fasciné par cet objet inconnu.

— Une invention humaine appelée «lanterne», lui révéla Awi en se raidissant.

«Tout ça ne flaire pas bon!», songea-t-il. Mais Djune ne lui laissa pas le temps de passer à l'attaque. Elle leva la lanterne à bout de patte et immobilisa sa tête, les antennes écartées, contre la colonne de bois, en imitant un bref hululement.

Niox et Bruk surgirent de leur cachette.

Au même instant, une lame plus vive que l'éclair fut lancée entre les antennes de Djune, qui ne frémit pas d'une écaille.

D'autres lames suivirent à gauche et à droite de la belle Vorgombre.

— Des traîtres de l'ombre accompagnés de sans-ailes! gronda Awi, en jaugeant les trois papillons de nuit qui se dressaient désormais devant lui.

Il n'avait pas besoin de se retourner pour sentir les effluves de Muir et de Zachary postés dans son dos. Svreid l'avertit aussitôt que ces hommes, en plus de pointer un poignard en leur direction, étaient escortés chacun par un papillon mâle.

— La colombe est venue vous proposer un échange que vous devriez considérer, commença Djune.

— Tu n'es pas en position de nous menacer sur notre propre territoire. Nous sommes beaucoup plus nombreux que vous! l'interrompit Svreid.

— Appelle qui tu veux, tu seras mort avant même de savoir comment.

— *Pfff!* crâna-t-il en s'étonnant néanmoins que son comparse n'ait pas encore ameuté les leurs.

— Vous leur avez appris à viser la jointure des ailes, n'est-ce pas? les interrogea Awi qui avait tout de suite saisi la situation.

— Même si tu les replies dans ton dos, tes ailes sont trop fines pour te protéger. L'arme affûtée les trouera et parviendra quand même à ton thorax, lui confirma Bruknir.

— L'infirmité, voilà notre seul et unique choix, Svreid, résuma Awi. Parce que la lame des hommes nous atteindra forcément avant que les renforts arrivent.

— Nous nous arrangerons pour qu'elle atteigne uniquement l'un de vous deux, précisa Niox. Quel sombre avenir! Vous qui êtes si liés dans la vie, vous ne volerez plus jamais ensemble.

— Prenez-vous-en à moi alors, implora Svreid.

— N'y pense pas, fit Awi, d'une voix sourde.

Comme Niox avait eu raison de miser sur la complicité quasi organique qui unissait ces deux Maïvorgs! Djune enchaîna donc avec une réplique toute prête pour faire avancer leur plan:

— Vous pouvez aussi accepter notre échange. Les Miller et Ewan du Tertre contre votre liberté de voler.

«Contre notre liberté tout court...» Voilà la pensée qui traversa l'esprit d'Awi, sans crier gare. Le fier Maïvorg rêvait depuis longtemps de vagabonder à travers monts, marées et merveilles. La difficulté n'était pas tant de partir que de convaincre Svreid de le suivre. De faire en sorte que ce grégaire endurci accepte de rompre les liens avec la tribu… Or voilà que les circonstances lui offraient un formidable plan d'évasion.

— C'est bon, décida-t-il. Décroche-les, Svreid !

— *Djeille !* Tu n'y penses pas !

— Je préfère y aller moi-même de toute façon, trancha Niox en se dirigeant vers les cocons.

— Awi, nous sommes perdus ! s'indigna Sveird. Tu connais le sort réservé aux traîtres…

Qui ne le connaissait pas ? Chez les papillons – encore plus pour ceux du jour que ceux de la nuit, davantage indépendants –, l'allégeance au groupe est un principe fondateur. Très peu d'individus vivent en dehors des tribus. Il y a bien quelques mâles nomades et solitaires, dotés d'un esprit pénétrant, qui parcourent le vaste monde en suivant ou non des routes migratoires. Ce sont des créatures rares et respectées, à l'égal des chefs. Puis il y a ceux qu'on qualifie, toujours avec un profond mépris, de horsclans. Ceux-là ont enfreint les règles d'une manière ou d'une autre. Au mieux, ils sont bannis et isolés. Souvent, on les meurtrit avant de les abandonner à leur sort : on taillade leurs ailes, les privant de leur capacité de voler, ou alors on leur arrache les antennes, qui sont leur principal organe sensoriel. Enfin, dans le pire des cas, les traîtres qui jouissaient d'une profonde estime de la part de la tribu, des membres comme Awi, sont pendus à un arbre. Leur cadavre bien en vue livré en pâture aux charognards.

— Awi! Réponds-moi! le supplia Svreid.

Awi allait survoler l'océan, se poser sur des terres inconnues, goûter de nouvelles fleurs. Avec Svreid, qui serait bien obligé de le suivre. Que lui importait, dès lors, la sentence des siens?

— Pour me pendre, ils devront d'abord me trouver! Je suis un pisteur remarquable. Je serai un fugitif insaisissable, déclara-t-il.

— Et moi? gémit Svreid.

— Avec toi dans les pattes, gros balourd, le défi sera plus grand… et combien plus excitant!

Niox, en équilibre sur une des traverses de la pergola, avisa les siens qu'il manquait les cocons de Gaelle et d'Ewan.

— Où sont-ils? s'impatienta Bruk.

— J'accepte de vous expliquer comment les retrouver, leur proposa Awi dans une posture montrant qu'il demeurait malgré tout un adversaire de taille. Si vous jurez sur l'honneur de nous laisser partir aussitôt cet entretien terminé. Nous n'aurons pas le loisir d'attendre plus longtemps pour quitter ces lieux.

Bruk consulta Djune et Niox du regard. Awi ne feignait pas, ils en étaient convaincus. Les trois Vorgombres inclinèrent donc la tête et croisèrent leurs pattes supérieures sur leur torse en signe d'engagement.

— Vos protégés sont en captivité dans un endroit sûr, connu sous le nom de la grotte des Cinq-Ours. Cet antre est situé quelque part dans la vallée. Libérez la dénommée Molvan. Elle saura vous y conduire, leur indiqua Awi.

Niox confirma qu'il voyait bien une plaque à ce nom. Il en lut la description :

— *Tracady Molvan... Capturée par Awi. Résistance 5. Vastes connaissances du terrain... Meurtrière !*

— Qui dit que cette femme nous appuiera et qu'elle sera en mesure de nous guider ? argua Djune, redevenue méfiante.

— Moi ! lui répondit une voix grave, sortie de l'ombre.

— ...

— Moi ! répéta Muir.

***

Awi et Svreid quittèrent la clairière en vitesse. Krig et Niox emportèrent Robert et Sev. Leurs cocons seraient mis en sécurité pour la nuit, puis, dès l'aube, le père et le fils Miller seraient rendus à leur condition d'homme. Zachary enfourcha Bruk et Muir, Djune, tandis que Rulf fut chargé de la chape de soie de Tracady. Au moment de s'envoler, Muir contempla tristement la coconnière et les sinistres étoiles pleurantes qui y oscillaient. Il se jura de revenir les libérer très vite avec du renfort. Pourvu qu'il ne soit pas trop tard alors pour dévider une à une ces terribles enveloppes!

La troupe gagna le passage secret. D'une part, ses entrées étaient aisées à surveiller. D'autre part, cet endroit couvert constituait un excellent abri pour exercer une extraction de cocon. Djune proposa de se charger de cette opération délicate, convaincue que son instinct saurait lui dicter les gestes à poser. Pendant ce temps, les mâles, papillons et humains, montèrent la garde.

***

— Elle est à vous, Muir, lui signala Djune en refermant la porte du passage secret derrière elle.

— Comment se porte-t-elle?

— Elle n'a pas été encoconnée longtemps. Je dirais que ce repos forcé lui a donné une ardeur nouvelle…

— Ça promet! grommela le cavalier en poussant le panneau de la porte.

De violents éclats de voix s'échappèrent de la galerie, ce qui fit craindre le pire à ceux qui les entendirent. Sans l'aide de Tracady, il serait impossible de secourir rapidement Ewan et Gaelle. Or, à leur réveil, les Maïvorgs constateraient leurs pertes dans la coconnière ainsi que la fuite de deux de leurs membres. Ils décideraient aussitôt de déplacer leur butin. Voilà ce à quoi Zachary Miller et les

Vorgombres pensaient en faisant les cent pas sous le clair de lune.

Muir sortit enfin du passage secret, précédé d'une très belle femme. Son épaisse chevelure ondoyante retombait sur ses épaules et encadrait un visage anguleux empreint de mystère. Elle portait une longue jupe à volants qui soulignait la finesse de sa taille.

— Tracady Molvan accepte de nous guider jusqu'à la grotte des Cinq-Ours. Mais, je vous préviens : ne vous liez pas avec elle. C'est une dangereuse fugitive, et je l'arrêterai dès que sa mission sera terminée.

— Tu as toujours eu le don de me mettre en valeur, Patrick, ironisa Tracady.

Elle enchaîna en leur expliquant la route à suivre pour se rendre à destination :

— La vallée est enchâssée dans des falaises de granit. Sur la crête est se trouve le pic du Bec-Ouvert. Une large bande de forêts se déroule de ce sommet jusqu'au val. Il s'agit d'une piste de hors-sentiers. Je connais votre grotte. J'y ai déjà dormi. Son ouverture donne sur une rivière.

— Ne perdons pas de temps, allons-y ! lança Bruk.

— Comment ? s'enquit Tracady.

— Grimpez sur mon dos, la pria Rulf. Agrippez-vous !

***

Au cours du vol, Djune demanda à Muir de quelle façon il avait convaincu cette femme fougueuse, qu'il connaissait à l'évidence, de les assister tout en se constituant prisonnière.

— Je lui ai confié tenir à Ewan comme elle-même tient à un enfant que j'ai recueilli à Mentana. Et je lui ai fait le serment de m'occuper de ce dernier à l'égal d'un père si elle retrace du Tertre. Tracady sait que j'ai beaucoup mieux à offrir à son jeune Hugo qu'une vie d'errance et de disettes.

CHAPITRE 25

Cages de pierre et de soie

Captivité d'Ewan et de Gaelle, jour 1

La grotte des Cinq-Ours s'ouvrait sur une rivière aux eaux si tumultueuses que le souffle de décembre n'était toujours pas parvenu à les engourdir. Au moment d'abandonner les prisonniers à leur triste sort, les Maïvorgs avaient entravé les pieds et les mains d'Ewan à l'aide de solides bandes de cuir. Le jeune cavalier savait d'ores et déjà qu'il ne réussirait pas à s'en défaire. Ainsi considérait-il, après quelques heures de captivité seulement, qu'une évasion était impossible. Lorsque l'impuissance s'insinue dans un esprit, si on n'y prend garde, elle devient de la lave et pétrifie le cœur des hommes les plus courageux.

Du Tertre détournait son regard du fond de la caverne, incapable de supporter l'idée que Gaelle gisait, là, emprisonnée dans un cocon. Pourquoi continuait-il à lui parler ? Sa voix se rendait-elle jusqu'à elle ? Il en doutait puisque lui n'entendait plus les pensées de sa compagne d'infortune.

— Pardon... Pardonne-moi...

Dans cette tombe glaciale, les mots d'Ewan mouraient de froid et de honte aussitôt sortis de sa bouche. Jamais il ne trouverait grâce auprès de Gaelle. Parce que désormais elle n'aurait plus une, mais bien deux raisons légitimes de le détester : à l'accusation de trahison s'ajouterait celle de l'abandon.

— Pardon... Pardonne-moi, répéta-t-il.

Les papillons lui avaient laissé de l'eau ainsi qu'une réserve de fruits secs et de noix. Peut-être empoisonnés, peut-être pas... Ewan s'en fichait. Maintenant que l'après-midi tirait à sa fin, il se souciait davantage de savoir comment il allait passer sa première nuit dans cette cage de pierre, qui ne serait pas moins froide si elle avait été sculptée dans la glace. C'est à ce moment qu'apparut une bestiole au poil noir, un tantinet ébouriffé. Elle fit le tour de la grotte, avec circonspection, avant de s'intéresser au cocon de Gaelle. Quelques frémissements de moustaches lui suffirent pour conclure que cette gigantesque cosse filamenteuse n'était guère comestible. Dommage ! L'animal se replia à contrecœur vers l'inconnu et ses provisions. Il s'empara d'une amande qu'il dégusta à l'écart après l'avoir retournée dans tous les sens entre ses pattes.

— Si je me fie à ton flair, je n'ai rien à craindre de cette nourriture, observa Ewan à voix haute.

Le rongeur se figea en braquant de petits yeux noirs inquiets sur celui qui lui adressait ainsi la parole.

— N'aie pas peur, mange à ta faim…

En guise de réponse, le rat chaparda un morceau de pomme séchée et prit la poudre d'escampette.

— De rien ! soupira du Tertre.

À quoi s'attendait-il ? À des remerciements ?

***

La nuit venue, Ewan rampa jusqu'au cocon qui diffusait une faible lueur dans l'obscurité de cet angoissant cachot. Il s'allongea contre l'enveloppe écrue à l'aspect laineux qui dégageait de la chaleur. Quelle ironie ! Il était incapable de secourir Gaelle tandis que la jeune fille, du tréfonds de son linceul, parvenait malgré tout à lui donner de l'espoir. Un espoir diffus comme un halo en plein brouillard.

Jour 2

Un Maïvorg vint inspecter la grotte de bonne heure. Il avança en silence jusqu'au cocon et grimpa dessus afin de l'examiner. Ses pattes évoluaient le long des fils de soie avec agilité et rapidité. Le papillon plaça ensuite ses antennes en forme de gourdin à l'endroit où devait se trouver le cœur de Gaelle, sûrement pour vérifier le mouvement de sa respiration. Il se redressa d'un air satisfait. Il le fut encore plus après avoir tâté les liens d'Ewan.

— Ne t'avise pas de libérer ta complice. J'ai bien senti ton odeur imprégnée sur le cocon. Seul un papillon peut en défaire aisément la trame en tirant sur les fils. Ou bien cela prendrait une lame acérée, du genre de celle que Svreid t'a ravie au moment de ta capture.

— …

— L'inquiétude rend les sans-ailes volubiles d'habitude, remarqua le Maïvorg.

— …

— Je trouve ton silence plutôt apaisant…

— …

— N'empêche! Je regrette qu'on n'ait décelé aucune sécrétion importante dans ton organisme. Ta mise en cocon m'aurait évité la corvée de venir ici chaque jour.

Sur ce, le geôlier ailé quitta les lieux.

— Hé, Gaelle! De quel nom le traiterais-tu celui-là? s'enquit du Tertre.

— …

— Ce n'est pas possible! gémit-il en constatant qu'il parlait dans le vide.

Combien de fois avait-il désiré que mademoiselle Miller soit réduite au silence? Assez souvent pour que son souhait soit exaucé… Quel vœu insensé! Ewan s'en voulait au plus haut point.

Que lui restait-il à désirer à présent ?

***

Afin de tromper son désespoir, du Tertre guetta l'arrivée d'autres rongeurs. Normalement, le rat éclaireur allait partager son butin avec ses comparses. Ce qu'Ewan connaissait des mœurs de ces bêtes, il le devait à Tanaïs. Elle lui avait appris que ces animaux vivent non seulement en groupe, avec beaucoup d'intelligence, mais qu'ils accordent une véritable valeur à l'entraide. Un jour, elle avait eu la surprise de rencontrer une très vieille rate aveugle qui portait une tresse de paille nouée à une patte. Lorsque Tanaïs la questionna à ce sujet, la rate lui expliqua que ses camarades se relayaient pour la guider dans ses déplacements. Ce fil leur servait de lien.

Le rat noir se manifesta vers la fin de l'après-midi, alors que la lumière qui pénétrait dans la grotte prenait une teinte de plus en plus laiteuse. Un congénère gris pâle l'escortait. Le premier le mena à la réserve de noix et de fruits en prenant soin de contourner le prisonnier. Après s'être servis, les rongeurs s'assirent sur leurs membres postérieurs en éprouvant un plaisir évident à grignoter leur repas. Ils avaient une discussion animée, les mouvements variés de leur museau et de leurs oreilles en témoignaient avec éloquence ! Du Tertre sut d'instinct qu'il ne devait pas s'immiscer dans leur conversation. Sa patience fut récompensée quand le rat gris s'approcha de lui malgré les cris aigus et réprobateurs de son complice. La bête entreprit une inspection en règle avant de se hisser sur ses jambes. Puis elle s'immobilisa sur les genoux d'Ewan – une sorte de butte aux yeux de la bestiole –, dodelinant la tête en signe de salut.

— Je suis Ewan du Tertre, le fils adoptif de Tanaïs.

— …

— Hum, tu la connais sans doute sous un autre nom…

Du Tertre lui raconta l'histoire de la rate à la tresse de paille. Le rat gris échangea alors quelques couinements avec le noir. Il semblait plutôt excité.

— Tu me vois honoré de faire ta connaissance, chuchota le jeune homme en tendant ses mains entravées vers la bestiole.

Le rongeur s'avança afin de les flairer. Tout aurait été pour le mieux si Ewan avait pu contrôler une irrépressible envie d'éternuer. Hélas! L'atchoum sonore qu'il émit bien malgré lui effraya ses visiteurs. Ils détalèrent comme s'ils avaient eu une horde de matous affamés à leurs trousses, sauf qu'à l'évidence ces rats-là n'avaient jamais croisé ni humain ni chat. Le cavalier ne put se retenir de pousser un «rrrshh!» rageur. Un petit rire résonna dans la grotte. Avait-il entendu Gaelle ou l'avait-il imaginé?

— Je suis un ours mal léché, je sais! maugréa le malheureux Ewan en lorgnant du côté du cocon.

— …

— Pas étonnant que je fasse fuir les rats, non ? Dis-le, Gaelle… Dis quelque chose, je t'en supplie !

***

La nuit se présenta sous les mêmes traits lisses que la veille, plongeant la caverne dans une noirceur accablante. Le froid était encore mordant, une vraie mâchoire d'acier, et le cocon contre lequel Ewan se blottit de nouveau lui sembla beaucoup moins chaud.

Jour 3

Lorsque le Maïvorg fit sa ronde au cours de la matinée, Ewan, toujours avare de mots, lui posa une seule question :
— Combien de temps resterons-nous ici ?
— Le temps qu'il faudra, répondit l'insecte, tout aussi avare.

Après avoir déposé de nouvelles provisions à ses pieds, le papillon partit. L'attente des rats commença alors. Du Tertre savait que ces derniers reviendraient puiser dans ses victuailles. En deux jours de captivité, il avait très peu mangé, préférant s'attirer les faveurs des rongeurs, quitte à faire souffrir sa panse. Mais il redoutait que ces animaux apeurés agissent durant son sommeil ou, pire, qu'ils refusent tout contact.

Le noir se montra finalement, à la tête d'une petite troupe de cinq rats. Il avait gagné de l'assurance depuis sa dernière visite. Les six rongeurs étaient mus par la curiosité jusqu'au bout de leurs si longues queues! Trois de leurs congénères, sortis de nulle part, se joignirent à eux. Ewan se demanda s'il allait en venir d'autres et son sang se glaça. Dix, vingt, trente… À combien s'y mettaient-ils pour dévorer un homme? Le prisonnier se ressaisit en constatant que les bestioles étaient en train de se partager tranquillement ses provisions. Après quoi, le gris s'aventura vers lui sous l'œil vigilant de ses semblables, qui formèrent un groupe d'observateurs. Ils se dressèrent à la manière de petits enfants se hissant sur la pointe des pieds afin de voir combien il reste de biscuits sur la table.

Hop! Le rat gris grimpa sur les jambes du jeune homme. Il dépassa le monticule des genoux – hop! hop! – et s'enhardit jusqu'à ses mains. Après un bref échange tactile, le rat parut satisfait et il le communiqua à ses alliés, qui s'assirent alors sur leurs membres postérieurs. Le moment de demander de l'aide était venu. Fidèle à lui-même, Ewan alla droit au but. Il désigna la fille là-bas dans son linceul de soie, affirma que cette vie en dormance serait pire que toutes les morts réunies et implora les rongeurs de rompre ses liens pour qu'il puisse la libérer. Le scrupuleux jeune homme tint toutefois à les avertir qu'ils perdraient la source de leur festin s'ils le délivraient. Or ça, les rats y avaient songé dès que l'inconnu avait suggéré de le détacher... Et ils s'en fichaient parce que cet humain leur avait déjà beaucoup donné. Ils désiraient donc lui rendre la pareille. Ainsi se tressent les liens de l'entraide lorsque la bonté des uns croise celle des autres.

Rats aux pieds, rats aux mains. Griffes agrippant les bandes, incisives entamant le cuir. En dix minutes, le prisonnier fut délié.

***

Du Tertre devait agir avec célérité. Il jeta un œil en dehors de la grotte et estima qu'il était environ quinze heures. L'entrée de la caverne donnait sur un palier rocheux, franchi par la rivière. La cascade située en amont offrait une trop forte dénivellation pour être remontée. Quant à la hauteur de la chute en aval, il faudrait s'avancer dans l'onde glacée afin de l'évaluer. Traverser le palier, dans le but d'atteindre l'autre rive, demeurait la meilleure solution quoique de nombreux obstacles – rochers, troncs d'arbre – se dressaient çà et là. Ewan pensa qu'il serait ardu de diriger le cocon dans ce fatras. Devait-il libérer Gaelle tout de suite ? Non ! Il perdrait un temps précieux à déchirer l'épais cocon à l'aide d'une pierre, si seulement il y parvenait, sans compter que cette tâche serait quasi impossible à accomplir dans l'obscurité. Cet abri de soie conserverait par surcroît la chaleur de son occupante et lui offrirait une protection contre les chocs, en plus d'être imperméable. À ces raisons s'ajoutait le fait qu'Ewan voulait retarder la formidable volée d'injures que Gaelle ne manquerait pas de lui asséner, une fois ses esprits retrouvés.

Dans l'immédiat, le cavalier devait se concentrer sur la bataille à livrer. Sans arme et contre les éléments. À l'impossible, il se sentait vraiment tenu ! Du Tertre roula le cocon jusqu'à la sortie de la grotte.

— Je te jure que je ne te lâcherai pas… Quoi qu'il arrive !

— …

— On va s'en tirer.

— …

— Tu vas t'en tirer, rectifia-t-il en se jetant à l'eau.

***

Sur l'onde, le cocon avait la légèreté d'une plume, si bien qu'il fut aisé à manœuvrer entre les rochers et les vestiges d'arbres morts. Ewan avançait à pas lents dans l'eau glaciale qui lui montait jusqu'à la taille. Sous ses bottes, le granit était glissant et inégal. Aussi trébucha-t-il à plusieurs reprises. Chaque fois, il maintint d'une poigne ferme le cocon, qui se transformait du coup en bouée de sauvetage. Le jeune homme claquait des dents. Le froid se frayait un chemin dans son corps, grugeant ses os, contractant ses muscles, dispersant la douleur partout sur son passage. Pourtant, Ewan continuait d'avancer, mû par la volonté inébranlable qui le poussait vers la berge opposée. Vers ce paysage dépouillé qui représentait la liberté.

L'attaque fut totalement inattendue. Le Maïvorg fonça sur du Tertre par-derrière et saisit ses poignets qu'il serra dans l'étau de ses pattes.

— Je savais que tu couvais quelque chose, à l'abri de ton silence ! siffla le papillon en colère.

Il tira si violemment Ewan que ce dernier se retrouva les bras raidis dans les airs avec un morceau du cocon déchiré entre les mains. Au moment d'extraire sa proie hors de la rivière, le Maïvorg relâcha son étreinte de manière à redistribuer sa force dans ses pattes qui devaient maintenant lui servir de levier. Grave erreur ! La veste du cavalier était mouillée et, par voie de conséquence, le cuir glissant. Pour la première fois de sa vie, le papillon perdit une prise… Ewan plongea sous l'eau. Il en ressortit avec une grosse pierre qu'il projeta sur son attaquant. Le Maïvorg furieux le cingla de ses fines pattes griffues, mais du Tertre lui résista, armé d'une solide branche qui lui fit office de gourdin. Manquait-il à ce point de force ? Son adversaire ne semblait pas craindre ses coups. Au contraire, il ripostait de plus belle. Ewan s'aperçut que Gaelle dérivait. Il avait lâché le cocon malgré sa promesse ! Sa rage décupla. Elle galopa de son cerveau à ses nerfs, de ses muscles à sa main. Tel un forcené, Ewan se mit à éclabousser le papillon à l'aide de sa branche. L'eau giclait de partout et l'insecte, saisi par les morsures du froid, eut un mouvement de panique. Une fraction de seconde durant laquelle Ewan lui agrippa les ailes et les fripa comme de vulgaires guenilles pour les enfoncer dans les remous glacés. Les voiles de la bête se crispèrent aussitôt et du Tertre sut qu'il allait gagner le combat. Il noya son agresseur en le maintenant d'une poigne de fer sous l'eau par les antennes. À la fin, Ewan ne savait plus s'il tremblait de froid ou d'horreur.

Il ne chercha pas la réponse, car le cocon dérivait dangereusement vers la chute. Ewan se précipita pour le rattraper. Quand il parvint enfin à l'agripper, il sentit qu'il ne pourrait lutter contre le courant. Il refusa toutefois de lâcher prise et fut avalé lui aussi par le tumulte de la rivière, qui le recracha soixante pieds plus bas à quelques pas de la rive.

***

Du Tertre était désorienté. Il avait la nausée, du sang plein le visage, les os en miettes. Il hissait quelque chose. Quoi ? C'était plus lourd qu'un cheval. Il s'acharnait quand même… Pourquoi ? Oui, pourquoi ?

Il tira un grand coup, encore.

Une dernière fois, allez !

Puis il s'effondra sur le sol.

***

Le cocon avait également été malmené dans la chute. Il présentait plusieurs déchirures. La jambe gauche de Gaelle était à découvert et ce contact, si minime soit-il, avec la réalité sortit la dormeuse de sa torpeur. Néanmoins, elle ne voyait rien, n'entendait rien et parvenait à peine à bouger ses bras, plaqués en croix sur son torse, tant l'enveloppe était tissée serré. Elle fit la chose la plus sensée dans les circonstances : elle respira par bouffées profondes, ne laissant pas à son cœur le loisir de s'affoler. Tout à coup, elle sentit un poids sur sa botte. Une masse en mouvement, qui freina net sur son genou. Gaelle hésita. Devait-elle s'en débarrasser d'une saccade? Mais, alors, n'en viendrait-il pas d'autres? Un… deux… trois poids… transitèrent encore par sa jambe. Gaelle les comptait avec une inquiétude grandissante. Où disparaissaient-ils une fois le genou escaladé? Quatre… cinq… Envoyaient-ils une armée pour la dévorer? Qu'il faisait chaud soudain dans cette cage de soie!

Les rats s'attaquèrent aux accrocs du cocon avec l'application d'un tailleur qui découd un ourlet. Puis ils plièrent bagage, s'éclipsant dès qu'ils jugèrent que la prisonnière pourrait finir le travail seule.

***

Après s'être extirpée de son cocon, Gaelle s'observa, incrédule. Il ne lui manquait pas un membre, pas même un

347

vêtement. Elle n'éprouvait ni froid ni faim ! Attirée par le bruit de l'eau, elle aperçut la chute. Ce n'était point la chute de la Louve... Où se trouvait-elle ? Que s'était-il passé ? Son regard tomba sur du Tertre. Inconscient, le visage en sang, le corps recroquevillé.

— Ewan, hurla-t-elle en le secouant. Ewan, réveille-toi !

« On ne ramène pas les gens à la vie de la sorte », l'avisa une voix intérieure. Du coup, elle le traîna à l'écart, lui ôta ses bottes, remplies d'eau glacée, et lui mit ses chaussettes à elles, épaisses et sèches. D'un morceau de cocon, elle fit un tampon pour laver la profonde coupure qu'il avait à la base du cuir chevelu. Un autre morceau servit de bandage.

« Tu es en train de réanimer un traître », lui dit une autre voix beaucoup plus caverneuse alors qu'Ewan revenait à lui.

— Ga... Ga... elle, bafouilla-t-il en claquant des dents.

— Chut ! lança-t-elle sans trop savoir si cet ordre s'adressait à Ewan ou à ses propres pensées.

— Je...

— Chhhut ! répéta-t-elle en déposant ses doigts sur les lèvres bleuies. Je vais chercher un refuge pour la nuit. Attends-moi.

Gaelle repéra un conifère dont l'épais tapis d'aiguilles roussies offrait une litière protectrice. Elle y mena Ewan en le soutenant, l'allongea sur le sol et étendit sur lui la face intérieure du cocon. Ce grand carré de soie effilochée continuait de diffuser une chaleur bienfaisante. Gaelle put alors s'asseoir contre le tronc et caler la tête du blessé sur ses cuisses. La voix caverneuse profita de ce moment de répit pour se faire entendre à nouveau : « Souviens-toi, dans les bois, ton châle rouge sur la neige, le regard si dur d'Ewan… Souviens-toi… »

✳✳✳

Gaelle monta la garde plusieurs heures, forte pour deux, bravant l'obscurité qui rendait ce lieu inconnu et incertain digne d'une fosse aux ours. La courageuse jeune fille veillait pour sa vie certes, mais surtout pour celle d'Ewan.

Elle avait caressé son visage glacé avant que la fièvre n'y dépose ses braises.

Elle lui en voulait terriblement.

De sa trahison.

Elle lui en voudrait encore plus.

S'il ne passait pas la nuit.

CHAPITRE 26

Les secrets de Tracady

Les Vorgombres et leurs cavaliers arrivèrent à la grotte des Cinq-Ours au milieu de la nuit grâce aux indications de Tracady bien sûr, mais aussi grâce à leur excellente vision nocturne. Djune introduisit Muir dans la caverne. Elle ne détecta aucune présence sur les lieux bien qu'elle y sentit les effluves d'Ewan. Muir alluma sa lanterne afin de confirmer ces conclusions de visu. La femelle se dirigea au fond de l'antre et en balaya le sol du bout de son aile. Elle y ramassa une touffe de minuscules fils de soie qu'elle présenta à Muir.

— Gaelle se trouvait aussi ici. Dans un cocon, déclara-t-elle d'une voix grave.

Où les captifs étaient-ils passés depuis? Leurs traces se perdaient dans l'eau. Djune et Muir sortirent de la grotte pour annoncer la mauvaise nouvelle au reste de la troupe.

***

Des cris inquiets déchirèrent les ténèbres.

— Du Tertre… Whou… hou!

— Gaelle, où es-tu?

— Du Terrrtre!

— Gaelle, m'entends-tu?

Pour sûr qu'elle entendait la voix de son frère!

— Par ici, Zachary! hurla-t-elle. Au bas de la chute…

— Miss Colibri! J'arriiive! s'époumona Bruknir.

Malgré l'angoisse qu'elle éprouvait pour Ewan, Gaelle sourit. Si son ange gardien était de la partie, elle allait bientôt être tirée d'affaire. Elle continua à lancer de stridents «ici!» pour les guider. Soudain, elle aperçut ce qu'elle prit d'abord pour une énorme luciole louvoyant entre les arbres. Il s'agissait en réalité de la fameuse lanterne de Muir. Cinq Vorgombres atterrirent à la verticale à quelques pas de la jeune fille. Zachary se précipita vers elle. Le frère et la sœur s'étreignirent avec une joie où se mêlait un profond soulagement. Muir s'agenouilla auprès de son jeune éclaireur.

— Il ne va pas bien du tout, se désola Gaelle.

— Que s'est-il passé? demanda Bruk.

— Je l'ignore! J'étais encoconnée.

Tracady se pencha sur le malade. Elle retira une petite boîte ronde d'une bourse qu'elle portait à la taille.

— C'est pour contrôler la fièvre, expliqua-t-elle en lui appliquant une fine couche d'onguent aux tempes et dans le creux du cou. Cela l'aidera à supporter le voyage du retour.

Muir emmaillota Ewan dans les restes du cocon. Rulf le prit en nacelle en le calant sous son thorax et en le soutenant grâce à la solide armature formée par ses trois paires de pattes jointes. Les papillons utilisent cette position pour le transport des grands blessés. De leur côté, Zachary et Gaelle enfourchèrent respectivement Djune et Bruknir.

— Dépêchons-nous ! lança la femelle. Passe devant, Rulf, nous t'escorterons de part et d'autre.

— J'ai eu peur de ne jamais te revoir, confia Bruk à sa protégée au moment de décoller.

***

Tracady et Muir se trouvaient seuls à présent dans la forêt.

— Quel est ton plan ? voulut-elle savoir alors qu'il la ligotait sans ménagement à un tronc d'arbre.

— On attend le lever du jour et j'irai ensuite te livrer aux autorités de Maurpley.

— La promenade promet d'être plaisante !

Le cavalier, secoué par la tournure des événements, ne répliqua pas. Il s'affaira à ramasser du bois sec pour commencer un feu tout en priant pour la vie de son jeune apprenti.

***

Muir et sa prisonnière se mirent en route aux premières lueurs de l'aube. Il suffisait de longer la rivière en aval pour rejoindre la vallée. Tracady Molvan avait le haut du corps entravé puisque ses mains étaient liées entre elles et retenues à la taille.

— Les bras servent à quoi à ton avis ? ragea-t-elle.

— …

— À conserver l'équilibre sur les terrains pentus comme celui-ci !

— …

— J'ai du mal à avancer.

— N'es-tu pas devenue un Mouflon ? Alors, cesse tes jérémiades !

— Charmant ! grommela Tracady.

Ils évoluaient en silence depuis une heure dans un paysage aussi labyrinthique que féerique. Les racines des arbres perçaient la terre, dévidant leurs écheveaux plusieurs fois centenaires sur ce chemin emprunté par les hommes. Un méandre de racines où s'empêtrer… Ce qui ne rata pas pour Tracady, qui chuta lourdement. Muir la saisit par les épaules pour la relever.

— Pas si vite ! gémit-elle en s'assoyant. Je crois que je me suis tordu la cheville.

Son visage grimaçait de douleur.

— Aïe ! Je t'avais pourtant prévenu, se plaignit-elle.

— Quelle jambe ? s'enquit l'éclaireur en s'accroupissant.

— La gauche.

Le cavalier souleva la longue jupe à volants pour découvrir que Tracady portait de belles bottes de cuir.

— Hhhan ! Attends une minute avant de l'enlever…

— Maintenant ? lui demanda-t-il au bout d'un instant.

— Oui ! s'exclama-t-elle en lui décochant un puissant coup de pied en pleine poitrine.

Muir tomba à la renverse et, avant même qu'il comprenne que sa prisonnière l'avait dupé comme un débutant, celle-ci s'était remise debout. Molvan semblait en pleine forme. « Un débutant ! » se répéta-t-il en écopant d'un coup de talon dans la mâchoire.

L'agile Tracady s'agenouilla auprès du corps inerte. Elle dégaina le poignard du cavalier et le planta à demi dans la terre. Elle put alors scier ses liens sur la lame tranchante et stable. Cette entreprise périlleuse – vu les risques de coupure – était le prix à payer pour se libérer. La chef des Mouflons avait déjà recouru à cette technique lors de précédentes mésaventures.

Une fois détachée, la fugitive aurait dû s'éclipser sur-le-champ. Elle s'assit plutôt sur un bloc de pierre et guetta le réveil de Muir. La dague bien en main.

***

Muir toisait Tracady avec hostilité tout en se massant la mâchoire, qui l'élançait bougrement.

— Vas-y ! Poignarde-moi comme mon frère, la défia-t-il.

Elle ne broncha pas.

— Qu'attends-tu ?! Vas-y ! Acharne-toi sur moi aussi.

— …

— On n'a même pas pu exposer son corps tellement il était labouré. Combien de fois as-tu enfoncé la lame dans sa chair, hein ?

— Je n'ai pas compté.

— Tu es monstrueuse !

— Je n'ai pas compté, Patrick, pour la bonne et simple raison que je ne l'ai pas tué.

— Sale menteuse ! fulmina-t-il en crachant par terre.

— Je ne l'ai pas assassiné quoique je n'aie rien fait pour empêcher sa mort.

Muir recula sur ses fesses afin de se caler contre un rocher qui lui servit de dossier. Allait-il, après des années de tourment, comprendre enfin la cause de ce massacre ?

— Qui l'a fait alors ? Qui ? hurla-t-il.

— Vera Concord.

— Tu racontes n'importe quoi ! Pourquoi la femme du boulanger aurait-elle supprimé Kevin ?

— Pourquoi ? Parce qu'il lui avait pris son mari et qu'il s'apprêtait à lui enlever sa fille ! riposta Tracady.

— Simon Concord s'est pendu !

— Laisse-moi t'expliquer une chose! Ton frère était un sans-cœur, un escroc qui profitait de sa position dans la cavalerie pour s'enrichir…

— Je t'in…

— Ne m'interromps pas! Kevin offrait sa protection aux commerçants d'Imeronx en échange d'une solde mensuelle. Ceux qui refusaient de lui verser ce pot-de-vin voyaient leurs provisions gâtées, leurs fenêtres brisées. Des vauriens venaient les effrayer… Un jour, le boulanger n'a plus eu les moyens de payer. Il avait trois enfants à nourrir, sans compter le petit dernier qui tétait encore sa mère. Ton frère les a menacés… La fille aînée du couple avait onze ans. Kevin a caressé ses seins naissants devant les yeux horrifiés de ses parents. Il a lâché en rigolant que ses «miches» étaient souples au toucher et que, faute d'argent, il s'en délecterait volontiers. Le pauvre Concord ne l'a pas supporté. Il s'est pendu.

Sonné par ces révélations épouvantables bien plus que par les coups de Tracady, Muir baissa la tête un bon moment. Puis il reprit, d'une voix presque inaudible:

— Si cela est vrai, pourquoi Vera n'a-t-elle pas porté plainte?

— Contre la cavalerie? Contre Kevin Muir, dont le père et le grand-père étaient eux-mêmes de célèbres cavaliers! Qui l'aurait crue?

— Tu l'as bien crue, toi…

— Parce que je connaissais ce fumier de Kevin mieux que personne, dit Tracady, une expression de mépris sur le visage. Après la mort de son mari, Vera est passée me voir. Elle m'a tout révélé et m'a suppliée de m'occuper de sa famille. «Pourquoi?» lui ai-je demandé, étonnée. «Parce que je vais tuer votre mari et que j'irai en prison pour ça», m'a-t-elle répondu. Je n'ai pas supporté l'idée que quatre enfants, dont un nourrisson, soient jetés à la rue… «Venez ici samedi, vers minuit, lui ai-je dit. Kevin joue aux cartes ce soir-là. Il rentre toujours éméché. La porte sera déverrouillée. Prenez un objet dans la maison, n'importe lequel. Laissez-le bien en vue avant de partir…» «Mais Tracady, s'est-elle indignée, si l'arme vous appartient et qu'il n'y a pas d'entrée par effraction, on vous condamnera!» Je l'ai rassurée en lui promettant que je serais à ce moment-là loin, très loin d'Imeronx. J'ignore combien de coups elle a frappés. Je sais seulement qu'elle a agi au nom de son mari et de sa fille. Et de l'amour qu'elle leur portait. Ça devait faire beaucoup.

— Tu… tu es… innocente, murmura Muir.

— Oui.

— Dans ce cas, déclare-le à la cavalerie d'Imeronx.

— Jamais! Vera Concord est toujours vivante. Ton père aussi. La vérité les tuerait l'un comme l'autre.

— Tu as raison, concéda Muir, accablé.

— À propos de ton frère, ajouta-t-elle, la gorge nouée. Tu me plaisais davantage…

— Tracady, arrête !

— Non… Tu dois savoir… Un jour, Kevin m'a déclaré que tu m'aimais plus que lui, mais que, lui, il me voulait plus que toi. Je lui ai avoué naïvement ne pas comprendre ce que cela signifiait. Alors, il a glissé ses mains au creux de mes reins, ses lèvres sur les miennes. J'ai ressenti un indéfinissable vertige… Nous nous sommes mariés peu de temps après. Au début, j'étais heureuse. J'ai cependant vite déchanté quand j'ai découvert que celui des deux hommes qui m'avait le plus voulue ne me chérirait jamais.

— C'était mon frère aîné, je l'ad…

— Ça n'a plus d'importance, aujourd'hui, chuchota Tracady en se penchant vers Muir.

Elle lui releva le menton et l'embrassa avec une fougue presque sauvage. Puis elle se sauva, ce qu'elle aurait dû faire depuis un bon moment déjà.

— Prends bien soin d'Hugo ! cria-t-elle. Et n'oublie pas ceci…

Elle planta la dague sur un tronc avant de disparaître entre les arbres.

— Je te déteste, Tracady Molvan ! Autant que je t'aime, m'entends-tu ? hurla Muir sans tenter de la poursuivre.

Quel piètre cavalier il faisait en laissant fuir une des personnes les plus recherchées d'Imeronx ! D'un autre côté, lui était-il possible de mettre en prison la femme qui détenait son cœur ?

CHAPITRE 27

La mystérieuse feuille d'Ewan

Dans les moments les plus durs, la vie exige de l'être humain qu'il soit un prodigieux funambule. Voilà comment, au cours des premiers jours de décembre, Margot oscilla, sans balancier, entre la frayeur et la félicité, sur le fil des événements qui bouleversèrent son existence. D'abord, des papillons géants avaient enlevé sa fille et du Tertre. Puis Lhoumey avait disparu sans laisser de traces tandis que Robert et Sev réapparaissaient ! Pour finir, Gaelle avait été retrouvée saine et sauve sans qu'on puisse en dire autant du malheureux Ewan. Si bien que Margot Miller devait endosser maintenant plusieurs rôles. Elle en-filait, tour à tour, le tablier de la serveuse, de la cuisinière et de l'infirmière, qu'elle ôtait à la hâte, entre deux corvées, pour redevenir une épouse et une mère comblée.

Après huit mois d'immobilité forcée dans un cocon, Robert et Sev, quoiqu'un peu affaiblis, refusaient de se reposer. D'ailleurs, Sev avait vite retrouvé son énergie légendaire. Robert restait pour sa part toujours aussi affable et plaisant. Les deux secondaient Margot avec entrain, dans le brouhaha de l'auberge, pendant que Zachary se concentrait sur son travail à l'écurie. Retenue au chevet d'Ewan, Gaelle ne pouvait consacrer beaucoup de temps à son père, ni à son frère benjamin. Cela lui pesait, car, si elle prenait toujours un vif plaisir à rejoindre Sev, elle éprouvait, chaque matin, des sentiments de plus en plus accablants lorsqu'elle se rendait auprès du grand malade.

Le passage d'Ewan dans les eaux glaciales de la rivière de la grotte des Cinq-Ours avait causé des ravages. Fièvre aiguë, toux sèche, souffle aussi court que celui d'un oisillon tombé du nid, ces symptômes caractérisaient la fluxion de poitrine. Les vapeurs d'essence de pin, les infusions de tilleul, les nombreux cataplasmes à la moutarde préparés par Margot et administrés par sa fille, rien ne faisait effet. Combien de fois Gaelle épongea-t-elle le front d'Ewan en repoussant délicatement les mèches noires trempées qui lui collaient aux tempes ? Combien de fois replaça-t-elle les oreillers dans l'espoir, toujours vain, de faciliter sa respiration ?

Muir, qui était revenu tambour battant à Mentana grâce à un Vorgombre, prenait soin lui aussi de son courageux apprenti. Il le veillait durant la nuit, son inquiétude se substituant alors à celle de la jeune fille.

***

Le matin du 9 décembre, Gaelle vint prendre la relève de Muir, qui put enfin lui annoncer une bonne nouvelle : au cours des dernières heures, la fièvre d'Ewan avait baissé. Le malade avala quelques gorgées de bouillon avant que son esprit brumeux le rappelle sur les rives du sommeil. Il s'agissait cependant d'une torpeur beaucoup moins agitée que celle des journées précédentes. Comme si l'oisillon avait retrouvé le chemin de son nid et qu'il se remettait tout doucement de son affolement. En fin d'après-midi, Ewan put s'asseoir dans son lit.

— Tu me… veilles… de… puis… combien…

— Depuis six interminables jours, lui répondit Gaelle.

— Pourquoi ?

Elle le dévisagea. Cette question n'avait rien de vague, ni d'innocent. Au contraire, elle revêtait une importance cruciale.

— Parce que tu m'as sauvé la vie, même si j'ignore encore comment.

— Je t'ai… tra… hie…

Je m'en souviens parfaitement, imagine-toi !

— J'ai eu le temps de réfléchir à ton chevet, Ewan.

J'ai rejoué la scène mille fois dans mon esprit…

— Tu n'avais pas le choix de dévoiler mon don aux Maïvorgs. Sinon, ils m'auraient tuée.

Par conséquent, jamais plus je ne t'appellerai du Traître.

— Je suis navré.

Un sourire bienveillant illumina le visage de la jeune fille.

— Tu le seras beaucoup moins lorsque je t'aurai exposé la suite des événements. Sache que mon père et mon frère ont été délivrés.

Et dès que tu seras remis, nous partirons tous à Imeronx! Il y a une chose que je ne m'explique toujours pas...

Gaelle poursuivit le fil de sa pensée à voix haute:

— Dis-moi, lors de notre attaque, les Maïvorgs ont déclaré qu'ils voulaient t'achever. Tu leur as donné une raison pour qu'ils me gardent en vie. Quel motif avaient-ils de t'épargner, *toi*?

Quand du Tertre ouvrit la bouche, la toux le reprit. Une quinte incontrôlable et douloureuse qui le dispensa d'inventer un mensonge.

***

Le lendemain, Ewan parvint à sortir de son lit. Il profita d'un bref répit sans visiteur pour se lever et fouiller dans la poche intérieure de sa veste. Il en extirpa un fin rouleau qu'il déplia avec soin. La feuille ronde et entaillée était intacte malgré l'humidité à laquelle elle avait été soumise.

De quel arbre provenait-elle? À l'instar de Tanaïs, il avait depuis belle lurette abandonné l'idée de percer ce mystère. Ewan contempla pour la millième fois son prénom gravé sur la face brunie de la feuille, souple et résistante comme du cuir.

Au moment de la laisser s'enrouler sur elle-même, il crut distinguer des lettres dorées inscrites sur sa surface intérieure, d'un beau vert lustré. Allons donc! Il avait la berlue maintenant… Car cette feuille si souvent effleurée du bout des doigts, dont il pouvait reproduire de mémoire le tracé exact des nervures, ne lui avait jamais révélé quoi que ce soit. Ewan en écarta les bords, le cœur battant…

La sécheresse sévissait déjà alors que tu grandissais dans mon ventre. Il ne reste plus de céréales, ni de bétail, ni même de lait dans mes seins qui sont secs et crevassés comme la terre. Ton père est mort de la fièvre, ton frère de la faim… La force me manque pour partir vers des cieux plus cléments… Si je te garde auprès de moi, ton seul héritage sera la poussière et la mort.

Ton prénom Ewan signifie «if». Cet arbre croît lentement et vit très longtemps. Nous te l'avons donné dans l'espoir que tu deviennes un homme juste. Je remets ton sort entre les pattes d'un improbable destrier qui s'appelle Stej. J'espère avoir eu raison de lui faire confiance.

Adieu mon petit,

Ta mère qui te chérira toujours

De l'eau… «Il suffisait de mouiller la feuille pour en découvrir le message!» s'émerveilla Ewan en rangeant sa précieuse lettre dans sa veste. Dire qu'il avait conservé les mots de sa mère au sec pendant toutes ces années! La vie prend parfois d'étranges détours… En effet, au moment où il avait frôlé la mort dans une rivière glacée en assumant pleinement ses torts et en luttant pour ce qu'il croyait juste, le vœu de sa mère s'était réalisé. Le petit Ewan avait traversé les années et il était devenu un jeune homme intègre.

Lorsque Gaelle entra dans la chambre avec un plateau de nourriture, le malade avait regagné son lit. Il restait d'une extrême pâleur, mais Gaelle remarqua d'emblée un changement notable. Les magnifiques iris verts d'Ewan brillaient à nouveau. Plus aucun voile ne les assombrissait.

CHAPITRE 28

De nouveaux horizons

À Mentana, chacun connaissait Robert et Gaelle, ce qui, au bout du compte, les exposait à être de nouveau la cible des Maïvorgs. Par conséquent, les Miller décidèrent de quitter la région dans les plus brefs délais et sans en toucher mot à quiconque au village. Le choix de s'installer à Imeronx allait de soi. D'une part, Zachary pourrait y réaliser son rêve en fréquentant l'école de la cavalerie express. D'autre part, les papillons géants ne pénétraient jamais dans l'enceinte des villes, encore moins Imeronx dont ils n'avaient guère sillonné le ciel depuis le sacrifice du vénérable Lotz.

En attendant le moment du départ, les Vorgombres surveillaient l'auberge nuit et jour avec leur discrétion habituelle. La crainte que leurs frères ennemis viennent rôder sur le plateau afin de récupérer l'inestimable Gaelle les rendait nerveux. Si Awi et Svreid n'avaient pas déserté leur tribu, les Maïvorgs se seraient sans doute déjà manifestés plutôt que de pister les deux fuyards… Bref, le temps pressait. Tout en veillant son protégé, Muir avait songé à la suite des choses. Dès qu'il fut rassuré sur le sort d'Ewan, il organisa son déplacement ainsi que celui des Miller vers le poste le plus proche de la cavalerie express. Il s'agissait d'Eystef, un relais situé au nord, dans la chaîne de montagnes, à environ neuf heures de chevauchée. Le 10 décembre, à l'aube, Muir et Zachary se rendirent à l'écurie de l'auberge. En lui passant la bride, Zac prit la peine d'expliquer à Akko qu'il allait devoir voyager sans son fidèle Ewan, encore trop faible pour entreprendre une pareille course, mais qu'on lui avait assigné un autre cavalier, disons beaucoup moins expérimenté. Le cheval émit un hennissement bref et grave pour signifier qu'il comprenait. Le jeune Hugo, ravi de partir à l'aventure, grimpa aussitôt sur lui.

***

Deux jours plus tard, dans le silence de la nuit et le bruit léger des pas furtifs propres à ceux qui fuient, Ewan du Tertre et les quatre autres membres de la famille Miller abandonnèrent leurs chambres. Ils sortirent par l'escalier extérieur, sauf Margot qui emprunta celui de l'intérieur.

Les marches de bois gémirent à leur habitude sans néanmoins la trahir. En passant pour la dernière fois devant le comptoir du bar, Margot y déposa une lourde enveloppe adressée à Will Felgardi. Elle contenait un trousseau de clefs accompagné du mot suivant :

Je quitte ces lieux avec un profond regret. Tes histoires, surtout celles de sorcières, me manqueront, d'autant plus que je sais maintenant que tu n'as jamais vraiment biglé… En l'absence de Lhoumey, tu me sembles le mieux placé pour t'occuper de l'auberge. Tu t'en tireras fort bien à condition de remplir de whisky les verres des autres plutôt que le tien ! Je te suggère de recruter Célie Wells : c'est une cuisinière hors pair. Si tu offres aussi une place à sa sœur Isa, tu auras de réelles chances de succès. Prends soin de toi et salue Édouard Quat de ma part.
Margot M.

***

Tapis dans le foin de l'écurie, les Vorgombres guettaient la venue des fugitifs.

— *Djô !* Arrivent-ils bientôt ? s'impatienta Bruknir que des brins de paille collés à ses ailes démangeaient atrocement.

— Cesse de te plaindre et tu les entendras ! répliqua Niox.

— J'ai hâte de bouger de là moi aussi, remarqua Krig.

Tanaïs et Djune se redressèrent dans un même élan juste avant que Gaelle tire la large porte qui s'ouvrait sur la cour arrière de l'auberge. Elle leur apparut encadrée des siens. On procéda à de brèves présentations, puis chaque Vorgombre choisit son cavalier. «Ces sans-ailes sont bienveillants et respectueux. Ils ne pensent pas à nous passer des rênes, ni à nous mettre des œillères», ne put s'empêcher de remarquer Tanaïs en se souvenant de son cher Lotz.

Djune apaisa du mieux qu'elle put Margot, qui tremblait comme une feuille à l'idée de se retrouver suspendue entre ciel et terre. De son côté, Robert n'en revenait pas de pouvoir observer des papillons géants en chair et en os alors qu'il les avait si bien étudiés, dans sa jeunesse, pour se fabriquer un cerf-volant. Le groupe quitta Mentana sur le coup de minuit. La descente sur Eystef s'amorça vers trois heures du matin au grand soulagement des humains qui, bien qu'emmitouflés dans des couches de vêtements, avaient souffert de fendre ainsi la masse opaque et glaciale des ténèbres.

Les Vorgombres se posèrent en retrait du poste. La silhouette du bâtiment se perdait dans la noirceur. Seule une grosse lanterne sur pied éclairait la porte d'entrée tandis que les flammes dansantes d'un chandelier attiraient le regard sur le châssis d'une fenêtre. À n'en pas douter, Muir veillait…

Robert, Margot et Sev remercièrent avec effusion leurs bienfaiteurs ailés avant de se précipiter au chaud. Tanaïs entraîna Ewan dans un coin et Bruk retint Gaelle. Le temps des adieux était venu.

***

— Tu vas me manquer ! se désola Gaelle. Je déteste déjà cette ville…

— Profite de l'océan. Il paraît que c'est un spectacle magnifique.

— Tu n'y as jamais été ?

— Non.

— Tu viendras me voir, alors ? lui demanda-t-elle, pleine d'espoir.

— Je te le promets.

— Comment m'avertiras-tu ?

— À l'aide d'un pigeon voyageur, *dji* !

La jeune fille sourit et se blottit contre Bruk, qui la serra entre ses pattes.

— Ce fut un réel honneur pour moi, Gaelle Miller, lui chuchota-t-il en défaisant doucement son étreinte.

Juste avant de s'envoler, il ajouta cette remarque plutôt étonnante de la part d'un Vorgombre :

— Et un immense bonheur.

***

Tanaïs étreignit également Ewan, une dernière fois, avant de le regarder s'éloigner vers la lumière des hommes. Il venait de lui parler de la lettre de sa mère. Ainsi, ce pousse-rots avait été abandonné sur un tertre par l'aventureux Stej, le compagnon d'enfance de Tanaïs et le dernier à avoir vu Lotz vivant. Était-ce un fabuleux hasard ou Stej savait-il que les bannis de sa tribu d'origine se cachaient dans cette forêt? Pourquoi n'avait-il pas remis ce petit d'homme entre les mains des gens de son espèce? Dans quelle contrée, ce papillon migrateur, qui traversait l'océan chaque année, avait-il connu la mère du bébé? Ces questions, appartenant au fil du passé, s'étaient bousculées dans l'esprit de Tanaïs. Avait-elle eu raison d'en faire part à Ewan?

Cela n'avait point eu l'air de le préoccuper. Du Tertre s'était plutôt inquiété au sujet de la sécurité des Vorgombres à cause de la réaction de Ferkyos quand il avait appris, de la bouche du jeune éclaireur, que Belk était toujours en vie. Tanaïs l'avait rassuré: l'actuel chef de la tribu de la clairière, Ferkyos, avait toujours détesté Belk. Cependant, les deux mâles étaient désormais à la tête de leur propre clan. En toute logique, Ferkyos avait dû ordonner aux siens de quitter leur repaire puisqu'il avait été exposé au regard des sans-ailes. Une attaque de leur part était donc improbable.

***

Ferkyos avait effectivement agi de la sorte. Tous les membres de sa bande approuvèrent son choix de migrer dans un recoin très peu fréquenté de la vallée, le temps de la saison froide. Si cet endroit était trop petit pour accueillir la coconnière d'humains, les Maïvorgs y trouveraient au moins un abri sûr pour leurs propres cocons. Neuf chenilles verraient donc le jour en mars. Entre-temps, des mâles sillonneraient la contrée en quête d'un refuge plus confortable.

✳✳✳

En sa qualité de chef, Ferkyos fut le dernier à quitter la clairière. La rage l'empêcha de reconnaître la profonde peine qu'il avait d'abandonner ce lieu où il était né.

Rage que le passage secret soit découvert et que des hommes aient osé pénétrer dans leur antre. Oui! Ferkyos avait bien senti leur fumet et ceux des Vorgombres en ce pénible matin où il constata qu'on avait non seulement pillé sa coconnière humaine, mais qu'à l'évidence Awi, le jeune mâle le plus rusé de sa tribu, s'était enfui en compagnie de Svreid.

À la furie d'avoir été trahi par Awi se greffait le dépit que Belk et Tanaïs soient encore en vie et le courroux d'avoir perdu les prisonniers de la grotte des Cinq-Ours. Mais il y avait pire, *djiii!* L'inventeur de la pompe à eau lui avait échappé, emportant avec lui le rêve de la tribu de migrer vers une oasis où les hommes n'agiraient plus en maîtres, mais en esclaves.

Que fait tant de rage concentrée en un seul corps ? Elle attise la vengeance et cherche à s'exprimer par tous les moyens.

En guise d'adieu ultime, le grand chef Ferkyos prit soin d'éteindre le feu – son propre feu – que les siens avaient entretenu, dans la clairière, au fil de son règne. Il conserva une minuscule flamme et se dirigea d'un pas assuré vers la coconnière pour y allumer, une à une, les chapes de soie qui renfermaient des âmes humaines. En s'embrasant, ces étoiles pleurantes brillèrent pour la toute dernière fois.

Ainsi assouvie, la rage de Ferkyos grésilla de satisfaction. Le papillon s'envola sans un remords, ni un regard en arrière.

*** *

Lorsqu'un cavalier formait un apprenti, il s'en portait garant. Muir l'avait fait pour Ewan, il le refit pour Zachary. La garnison d'Imeronx était une ville dans la ville : elle regroupait une école, une chapelle, des écuries, des salles de combat, des ateliers, des dortoirs ainsi que des quartiers pour les officiers et quelques civils. La famille Miller put rester à l'intérieur de ces murs, car Robert s'y engagea comme homme à tout faire. On l'apprécia très vite grâce à sa dextérité et à son inventivité. Durant ses temps libres, il consignait ses idées dans des carnets. Croquis, notes et flèches en tous sens filaient sur les pages. Inspiré par sa découverte de l'océan, Robert s'intéressa, en premier lieu, à la possibilité de créer un bateau voguant sous l'eau. Il construisit ensuite une machine à manivelle et à remous pour laver le linge. Quant à Margot, elle se rendit indispensable grâce à son propre carnet : celui où elle avait consigné ses recettes de cuisine. Elle profita de nouveau du plaisir de circuler entre des tables bondées, celles du réfectoire, et de se retrancher, quand bon lui semblait, derrière les fourneaux de l'imposante cuisine de la garnison où s'activait une équipe de travail disciplinée et dévouée.

Gaelle, Sev et Hugo fréquentèrent les classes du matin, celles qui étaient ouvertes aux frères et aux sœurs des apprentis. Hugo se fit donc appeler Miller, histoire de simplifier les choses. L'après-midi, les occupations ne manquaient guère entre les soins à prodiguer aux nombreuses bêtes, les objets à rafistoler ou encore les interminables parties de cache-cache. Deux fois par semaine, Gaelle se rendait dans la vaste bibliothèque de la garnison. C'était devenu sa nouvelle forêt, son refuge à l'écart du monde. Elle y feuilleta de superbes ouvrages de botanique et d'architecture, emprunta plusieurs romans et se lança même dans la lecture d'un traité sur l'art de la guerre.

Du côté des cavaliers, Zachary suivit une formation poussée qui lui laissait peu de répit. Muir et du Tertre s'entraînaient aux combats équestres et à mains nues ainsi qu'à l'escrime. Ils s'absentèrent quelques fois, le temps de brèves missions autour d'Imeronx. À propos du val de Ninss, d'autres éclaireurs qu'eux – et pas seulement deux cette fois – baliseraient le trajet, le printemps venu, pour établir ensuite un poste de cavalerie express à Mentana. Pour les coursiers qui descendraient d'Imeronx vers Aurora, l'auberge de Mentana serait le dernier relais avant d'atteindre la vallée, dont la traversée ressemblerait à des vacances après le voyage périlleux à travers les replis montagneux. À coup sûr, l'auberge allait devenir un lieu célèbre !

Cette joyeuse compagnie se réunissait à l'occasion pour partager un bon repas. Il s'agissait d'un moment fort attendu au cours duquel les éclats de rire fusaient d'un bout à l'autre de la table et, parfois aussi, des boules de mie de pain. Gaelle n'avait rien trouvé de mieux pour remplacer les pommes de pin que Bruknir aimait lui envoyer sur la tête, sauf qu'elle visait toujours aussi mal ! Ewan reçut un nouveau chapeau beige pour fêter l'anniversaire de ses dix-sept ans : Margot en avait tissé le superbe gallon qui en ceinturait la calotte. Muir lui offrit en outre une dague qu'il avait fait forger spécialement pour la circonstance.

***

Un jour, Ewan attira Gaelle au sommet d'une tour crénelée, qui servait de poste d'observation.
— Regarde bien ! lui dit-il, les yeux brillants.

Gaelle contempla l'espace infini de l'océan, ce taffetas chiffonné bleu azur d'une indicible splendeur. Bruknir ne l'avait pas trompée : c'était absolument magnifique.

La fois suivante, le jeune homme lui donna rendez-vous à l'entrée de la tour. Gaelle s'était passé son châle rouge autour de la tête, car elle avait constaté, lors de sa première visite, qu'il ventait beaucoup, là-haut. Du Tertre l'entraîna dans l'escalier en colimaçon, la faisant grimper à vive allure. Quand elle arriva au bout des marches et de son souffle, elle se demanda…

Est-ce à cause de la course ou de ma main dans la sienne ?

Elle s'interrogeait au plus profond d'elle-même. Or, Ewan n'en savait rien. En fait, il ne l'entendait plus aussi bien depuis qu'elle avait été encoconnée. Devait-il mettre cela sur le compte de la maladie ou de ses propres émois ?

Pour Ewan, cet horizon à perte de vue offrait de fabuleuses perspectives de chevauchées. Il songea à la plus grande qualité d'un cavalier express, soit son habileté à voyager à toute vitesse en évitant les obstacles. Mais comment réagir devant le svelte et gracieux coquelicot, qui affolait de plus en plus son cœur ?

Gaelle se tenait juste là, contre lui, sous la battue du vent. Belle comme jamais. Impossible à contourner.

Agnès Grimaud

Après avoir enseigné le français et la littérature au collège Lionel-Groulx, Agnès Grimaud y agit désormais à titre de conseillère pédagogique. En 2006, elle publie son premier roman *Effroyable Mémère, incroyable sorcière* chez Dominique et compagnie. Cette espiègle sorcière deviendra de nouveau l'héroïne de deux autres récits : soit *Effroyable Mémère et le Seigneur des Nœuds* (2007) et *Effroyable Mémère à la plage* (2010).

Grande amatrice de romans policiers, Agnès a aussi relevé le défi de créer une série policière pour les jeunes lecteurs, les Lucie Wan.

L'auteure aime situer le cadre de ses actions en pleine nature. L'océan, les falaises, les forêts et les jardins luxuriants exercent en effet un attrait particulier sur elle.

Ce texte a été écrit en novembre 2012, après la rédaction de la deuxième version de Papillons de l'ombre. *D'autres versions se sont succédé ensuite, répondant, en partie, à certaines des questions soulevées par ce travail de réflexion.*

La lanterne de l'écrivain

Ce récit, je l'ai «écrit à la lanterne» pour reprendre une expression de Jean-Claude Mourlevat, qui la tient lui-même d'un de ses directeurs littéraires. En inventant cet univers, j'ai pénétré dans une forêt dense, qui fait partie de mes terres. Je n'avais pas d'appréhension. Dès le début de l'écriture, la différence de mœurs entre les Vorgombres et les Maïvorgs était clairement établie. J'ai néanmoins vite constaté que mes personnages risquaient tous de se chauffer du même bois. Je me suis arrêtée, le temps de quelques recherches, pour trouver l'essence de chacun d'eux : comment perçoit-il le monde ? Comment prend-il ses décisions ? Quelle énergie l'anime ? Quant au cadre naturel du récit, il me suffisait de fermer les yeux afin de revivre l'enchantement ressenti lorsque j'ai foulé les prairies de Tuolumne à Yosemite durant l'été 2008, quelques mois avant que j'entame la rédaction de cette histoire. S'il y a un grand amour dans ce roman, c'est celui que j'éprouve pour la nature.

Mais revenons à cette idée d'écriture à la lanterne. J'ai mis trois années à créer la 1re version des *Papillons*. Il m'a fallu, à plusieurs reprises, quitter ma forêt pour retourner à l'enseignement. Je sortais de ces bois par un chemin, et j'y rentrais par un autre. Je n'avais ni plan ni sentier balisé. J'en aurais eu que cela m'aurait formidablement stressée : il est difficile d'abandonner ce qui est tout tracé ! Par bonheur, je possédais une lanterne à la mèche longue, qui ne demandait qu'à être rallumée le temps d'une nouvelle expédition. Elle m'a permis d'avancer d'une manière qui me convient : tranquillement, dans un halo préservant le plaisir de la découverte parce qu'il n'illumine pas tout d'un coup. Elle m'a servi de guide, m'imposant un rythme d'écriture lent, parfois sinueux, mais ô combien passionnant. J'ai ainsi pu cartographier mon monde imaginaire au gré des rencontres et des obstacles. Je dois beaucoup à cette lanterne, aux éclats singuliers qu'elle a projetés sur mon récit, aux ombres qu'elle a su éclairer.

En période de création, j'ai besoin de marcher. Après trois kilomètres, l'inspiration se met elle-même en marche ! Je me déplace à pied de la même manière que j'écris : rien ne peut me détourner de ma destination, mais je déteste y aller en ligne droite. Les ruelles et leurs jardins ont sur moi un irrésistible pouvoir d'attraction. Je n'éprouve pas d'angoisse de la page blanche. Parce que j'ai très vite saisi qu'il ne servait à rien de rester là assise, immobile, devant mon clavier.

Au cours de l'été 2011, j'ai terminé la 1re version de mon manuscrit. La finale du récit était abrupte, car j'envisageais d'entamer rapidement une suite. Puis, j'ai convenu que c'était irréaliste en raison de ma situation familiale et professionnelle. Du coup, il devenait impératif de sceller davantage le sort de mes personnages. J'en fus drôlement embêtée. Ma lanterne n'éclairait plus rien. Je ne voyais pas le début de la fin. J'ai alors songé à composer une carte heuristique*, histoire d'obtenir une idée d'ensemble de ce que j'avais fait jusque-là.

---

* Le lecteur peut consulter cette carte sur le blogue officiel du roman : papillonsdelombre.blogspot.ca.

Ô surprise! Quand j'ai bien eu établi les liens entre mes personnages, j'ai pu observer tout ce que j'avais laissé en suspens. Il me suffisait de relier certains fils.

Sont-ils tous reliés? Restent ces fameuses trouées. Avec la plupart, je vis très bien. Que Gaelle et Ewan ne s'embrassent pas langoureusement à la fin du roman, que leur amour soit naissant ne me gêne pas du tout. Ne me gêne guère non plus le fait qu'Ewan pourrait, un jour, quitter Imeronx en quête de ses origines. Ce sont de réelles possibilités. Faut-il les taire sous prétexte qu'elles n'appartiennent pas au temps de cette histoire? Faut-il absolument clore le récit sur lui-même? Qu'on me reproche comme auteure de n'avoir pas tout dit, tout expliqué, est-ce grave? Je me questionne réellement à ce propos.

Parler des belliqueux Maïvorgs m'entraîne sur une autre voie. À mes yeux, mon récit met en scène une véritable violence. De nombreux personnages se trouvent ébranlés par le sort : Gaelle est arrachée à l'enfance, forcée de se taire à propos des Vorgombres; la famille Miller est démembrée avant d'être déracinée; Lhoumey collabore avec l'ennemi malgré lui; Tanaïs, Bruk et Djune trahissent leur nature profonde pour protéger de jeunes humains. Quand Tracady dévoile à Muir les circonstances de la mort de son frère, la vérité est horrible à entendre. Cette violence est le plus souvent intériorisée. Sourde, se dévoilant par à-coups, elle n'en demeure pas moins atroce.

Or, j'ai eu beaucoup de difficulté à créer des scènes manifestes de violence. Henriette meurt loin des yeux, mais non du cœur; le destin de Lhoumey reste incertain, tant pour le lecteur que pour l'auteure! Le seul meurtre que j'ai réussi à décrire en «temps réel», c'est celui d'Ewan lorsqu'il noie le Maïvorg, qui le garde dans la grotte des

Cinq-Ours. Est-ce que j'ai tenu à cantonner la violence? Oui, de toute évidence! Non par pudeur à bien y penser, mais parce que cette économie de moyens me sied.

Un thème m'a habitée tout au long de la création : celui de la bienveillance, une disposition qui me semble être indispensable à toute vie en communauté. Cette bienveillance est ce qui lie en définitive les Vorgombres aux humains, et les humains entre eux. Elle se transforme en une solidarité parfois incongrue, devenant, pour plusieurs personnages, un véritable contrepoids à la violence. Je me suis beaucoup amusée à la développer chez des êtres pour qui elle est un contre-emploi : je pense surtout à Awi.

Enfin, sur le plan formel, j'ai construit mon récit comme un cocon, ce qui est, en somme, une autre façon d'écrire à la lanterne puisque les événements se dévoilent petit à petit. Il faut ici une certaine patience au lecteur : les choses ne sont pas mises à plat, les actions ne lui sont pas présentées chronologiquement. D'ailleurs, je me suis intéressée de près à la thématique de l'éclosion. Quelle est la cause du schisme entre les papillons? Une fois extirpée du cocon de l'enfance, comment Gaelle se déploie-t-elle? Comment Ewan s'ouvre-t-il aux autres? Et le désir? Comment perce-t-il les cœurs? Voilà sans doute pourquoi je trouve naturel que ce récit laisse des éléments en suspens. J'ai décrit l'éclosion, mais, à mes yeux, la métamorphose, qu'elle soit due à un engagement amoureux ou encore aux bouleversements que peut créer la découverte de ses origines, serait l'objet d'une tout autre histoire.

Agnès Grimaud

Table des matières

Catalogage avant publication
de Bibliothèque et
Archives nationales du Québec
et Bibliothèque et Archives Canada

Grimaud, Agnès, 1969-

Papillons de l'ombre

(Grand roman Dominique et compagnie)
Pour les jeunes.

ISBN 978-2-89686-998-5

I. Lavoie, Camille, 1967- .
II. Titre.

PS8613.R64P36 2014   jC843'.6
C2014-941346-7
PS9613.R64P36 2014

Direction littéraire et artistique :
Agnès Huguet
Révision et correction :
Céline Vangheluwe
Conception graphique :
Nancy Jacques et Dominique Simard

Dépôt légal : 3ᵉ trimestre 2014
Bibliothèque et Archives
nationales du Québec
Bibliothèque et Archives Canada

Dominique et compagnie
1101, avenue Victoria
Saint-Lambert (Québec) J4R 1P8
Téléphone : 514 875-0327
Télécopieur : 450 672-5448
Courriel : dominiqueetcompagnie@
editionsheritage.com
www.dominiqueetcompagnie.com

Imprimé au Canada

Nous reconnaissons l'aide financière
du gouvernement du Canada
par l'entremise du Fonds du livre du Canada
et du Conseil des Arts du Canada.

Nous reconnaissons l'aide financière
du gouvernement du Québec par l'entremise
du Programme de crédit d'impôt
– SODEC – Programme d'aide à l'édition
de livres.

L'auteure remercie le Conseil des arts
et des lettres du Québec de son appui
financier dans le cadre du Programme
de bourses aux écrivains et aux conteurs
professionnels.